O CASO DO HOMEM MORTO NO FOSSO

O Caso do Homem Morto no Fosso

OS ARQUIVOS DE FETCH PHILLIPS II

LUKE ARNOLD

TRADUÇÃO *Giu Alonso*

TRAMA

Título original: *Dead Man in a Ditch*

Copyright © 2020 by Luke Arnold
Publicado originalmente na Grã-Bretanha em 2020 pela Orbit, um selo do Little, Brown Book Group

Direitos de edição da obra em língua portuguesa no Brasil adquiridos pela Trama, selo da EDITORA NOVA FRONTEIRA PARTICIPAÇÕES S.A. Todos os direitos reservados. Nenhuma parte desta obra pode ser apropriada e estocada em sistema de banco de dados ou processo similar, em qualquer forma ou meio, seja eletrônico, de fotocópia, gravação etc., sem a permissão do detentor do copirraite.

EDITORA NOVA FRONTEIRA PARTICIPAÇÕES S.A.
Rua Candelária, 60 — 7.º andar — Centro — 20091-020
Rio de Janeiro — RJ — Brasil
Tel.: (21) 3882-8200
Impresso na gráfica da Vozes.

Dados Internacionais de Catalogação na Publicação (CIP)

A752c   Arnold, Luke

O caso do homem morto no fosso / Luke Arnold; tradução Giu Alonso – 1. ed. – Rio de Janeiro: Trama, 2022.
472 p.; (Os arquivos de Fetch Phillips; 2)

Título original: *Dead Man in a Ditch*

ISBN: 978-65-89132-62-2

1. Literatura australiana. I. Alonso, Giu. II. Título.

CDD: 820
CDU: 821.111(94)

André Queiroz – CRB-4/2242

www.editoratrama.com.br
f 🐦 📷 / editoratrama

Para todo mundo que já me deixou dormir no sofá.
É sério.

Prólogo

Dizem que o frio não mata se você conseguir se lembrar de como é estar aquecido.

Mas quando foi que me senti aquecido? Antes de destruirmos o mundo, quando os postes de iluminação tinham fogo de sobra e não era tão difícil encontrar a centelha de luz nos olhos de alguém. Agora só há escuridão, morte e...

Não. Lembre.

Ombro a ombro no bonde de Sunder City, espremido entre criaturas cobertas de pelos e trabalhadores sujos voltando do trabalho no fim do dia. Música e vinho quente em boates clandestinas, antes que tudo fosse para o inferno e o silêncio...

Não.

Quando eu ficava sozinho no Fosso, depois de fechar, com um esfregão. Era mais animado do que se poderia imaginar. O ar pesado com a lembrança da fumaça dos cachimbos, músicas populares e mau hálito. Janelas embaçadas e a cozinha perfumada com aroma de cebolas, carneiro e sálvia.

Eu passava pano nas mesas, ainda quentes onde antes repousavam pratos e cotovelos pesados; jogava fora as cascas de amendoim, restos de tabaco, cartilagem e cuspe. De cima para baixo, usava a vassoura e depois o esfregão, livrando o chão, aos poucos, da mistura nojenta de restos de comida, neve derretida e cerveja derramada.

Jogava os pedaços maiores na lareira, uma escultura de ferro fundido no centro do salão, com uma chaminé grossa no topo. Observava as chamas devorarem os restos, cuspindo gordura contra a proteção de vidro. Por um momento, aquela lareira era a coisa mais quente do prédio.

Uma noite, a porta da frente se abriu e Eliah Hendrick apareceu.

— Fetch, meu garoto! Você precisa experimentar isso aqui!

O alto chanceler entrou aos tropeços no Fosso, um saco de papel úmido amassado nas mãos. Óleo marrom pingava pelos anéis que cobriam os dedos dele, sujando o chão que eu tinha acabado de limpar. O cabelo cor de cobre, salpicado de neve, estava preso sob a gola da capa de montaria. Eu me senti lisonjeado: o líder da Opus viajara dias para chegar a Sunder City e sua primeira parada fora para me ver.

Bom, a segunda. A primeira parada fora para comprar um lanchinho.

Limpei as mãos no avental e tentei pegar o saco de papel. Hendricks o afastou de mim como se salvasse um bebê das presas de um leão.

— Nem pense em enfiar esses tentáculos imundos aqui. Abre a boca.

Ele enfiou a mão no saco de papel e tirou um petisco crocante e de cheiro doce, que pôs na minha boca quando a abri.

— O nome disso é Porqui. Ameixa frita enrolada em uma fatia fina de bacon.

Mordi devagar, sentindo a mistura de suco de fruta e gordura animal encher minha boca.

— Não é uma maravilha? Isso aqui é simplesmente o milagre de Sunder City. A maioria das pessoas do continente não vê isso. Estão tão mergulhados na mesmice que não entendem o que há de especial neste lugar. Isso — *Ele apontou o indicador engordurado para a minha boca.* — é uma maravilha moderna. A antiga mágica jamais conjuraria algo assim. Nem em centenas de anos. Eu sei, eu estava lá!

Servindo-se de outro rolinho avermelhado, aproximou-o do nariz, respirou fundo e balançou a cabeça, descrente.

— Ameixas-invernais de Mizaki, adoçadas à perfeição pelos ventos frios do norte, enroladas em bacon de um corte de barriga de porco marmorizado, oriundo de javalis alimentados com grãos de cacau do sul de Skiros. Uma invenção genial da culinária de Sunder City, vendida em uma esquina qualquer, à meia-noite, pelo impressionante valor de uma moeda de prata por saco. — *Ele enfiou a bolota na boca e continuou falando.* — Isso é progresso, Fetch! É algo pelo que vale a pena lutar!

Ele largou o saco manchado de óleo na mesa que eu acabara de limpar. Puxei dois banquinhos. Hendricks foi até o bar e deu início à rotina que ele repetia toda vez que estávamos juntos.

Primeiro, pôs duas notas de bronze na caixa registradora. Isso não só pagava as bebidas que estávamos prestes a consumir, como também servia de incentivo para que o sr. Tatterman ignorasse minha ressaca no dia seguinte, que me deixaria um bagaço.

Enquanto Hendricks estivesse lá, não adiantaria nada tentar trabalhar. Então, deixei o balde e o esfregão nos fundos, tirei o avental, lavei as mãos e peguei algumas sobras de que ninguém sentiria falta na cozinha: um quarto de queijo duro, um pouco de mel e umas fatias de pão velho. Quando voltei com o prato, Hendricks já estava com todos os ingredientes enfileirados na mesa feito soldados.

Seiva queimada, como a maioria dos coquetéis, começou como um remédio. A seiva do tariço, cozida em labaredas até se transformar em uma calda amarga cor de caramelo, é boa para garganta inflamada e sinusite, mas tem um gosto horrível. Mães com filhos doentes começaram a misturar açúcar de beterraba para disfarçar o sabor. Com o tempo, mais ingredientes foram adicionados, tantos que, se essa fosse a intenção, era possível esconder uma quantidade obscena de álcool sem que ninguém conseguisse sentir o gosto.

A maioria dos bares tinha uma garrafa de seiva de tariço já pronta, mas Eliah preferia fazer a própria.

— Meu garoto! Como vão as aventuras do maior rapaz de Sunder City? — perguntou ele enquanto esvaziava um frasco pequeno de seiva bruta em uma panelinha. — Ainda arrasando corações, contas bancárias e expectativas?

Ele sempre falava comigo assim. Mesmo com todo o carinho que sentíamos um pelo outro, nunca entendi se estava zombando das minhas dificuldades ou se realmente achava que eu causava ótimas impressões pela cidade.

— Arranjei um quarto novo — contei. — Estou dividindo com um ogro que ronca como um trovão. Tenho que dormir durante o dia, enquanto ele trabalha na siderúrgica, mas, mesmo assim, sinto que estou subindo na vida.

— Ninguém precisa subir, mestre Fetch, só circular. — Ele mexia a seiva na panela enquanto se dirigia até a lareira. — Essa é uma cidade maravilhosa para brincar, mas a maioria das pessoas não entende a brincadeira. A beleza de Sunder é que não é um reino antigo qualquer, lar de inúmeras famílias e coroas cujos líderes passam o tempo todo tentando cortar a garganta uns dos outros. É um mercado. Um salão de baile. Um laboratório de substâncias químicas instáveis reagindo umas às outras de maneiras inesperadas e magníficas. Não olhe para cima. Olhe para baixo! Tire os sapatos e deixe essa cidade penetrar por entre seus dedos. Chafurde nela. Sinta seu cheiro, prove seu gosto até absorver tudo que ela tem a oferecer.

Hendricks se sentou em frente à lareira, envolveu os dedos com sua capa e segurou o puxador da portinhola de vidro. Quando a abriu, o bafo do calor soprou seu cabelo para trás. Ele enfiou a panelinha lá dentro, sacudindo-a lentamente quando as chamas aqueciam a seiva. Eu me sentei à mesa e mergulhei a casca de pão no mel.

— Tenho três empregos, não me sobra muito tempo para chafurdar.

Ele tirou a seiva do fogo, assoprou as chamas que estavam queimando rápido demais e pôs a panela na lareira de novo.

— Imagino que tudo dependa de para quem você trabalha — disse ele.

— Isso muda toda semana. Tenho trabalhado bastante para a Amari.

— Ah, sim. Minha amiga do povo das fadas tem o pequeno Fetch comendo na sua mão. Como ela te paga? Com beijinhos escondidos e olhares demorados?

Corei e ignorei a pergunta.

— Na maior parte do tempo eu fico aqui. Às vezes faço uns trabalhos para o apotecário ou para os clientes daqui.

A seiva estava escura, da cor de caramelo, então Hendricks tirou a panela do fogo e a trouxe de volta para o bar.

— Mas para quem você *realmente* trabalha? Para o imbecil sonolento do dono desse bar? É ele que te paga e que te dá ordens.

Ele estava começando um dos seus discursos, e eu já sabia que era melhor não ficar no caminho quando isso acontecia.

— Acho que sim.

— Ou você só está trabalhando pelo dinheiro? Se for esse o caso, então seria certo dizer que, na verdade, você está trabalhando para o Banco de Sunder City. Talvez todos nós trabalhemos para eles! Mas a cidade serve ao banco, ou o banco serve à cidade? — Não era uma pergunta para a qual eu soubesse a resposta, então só encolhi os ombros. — Talvez eu esteja te subestimando. Talvez não tenha a ver com dinheiro. Talvez, lá no fundo, você trabalhe para os clientes. Quando encera o bar, limpa o chão e lava os copos com perfeição... — De brincadeira, ele limpou uma mancha do copo alto que segurava. — ... Será que, na verdade, você está pensando nos clientes? Você se vê a serviço deles?

Ele acrescentou os outros ingredientes e misturou, equilibrando a atenção perfeitamente entre os drinques e a conversa.

— Bom, eu não faria isso de graça.

— Não mesmo? Se não precisasse do dinheiro e este lugar não funcionasse sem a sua presença, será que não ajudaria, se te pedissem?

— Acho que ajudaria.

— *Então talvez não seja dinheiro o que realmente importa. Talvez o dinheiro esteja trabalhando para a cidade tanto quanto você. Ambos têm um papel a cumprir. Duas de muitas das peças de que a cidade precisa para funcionar, assim como as chaminés, as pedras do calçamento, os jornais e o fogo.*

Ele trouxe os dois drinques cremosos para a nossa mesa e apontou para a lareira atrás de mim.

— A serviço de quem está o fogo? De todos nós? De si mesmo? Ele se importa? Suas chamas queimam com a mesma intensidade, não importa o propósito que damos a elas.

Fizemos um brinde e tomei um gole. Era doce, mas, diferente de outros drinques (ou do mesmo, preparado por mãos menos capazes), o açúcar não mascarava os sabores mais complexos por baixo dele.

— Fetch, você sabe o que são dragões, não sabe?

— Já vi fotos no museu. Uns monstros grandões e escamosos, né?

— Eles podem evoluir para todo tipo de criatura, mas, sim, dragões comuns são como você falou: escamas, caudas e asas. Criaturas milagrosas, cada um deles. Nós nos esforçamos muito para protegê-los agora, mas duzentos anos atrás a caça aos dragões era um ofício extremamente respeitado.

"Ao contrário da maioria dos guerreiros, os caçadores de dragões não tinham aliança com nenhum país. Essa liberdade permitia que eles trabalhassem em qualquer lugar, para qualquer espécie, e ficassem tão ricos quanto príncipes se fossem bons no que faziam. As cidades contratavam caçadores para protegê-las. Se um ataque já tivesse acontecido, eles eram pagos para se encarregar da vingança. Além disso, escamas e ossos de dragão eram produtos preciosos, que os caçadores vendiam por pequenas fortunas, adquirindo uma renda extra. E o maior prêmio de todos era a fama.

"É difícil imaginar isso agora. A caça aos dragões, como a maioria dos trabalhos mercenários, já saiu de moda. Tenho algum mérito nisso: a Opus se esforçou muito para reduzir o número de aventureiros que usavam as espadas para lucrar. Restaram tão poucos dragões que matar um, hoje, é crime, mas na época não havia carreira mais heroica, mais empolgante ou lucrativa."

Diferentemente de Hendricks, que passara trezentos anos explorando cada canto de Archetellos, eu só vira duas cidades a vida toda. Wheatherly, onde cresci, era cercada por muralhas altas que escondiam o mundo exterior. Sunder era cosmopolita e expansiva, mas também tinha suas limitações. Depois de três anos no mesmo lugar, histórias do mundo lá fora começavam a me seduzir.

— Você já viu como as crianças daqui falam sobre esportistas, ou como as mulheres desmaiam pelos trovadores que cantam no teatro. Bom, caçadores de dragões eram tudo isso somado e multiplicado por dez. Todos sabíamos o nome deles, compartilhávamos boatos sobre suas proezas e entoávamos canções sobre suas aventuras. Eles tinham ruas batizadas em sua homenagem e faziam-se réplicas de suas espadas. Nunca pagavam por uma refeição, por uma noite na hospedaria, e raramente iam para a cama sozinhos. Não havia nada assim no mundo. Cada espécie e cada cidade tinham seus heróis, mas todos reverenciavam um caçador de dragões.

"É claro que isso criou uma competitividade incrível no setor. Conforme o número de dragões diminuía, qualquer rumor de um monstro desencadeava uma corrida sem regras. Carroças eram sabotadas, refeições eram envenenadas, espadas eram cravadas no peito dos caçadores enquanto dormiam. Muitos dos guerreiros passaram a se preocupar mais em caçar uns aos outros do que com os dragões que tinham sido treinados para enfrentar.

"Então, certa noite, um grupo de mercadores chegou a Lopari. Eles diziam ter visto uma explosão nos pântanos sunderianos que iluminou o céu e estremeceu a terra. O rumor mal saíra de suas bocas e um jovem guerreiro chamado Fintack Ro já deixava a cidade montado no cavalo. Fintack não se importava com o fato de que ninguém oferecera uma recompensa: seu prêmio seriam as escamas, os ossos e, mais importante, o impacto na sua reputação. Embora houvesse centenas de aspirantes a caçadores de dragões no mundo, poucos realmente tinham provado seu valor. Fintack era mais jovem que os demais e começara nesse trabalho logo antes do declínio na população de dragões.

"Velhos caçadores tinham a opção de se aposentar: escrever um livro, cobrar um valor ridículo para treinar príncipes ou abrir uma taverna e atrair multidões de clientes com suas histórias. Mas Fintack ainda estava no começo

da carreira. Ele precisava dessa grande vitória. Precisava de uma daquelas lendas que criavam asas próprias e voavam entre a língua dos viajantes como uma praga no inverno.

"Fintack muniu-se de suprimentos, afiou as armas e foi o primeiro guerreiro a chegar em Sunderia. Passou uma semana inteira caçando no pântano, com as meias sempre molhadas e os braços cobertos por mordidas de insetos. Ele viajava durante o dia, devagar naquela área perigosa, e à noite se mantinha acordado o máximo que conseguia, à procura de fogo no horizonte.

"Para sua frustração, os primeiros sinais de vida vieram de acampamentos de caçadores rivais: outros guerreiros de alto nível que andavam aos tropeços pelo pântano, de mãos igualmente vazias. Enfim, um dia, ao nascer do sol, Fintack acordou com o chão estremecendo. Ao abrir os olhos, viu uma bola de fogo laranja se erguendo dos manguezais. Ele agarrou a espada e saiu correndo.

"Fintack já tinha aprendido a andar por entre os juncos e poças, sabendo qual terreno enlameado suportaria seu peso e qual engoliria seus sapatos. Suas mãos seguravam galhos enegrecidos de cinzas. Ele intuiu que a criatura deveria estar à espreita mais adiante.

"Enquanto abria caminho em meio às vinhas emaranhadas, outra explosão irrompeu bem na sua frente, mas Fintack não conseguiu ver a besta. Ele se esforçava para enxergar por entre os mangues, procurando e seguindo em frente devagar, mas quando ouviu outros se aproximando de sua posição, foi forçado a entrar na clareira e encarar..."

Hendrick tomou um longo gole para aumentar a tensão.

"... o nada. Não havia nenhum movimento, nenhuma pegada, nenhum sinal de dragão, nem de nada. Fintack olhava em todas as direções quando outros dois caçadores se juntaram a ele na clareira: um mago chamado Prim e um anão chamado Riley. Os três guerreiros olharam em volta, confusos e frustrados. Então, do centro do triângulo formado pelos três, um jato de fogo irrompeu do pântano para o céu.

"Não havia dragão algum. Era uma farsa criada pela própria terra. Os caçadores estavam frustrados. Irritados. Cansados. Deram uma trégua e montaram acampamento. Fintack caçou uma ave aquática e tentou assá-la na *erupção seguinte de chamas, mas Prim o avisou: ele era mago e conseguia sentir o poder que havia sob suas botas. Aquilo não era só um bolsão de gás de pântano em combustão, era o vislumbre de algo muito mais poderoso.*

"Naquela noite, os caçadores não contaram histórias de batalhas passadas nem trocaram informações sobre diferentes tipos de dragões. Em vez disso, ponderaram sobre o que seria necessário para extrair aquele fogo do chão e usá-lo como combustível. Os guerreiros haviam viajado por Archetellos a vida toda. Já tinham visto famílias que, sem um lar para passar o inverno, congelavam à beira da estrada. Em Groves, viram sátiros escravizados que juntavam carvão para aquecer o palácio dos centauros. Sabiam tudo sobre as forjas dos anões que, alimentadas pela lava, demandavam que o trabalho fosse realizado nas profundezas de montanhas perigosas.

"Até aquela noite, aqueles guerreiros nunca haviam servido a ninguém além de si mesmos. Você não encontraria homens mais orgulhosos, ambiciosos e dispostos a tudo no continente. Mas ali, parados", disse Hendricks, batendo os pés no chão de pedra, "eles viram uma oportunidade de tornar o mundo um lugar melhor. Aqueles três caçadores usaram sua influência para construir uma cidade diferente de tudo que já se imaginara. Renunciaram a tudo que antes os definia. Eles abriram mão dos prêmios que lutaram tanto para encontrar e, ao fazer isso, mudaram a história."

Hendricks me encarou com um brilho naqueles olhos verdes e pegou seu copo vazio com um floreio.

— Estou pronto para mais um — disse ele. — Contar histórias me dá sede.

Para pegar meu drinque, ainda pela metade, estiquei a mão rápido demais. A manga da camisa ficou presa na mesa. O copo virou e tentei, em um sobressalto, segurá-lo. Meu outro braço foi para trás e acertou o ferro da lareira. Arranquei a mão o mais rápido que pude, mas um pedaço de pele ficou grudado no metal, borbulhando, chiando e cheirando a carne queimada.

A reação de Hendricks foi rápida. Ele encheu uma tigela de água e neve do lado de fora, e eu mergulhei a mão ali o máximo que consegui suportar. Hendricks então secou minha mão com cuidado, pegou o mel da mesa e aplicou no ferimento, dizendo que não havia nada melhor para curar a pele do que uma boa camada de mel fresco.

— Como está agora? — perguntou.

— Melhor. Ainda está ardendo um pouco. Eu sou burro demais.

Ele riu de mim, como sempre fazia, com uma mistura indistinguível de carinho e diversão condescendente.

— Todo mundo se queima, Fetch. É a melhor forma de aprender com os erros. Você só corta fora uma parte sua quando ela congela.

Hendricks deu uma gargalhada louca e preparou outra rodada de drinques. Depois outra.

Em pouco tempo, eu estava tão bêbado que não conseguia sentir meus dedos, nem frio, nem nada mais de ruim.

1

Eu estava tão gelado quanto um defunto na neve. Gelado como o aperto de mão de um cobrador. Gelado como a faca tão afiada que você só a sente quando ela se mexe dentro da sua carne. Gelado como o tempo. Gelado como uma cama vazia no domingo à noite. Mais gelado que aquela xícara de chá que você fez quatro horas antes e esqueceu. Mais gelado que a lembrança morta que você tentou manter viva por tempo demais.

Tão gelado que me peguei desejando que alguém acendesse o poste em que estava sentado e me assasse como uma castanha. Claro que isso era impossível. Aquele poste não via fogo havia mais de seis anos. A lamparina de topo aberto era uma das luzes mais brilhantes de Sunder City, iluminando o estádio nos jogos noturnos. Agora, era só um espeto alto e feio com um cone no topo.

O campo fora construído em cima da primeira fornalha subterrânea. Durante a construção, era um abismo aberto para o turbilhão lá embaixo. Depois que instalaram os canos que carregavam as chamas para todos os cantos da cidade, concluíram que não era seguro deixar um buraco enorme direto para o inferno na entrada da cidade. Então o buraco foi fechado, e ninguém podia construir nada ali.

As crianças passaram a usar o espaço para praticar esportes. No começo era uma coisa informal, mas aí a cidade instalou barraquinhas e arquibancadas, e depois de um tempo o lugar se tornou o Estádio de Sunder City.

Quando a Coda acabou com a magia, as chamas sob a cidade também morreram. Logo, não havia mais aquecimento, nem luzes na rua Principal. As chances de que o fogo irrompesse por debaixo das minhas pernas eram nulas. Eu estava no cone no topo do poste, com os braços apertando o corpo, todo encolhido por causa do vento.

Eu não tinha pensado no vento quando aceitei o trabalho. O que foi uma idiotice, porque o vento estragava tudo. Fazia o frio entrar pela gola e pelas mangas do meu casaco. Balançava o poste para a frente e para trás, então eu sempre achava que o metal ia dobrar, quebrar e eu me espatifaria no chão. E o mais importante: o vento tornava a besta que eu tinha nas mãos completamente inútil.

Em teoria, meu trabalho era observar o cliente e dar um disparo de aviso caso ele me desse um sinal de que o acordo não corria bem. Porém, naquele vendaval, o virote acabaria enfiado na neve ou perdido no espaço.

Meu cliente era um gnomo chamado Warren. Ele estava lá embaixo, com o terno branco que era sua marca registrada, quase invisível no chão coberto de neve. A única fonte de luz era a lamparina que ele pendurara no portão de entrada.

Já estávamos esperando fazia meia hora, ele lá embaixo, nas arquibancadas, e eu na minha casquinha de sorvete metálica. Tentei lembrar se era isso que eu havia planejado ao me tornar um *faz-tudo*. Achei que ajudaria as pessoas cuja vida arruinei. Me encarregar das coisas que elas não podiam mais fazer sozinhas. Eu duvidava que dar cobertura a um gnomo envolvido em uma transação ilegal se aproximasse dos atos nobres que tinha em mente na época.

Eu já tinha mascado meio maço de Clayfields, mesmo sabendo que era má ideia. Eram analgésicos e me deixavam entorpecido, mas, com o frio, eu já não sentia os dedos das mãos e dos pés, então entorpecimento era a última coisa de que eu precisava.

Finalmente, do outro lado do estádio, uma figura apareceu, atravessando a linha de meio de campo. Estava com roupas bem mais apropriadas do que as minhas: um casaco pesado, sobretudo, cachecol, gorro, botas e luvas. A maleta de metal que carregava ao lado do corpo era mais ou menos do tamanho de uma torradeira.

Warren se afastou das arquibancadas, segurando o chapéu para que o vento não o levasse.

Eles se aproximaram e, mesmo sem o vento que uivava nos meus ouvidos, seria impossível escutar a conversa àquela distância. Ergui a besta e a apoiei na beirada do cone, fingindo que minha presença naquele encontro não era uma completa perda de tempo.

Na época em que ainda havia magia, eu teria acesso a todo tipo de invenção milagrosa: granadas de mão feitas por goblins, cordas encantadas e poções explosivas. Agora, as únicas coisas capazes de derrubar alguém a distância eram um virote, uma flecha ou uma pedra bem arremessada.

Warren enfiou a mão no bolso do paletó e tirou um envelope. Eu não fazia ideia de quantas notas de bronze tinha ali. Também não sabia o que havia na maleta. Eu não sabia de nada, e já estava acostumado com isso.

A mulher entregou a maleta para Warren, que deu a ela o envelope. Então os dois ficaram parados de frente um para o outro enquanto ela contava o dinheiro e ele destrancava a maleta.

Quando a mulher se virou e saiu andando, tirei a besta da beirada e me encolhi dentro do cone, soprando para aquecer as mãos.

Então Warren começou a gritar.

Quando olhei de novo, ele acenava com o chapéu para o alto. Aquele era o sinal, mas a mulher já tinha passado da metade do campo.

— É mentira! — gritou o gnomo. — Mata ela!

Sejamos claros sobre duas coisas: primeiro, nunca concordei em matar ninguém; segundo, disparar contra mulheres e pelas costas não faz meu estilo. Mas se eu nem me esforçasse para fingir que estava tentando impedi-la, teria que abrir mão do pagamento e aquela noite toda teria sido uma perda de tempo. Eu me abaixei, mirei alguns metros atrás da mulher em fuga e disparei.

Tentei atirar em um ponto da neve pelo qual ela já passara, como se tivesse calculado mal sua velocidade. Mas infelizmente para mim (e para a fugitiva), o vento mudou de direção enquanto o virote ainda estava no ar.

Na escuridão, ouvi um *ai* e depois um *tum* quando ela caiu na neve.

Merda.

— Isso! Você conseguiu, Fetch! Muito bem!

Warren agarrou a lamparina e saiu correndo, me deixando no escuro enquanto ele xingava a mulher, a mulher xingava Warren e eu xingava a mim mesmo.

Quando consegui descer a escada e chegar perto, Warren já tinha arrancado o envelope da mulher e estava se preparando para chutá-la. Eu o puxei para trás e acabei caindo de bunda no chão. Como Warren mal chegava a um metro de altura, a queda não foi tão ruim.

— Para com isso. Você já recuperou seu dinheiro, não?

Eu tinha acertado a panturrilha direita dela. O virote não penetrara muito, mas uma quantidade considerável de sangue manchava a neve. Quando ela tentou se virar, os músculos em torno do ferimento se retorceram. Pus a mão no ombro dela para mantê-la parada.

— Senhora, é melhor você não...

— Não!

Ela girou e acertou meu rosto. Uma linha dolorida cortou minha pele. Suas garras estavam expostas, saindo da ponta das luvas finas e brilhando à luz da lamparina. Ela era uma licum, meio humana, meio felina. Quando toquei meu rosto, senti sangue.

— Mas que merda, dona! Estou tentando ajudar você!

— Não foi você que atirou em mim?

— Isso já faz mais de dois minutos. Faz mal guardar rancor.

Eu me aproximei devagar e dessa vez ela conseguiu se controlar e não me atacou. Ela parecia humana, só que com garras e olhos felinos brilhantes. Sem pelo ou outros sinais animais óbvios. O cabelo era comprido e preto, e estava preso para trás em dreadlocks grossos.

— Fique parada um segundo — falei, pegando a minha faca. Ela obedeceu, permitindo que eu cortasse sua calça até o ponto em que o virote a atingira. O vento e o tecido grosso tinham amortecido a velocidade, então o ferimento não estava tão profundo. Peguei um lenço limpo e meu maço de Clayfields. — Alguém tem álcool?

Warren tirou um cantil prateado do bolso do paletó. Dei um gole que me aqueceu por dentro.

— O que é?

— Conhaque. Minha esposa que faz.

Joguei um pouco do líquido na perna ferida da mulher e sequei com o lenço. A licum trincou os dentes, mas, por sorte, não me atacou.

Tirei um dos Clayfields do maço e enfiei entre os lábios dela.

— Morde isso aqui. O sumo vai deixar sua língua dormente, mas isso significa que está funcionando.

Seus olhos amarelo-esverdeados me fitavam cheios de raiva.

— Bem que eu queria tirar minha bunda dessa neve — comentou ela.

— Só me deixa fazer uma coisa antes.

Esmaguei o maço inteiro de Clayfields na mão fechada. Ainda havia vários palitos, então, quando esmaguei a caixinha de papelão com eles dentro, aquilo tudo virou uma pasta. O líquido escorreu do pacote e caiu no ferimento. Tentei espalhá-lo em volta do virote sem que encostasse nos meus dedos.

— Está ajudando?

Ela assentiu.

Eu a ajudei a se levantar, apoiando na perna boa, passei o braço por trás das costas dela e fomos aos tropeços até a arquibancada. Ela se deitou de bruços e eu me sentei no banco abaixo para começar a tentar tirar o virote.

— Warren, o que ela estava tentando te vender, afinal?

O gnomo estava sentado longe de nós, de cara feia, mas abriu a maleta. Nela havia algo parecido com uma flor de cristal, uma infinidade de pétalas finas que subiam em espiral até uma ponta afiada. Essa flor estava apoiada em uma almofada de veludo, e eu não tinha ideia do que era.

— É algum tipo de joia? — perguntei.

— Até parece — reclamou Warren. — Só vidro.

— Então por que você queria esse negócio?

— Eu não queria isso! Queria o de verdade.

— *O que* de verdade?

Warren fechou a maleta com força, frustrado.

— Chifre de unicórnio.

Parei de mexer no virote. O gnomo e a felina baixaram os olhos, envergonhados. E tinham motivo para isso.

Segundo as histórias, havia uma árvore cujas raízes penetravam tão profundamente o interior do planeta que tocavam o grande rio. Em uma primavera, dos galhos nasceram maças raras, imbuídas de poder sagrado. Quando um bando de cavalos selvagens passou embaixo da árvore e comeu aquelas frutas, a mágica fez espirais de névoa roxa surgirem em sua testa.

Quase não se avistavam essas criaturas, que eram universalmente protegidas. A ideia de que alguém caçaria um unicórnio para arrancar o chifre de sua cabeça era uma barbaridade. Baixei os olhos para a moça-felina.

— Você veio para Sunder para vender essas merdas? — perguntei.

Ela não respondeu, então enfiei o dedo no ferimento dela.

— Aaaah!

Ela apoiou as mãos enluvadas no banco e se ergueu um pouco, sibilando para mim. Suas garras reapareceram pelo tecido, mas era só uma ameaça. Por enquanto.

— Onde você está arrumando chifres de unicórnio? — perguntei. — E pode se deitar de novo, ou não vou conseguir tirar esse virote.

Ela apoiou a cabeça nas mãos.

— Não estou arrumando em lugar nenhum. O gnomo falou. Fui eu que fiz, é de vidro. É falso.

Pelo menos ela não tinha realmente se embrenhado na floresta e matado animais lendários por alguns trocados. Mas essa era só parte do problema.

— Warren, o que você queria com isso?

O baixinho estava encolhido, resmungando na sua língua materna.

— Warren?

Ele não olhou para mim. Só cuspiu a resposta:

— Eu tô morrendo.

O vento parou de uivar.

— Estamos todos morrendo, Warren.

— Mas eu vou morrer logo, e não vai ser nada legal. — Ele ergueu as mãos na frente do rosto, abrindo e fechando os dedos como se apertasse duas bolinhas antiestresse. — Dá para sentir nos meus ossos... nas juntas. Estão... enferrujando. Quebrando. O médico falou que não há nada a ser feito. Nós, gnomos, tínhamos magia no corpo. Sem ela, algo aqui dentro não sabe como funcionar. — Ele apoiou a mão na maleta com o chifre falso. — Encontrei um médico novo que falou que algumas coisas têm um poder especial. Que um chifre de unicórnio é feito de pura magia, e que se eu encontrasse um, ele talvez conseguisse me devolver um pouco desse poder.

Mordi a língua para me impedir de dizer o óbvio — que ele era um idiota ingênuo, que só estava piorando a própria situação. Se ele estava doente, a última coisa de que precisava era ficar no frio, numa noite como aquela, correndo atrás de algo impossível.

Não consegui manter a boca fechada por muito tempo.

— Warren, você sabe que isso é ridículo, né?

Ele não disse nada. A mulher também não. Extraí o virote e fiz um curativo no ferimento para que ela conseguisse se apoiar naquela perna enquanto voltávamos para a cidade. A licum e o gnomo não disseram mais nada, e eu, enfim, aprendi a fazer o mesmo.

Voltamos às entranhas de Sunder City por volta da meia-noite. Warren me pagou o que devia e foi para casa de mau humor. Aí ficamos só eu e a licum.

— Como está a perna? — perguntei.

— Para a sua sorte, está péssima.

— Por que "para a minha sorte"?

— Porque estou morrendo de vontade de te dar um chutão nos dentes.

Quando chegamos à rua Principal, ela me disse que ficaria bem sozinha. Imaginei que não quisesse que eu soubesse seu endereço. Por mim, tudo bem. Eu estava congelando e sem analgésicos, então queria estar no quinto sono quando o efeito dos Clayfields passasse.

— Não se esqueça de ir a um médico de verdade para ver isso aí — lembrei.

— Porra, com certeza. Dá para pegar uma infecção só de olhar para você.

Era uma piada, mas com um fundo de verdade. Meu prédio não tinha água quente desde que as chamas subterrâneas se apagaram. No inverno, é preciso ser um homem mais forte do que eu sou para se lavar todos os dias.

— Mas obrigada — completou. — Se era para alguém me acertar hoje, pelo menos foi um cara disposto a me ajudar depois. Qual é o seu nome?

— Fetch Phillips. Faz-tudo.

Ela apertou minha mão e senti as pontas daquelas garras tocando minha pele.

— Linda Rosemary.

A noite acabou transcorrendo tão bem quanto possível. Ela tentou dar um golpe na gente, nós a pegamos no pulo, e a licum foi para casa com um machucado para compensar nosso tempo perdido. Ninguém foi se deitar tão tarde assim. Era justo, de certa forma. Mais justo do que poderíamos esperar.

Linda seguiu pela rua Principal, apoiando a mão nas paredes, e pensei que ela já me causara problemas o bastante para eu nunca mais ter que vê-la de novo.

Mas, em Sunder City, algumas coisas são garantidas: fome no inverno, bebedeira à noite e problemas o ano todo.

2

O mijo no meu penico estava congelado.

Eu já não dormia, na verdade. Só estava enrolado no cobertor, vestindo todas as peças de roupa que tinha, fingindo estar morto até o sol nascer.

Saí da cama e forcei meus pés com duas meias a entrarem nas botas. Quando me mudei para o meu escritório/apartamento/geladeira, gostara da ideia de ser no quinto andar. Era alto o bastante para me dar a sensação de que a vista alcançava a cidade toda, e a queda pela porta de anjo seria o suficiente para me matar se eu caísse de cabeça. Era só mais um daqueles toques que transformam uma casa em um lar.

Sunder era uma cidade em expansão, mas não particularmente alta. Isso tornava meu prédio um ponto interessante de vigilância. Porém, o vento o acertava com toda a força. A brisa entrava pelas frestas das janelas e por entre os tijolos. Ela conseguia atravessar o apartamento de baixo e passar pelas tábuas do assoalho. Eu pretendia arrumar as coisas quando tivesse tempo. Da mesma forma que ia cortar o cabelo, parar de beber e costurar as minhas calças antes que fossem mais buracos do que tecido.

Os cortes no meu rosto haviam sido piores do que eu tinha imaginado. Na manhã seguinte à minha visita ao estádio, pedi a Georgio, o dono da cafeteria no térreo, que me desse alguns pontos. Suas mãos trêmulas só fizeram o sangue correr mais, então deixei para lá. Quatro dias haviam se passado. Agora eu tinha quatro linhas marrom-avermelhadas na lateral direita do rosto e torcia para que não deixassem cicatrizes.

Eu não contava com um banheiro próprio. Por isso o penico. Abri a porta para a sala de espera com o penico nas mãos e quase trombei com uma mulher. Ela estava ali parada, surpresa, como se tivesse acabado de mudar de ideia sobre bater na porta, mas não fora rápida o bastante para escapar.

Era Linda Rosemary.

Ela estava com as mesmas roupas bem-arrumadas da outra noite: sobretudo vermelho, cachecol de *pied de poule* e uma boina de lã preta levemente inclinada para o lado. Na primeira vez em que a vi, era noite e ela estava coberta de neve. Eu não tinha percebido como tudo estava gasto e puído. Ela usava luvas pretas e grossas que favoreciam o calor em detrimento da destreza, e havia um rubor em seu rosto que combinava com a névoa que saía de seus lábios. Ela baixou os olhos para o bloco de gelo que eu segurava entre nós.

— Está fazendo café?

Ergui o penico, tentando esconder o conteúdo.

— É de ontem. Estragou.

Ela torceu o nariz.

— Tem cheiro de mijo.

Meu sorriso envergonhado revelou a verdade em sua fala. Ficamos ali parados por um segundo com expressões constrangidas congeladas no rosto.

— Você... quer entrar?

Ela pensou por um longo e doloroso momento. Seus olhos foram do meu rosto para o penico, depois para o escritório atrás de mim. A cama ainda estava aberta e desarrumada. Havia copos sujos na mesa e uma trilha de formigas passando com migalhas pelo chão. Não imagino onde elas encontraram comida, porque eu não levava uma refeição para casa havia semanas.

Linda ficou parada, rígida, indecisa, como quando você tenta estender a mão para oferecer comida a um animal selvagem e ele precisa lutar contra todos os instintos naturais para aceitar o alimento. Depois de um tempo, ela murmurou consigo mesma:

— Que se dane.

E entrou.

Ela mancou um pouco ao se aproximar da cadeira dos clientes, que limpou com um lenço antes de se sentar. Corri atrás dela, enfiando cuecas sujas e lenços usados nos bolsos.

— Depois daquela noite, fiz algumas perguntas... — comentou ela.

— Só um minuto.

A porta de anjo ficava atrás da minha escrivaninha. Um lembrete dos velhos tempos, quando o mundo era mágico e algumas almas sortudas podiam chegar à sua casa pelo ar, em vez de usar as escadas. Abri a porta e o vento me atingiu como um brutamontes cobrando uma dívida. Pus o penico do lado de fora, limpei as mãos no casaco e fechei a porta. Quando me virei, o rosto de Linda era o retrato do arrependimento.

— Perdão — falei. — Raramente recebo visitas assim tão cedo.

Ela tirou um relógio de bolso do sobretudo.

— Mas são...

— Com certeza são — interrompi. — Como está a perna?

— Com mais pontos que uma vela de navio. Como está a cara?

— Acho que ainda tem um pouco dela grudada nas suas unhas. Não é elegante aparar essas coisas?

Ela tirou o cachecol do pescoço.

— Detesto essa tradição. Licum felinos só cortam as garras quando estão perto de outras espécies. Meus ancestrais viviam nas colinas geladas de Weir. Tínhamos nosso próprio reino. Nossas regras. Agora que a Coda acabou com tudo isso, fui forçada a vir para cá.

Não pude impedir que meus olhos vagassem. A pele dela era macia, e todos os seus movimentos eram graciosos. Os dentes, embora quase não os mostrasse, pareciam estar todos onde deveriam.

— Sem querer ofender, srta. Rosemary, mas você até que se saiu bem depois da Coda.

Não era exatamente um elogio e, considerando a expressão em seu rosto, não foi assim que ela recebeu minhas palavras.

— Minha irmã morreu no meio da transformação, com o cérebro tentando ser de dois tamanhos diferentes ao mesmo tempo. O rosto do meu pai virou do avesso. Ele viveu por uma semana sem falar uma palavra, sendo alimentado por um canudo, até que algo dentro dele desistiu. Éramos vinte na nossa casa. Cuidei de todos pelo tempo que foi possível, mas fui a única sobrevivente. Saí de lá e acabei aqui. Sei que tive sorte, sr. Phillips, mas sinto muito por não estar pulando de alegria.

Houve uma longa pausa enquanto ela deixava sua história atravessar minha cabeça oca. Do lado de fora, a ventania aumentou. O penico foi arrastado e caiu. Alguns segundos depois, ouvi um *clang* lá embaixo e alguém gritando obscenidades para o céu.

A expressão dela permaneceu imóvel. Quando o silêncio voltou, ela continuou.

— Depois daquela noite, perguntei sobre você por aí. Ouvi umas histórias interessantes.

— Sério? Ninguém nunca me acusou de ser interessante.

Isso não era exatamente verdade. A história do humano que escapou das muralhas de Weatherly para fazer parte da Opus tem alguns momentos emocionantes. Não tão interessantes quanto a sequência, quando aquele mesmo garoto entregou os segredos mais valiosos da magia para o Exército Humano. Isso sem contar com o grande final, quando os humanos usaram esses segredos para acabar com a magia do mundo.

— Eu estava tentando entender o que é que você faz — disse ela. — Não é um detetive. Não é um guarda-costas. Aí alguém me contou que você investiga boatos sobre a volta da magia.

Eu me retraí.

— Não sei quem contou isso para você, mas errou feio.

Esse boato não só era errado, como era perigoso. Todo mundo sabia que a magia acabara e que não havia maneira de trazê-la de volta. Meu trabalho podia ser estranho, mas eu, de jeito nenhum, andava por aí vendendo curas milagrosas para criaturas moribundas, como ela tentara fazer com o chifre de unicórnio.

— Parece que você encontrou um vampiro meses atrás — continuou ela. — Um professor que conseguiu recuperar a força.

Eu queria mentir, mas a surpresa no meu rosto já entregara a verdade. Não era para ninguém saber sobre o professor Rye, o vampiro que se transformou em monstro, e não era para ninguém aparecer na minha porta atrás de respostas.

— Não foi bem isso.

— Ouvi dizer que o vampiro encontrou uma forma de reverter o efeito da Coda. Ele recuperou seu antigo poder, e foi você quem o encontrou e descobriu como ele fez isso. Você sabe um segredo que o restante do mundo faria o impossível para descobrir. — Ela apoiou as mãos na minha mesa, tamborilando as garras na madeira. — E quero saber qual é.

Fiquei tenso. O olhar determinado em seu rosto se transformara em algo mais perigoso, e tenho que admitir que me assustou.

— Sinto muito, mas não posso contar nada sobre isso.

Ficamos nos encarando, e torci para não ter que lutar contra ela. Então me dei conta de que não era hostilidade o que via em seus olhos, não exatamente. Era algo mais semelhante a desespero.

— Não vim até aqui para causar problemas, sr. Phillips. Estou aqui para contratá-lo. O que você souber. O que descobrir. Quero que use essa informação para me deixar forte de novo.

Eu me recostei na cadeira, feliz por não precisar lutar contra uma felina raivosa, mas sem saber como me explicar.

— Srta. Rosemary, não é isso que eu faço.

— Bom, e por que não? Está economizando sua energia para quê? Para ajudar velhinhas elfas a atravessar a rua? Quero ser eu mesma de novo, e não sei a quem mais pedir ajuda.

Soltei um resmungo e fiz que não com a cabeça.

— Não foi magia que o vampirão recuperou. Foi outra coisa. Ele sucumbiu à mesma tentação que está atraindo você agora, e isso o destruiu. Eu odeio esse mundo novo tanto quanto você, mas não é possível voltar. Você se saiu melhor do que a maioria. Lembre-se disso e agradeça sua sorte.

Ela dobrou os dedos, deixando a madeira da mesa arranhada com oito linhas finas, então ergueu uma das mãos para observá-la.

— *Isso* não sou eu. Sua espécie me matou. Tudo que eu era, tudo que eu tinha. Eu não sou essa pessoa. Neste lugar. — Ela olhou em volta, com uma expressão de nojo. — Mas que merda de lugar é esse? — Uma lágrima rolou por sua bochecha e deixou uma trilha que logo se transformou em gelo. — Você não sabe de nada, sr. Phillips. De absolutamente nada.

Tentei morder a língua, mas depois de anos de exercício ela havia aprendido a revidar sozinha.

— Eu sei que a magia não vai voltar. E que, quando as pessoas tentam fazer isso acontecer, elas morrem. Deixe isso pra lá, srta. Rosemary. Encontre outro projeto de vida.

Ela parecia prestes a rasgar a minha garganta. Antigamente, talvez tivesse feito isso. Minha carne humana e fraca não teria a menor chance contra uma licum como ela. Mas aquela força se fora. Tinha desaparecido no momento em que o rio sagrado se transformara em vidro. Em vez disso, ela pegou o cachecol, se levantou e foi até a porta.

Ela olhou para as palavras pintadas no vidro: *Fetch Phillips: Faz-tudo*. Então, leu meu nome em voz alta, rolando as sílabas nas bochechas coradas.

— *Faz-tudo...* — começou, franzindo o nariz. — Eu entendo o que você quer dizer. Você acha que pode fazer tudo. Acha que é um homem capaz. Tenho certeza de que faz sentido para você. Mas veja só como vive. Preste atenção à maneira como fala. — Ela nem sequer se virou para olhar para mim, só continuou encarando o painel de vidro, tentando despedaçá-lo com os olhos. — Você é um garoto, Fetch Phillips. Um garoto idiota, brincando com coisas que não são suas. Largue esses brinquedos antes que acabe se machucando.

Então ela se foi.

Procurei uma garrafa para remover o gosto das palavras dela da minha cabeça. Ela não sabia de nada. Só queria ser forte e me odiava por ficar no seu caminho. E o que eu deveria fazer? Mentir para ela? Fingir que poderia sair em uma missão e voltar com algum tipo de magia para fazê-la voltar a ser como era antes? Era impossível. A magia tinha acabado, e o quanto antes todos nós aceitássemos isso, melhor.

Triiim.

Atendi ao telefone e ouvi a voz cansada do sargento Richie Kites. Havia o barulho de alguma confusão ao fundo, mas suas palavras eram um sussurro.

— Fetch, você pode dar um pulo aqui no Bluebird Lounge, na rua Canvas? Simms quer sua opinião em um negócio.

Essa era nova. Em geral, os policiais tentavam me enxotar das cenas de crime, não me chamar para dar uma olhadinha.

— Claro. Por que o convite?

Richie baixou ainda mais a voz ao telefone.

— Temos um defunto aqui, com um buraco na cabeça. E não foi feito com nenhuma arma que a gente conheça. Não sei o que te dizer, Fetch. Mas, pra mim, isso parece magia.

3

O dia se revelava um daqueles que não eram para acontecer. Mulheres bonitas não apareciam à minha porta antes do meio-dia, policiais não me ligavam pedindo minha opinião e ninguém explodia ninguém com magia, seja lá qual fosse o tipo. Não mais.

O Bluebird Lounge era um clube só para humanos na rua Canvas, a oeste da cidade; um prédio de granito com dois andares e sem qualquer tipo de sinalização na porta.

O departamento de polícia de Sunder City inteiro estava parado em frente à entrada. Em geral, você teria sorte se visse mais de dois policiais em qualquer cena de crime. No nosso novo mundo sombrio, até os assassinatos ficaram sem graça. Então era estranho que aqueles policiais estivessem tão animados, em vez de chateados e sonolentos. Aquele dia não parava de me surpreender.

O sargento Richie Kites estava sozinho, encostado na fachada de granito. O corpanzil de meio-ogro parecia capaz de empurrar o prédio inteiro.

— Qual é, Rich? Vocês, tiras, estão tão solitários que agora têm que andar em bando?

Ele balançou a cabeça, obviamente irritado com a multidão.

— Quando ouviram a história, todos os filhos da mãe da delegacia inventaram uma desculpa para aparecer aqui e dar uma olhada. Vamos entrar, você vai entender o motivo.

Richie foi na frente, abanando a mão para um policial que tentou reclamar da minha entrada.

— Ele tá liberado. Foi pedido especial da Simms.

Eu estava tão confuso quanto o cara, mas tentei não demonstrar. Parte de mim suspeitava que eu estivesse sendo atraído para uma armadilha e que logo me forçariam a segurar a arma do crime e me incriminariam pela morte. Isso parecia mais provável do que um pedido de ajuda.

As paredes internas do Bluebird tinham painéis de madeira marchetados com mármore branco. O lugar era um labirinto de corredores estreitos que levavam a salinhas privativas de duas a seis pessoas. Todos sussurravam. Os funcionários, os policiais e os outros "especialistas" se aglomeravam ansiosos nos aposentos, já criando os rumores que logo tomariam as ruas. Havia mais gente no final do corredor, e segui Richie até a sala que recebia mais atenção.

A salinha mal acomodava duas poltronas de veludo e uma mesa quadrada de mármore preto. Havia um copo vazio e outro pela metade, que o homem sentado do outro lado segurava. Ele estava vestido de forma impecável: um terno de lã de três peças com um plastrão azul e um lenço dobrado no bolso. Os dedos, os pulsos e o pescoço estavam carregados de joias douradas chamativas. Usava o cabelo penteado para trás com algum gel reluzente e suas sobrancelhas eram dois arcos finos. Devia ser bem bonitão antes de terem explodido a cara dele.

Uma das laterais do rosto estava destruída, revelando os dentes inferiores até os molares. Os dedos estavam tensionados em ganchos duros, uma das mãos segurando o copo e a outra ao lado do corpo. Acima da clavícula, o sangue formara uma poça no paletó e escorrera pelo peito. O cadáver tinha os olhos abertos, congelados em choque, e sua esclera, antes branca, agora estava vermelha e úmida.

Era só um cara morto. Longe de ser o primeiro, e provavelmente não seria o último. Mesmo assim, havia algo de peculiar nele. Algo mais desconcertante do que o sangue ou a carne destruída ou o *rigor mortis*. Eu ainda estava tentando entender o que era quando ouvi uma voz que sibilava como a água nas brasas.

— Foi num instante — disse a detetive Simms ao parar ao meu lado. — Olha só a surpresa na cara dele. Ele nem largou o copo.

Ela estava certa. A morte, como a conhecemos agora, é lenta. Você fica doente, ou velho demais, ou gelado demais, então se agarra à vida por todo o tempo que consegue até que a escuridão, enfim, leva você. Talvez você tome uma surra num beco, talvez seja esfaqueado na barriga e ande aos tropeços por aí até seu coração parar de cantar, mas, mesmo assim, tem tempo para compreender o que está acontecendo. Aquele cara parecia estar na metade de uma história quando uma bomba explodiu no fundo da garganta dele.

Foi como ela disse: instantâneo.

A detetive Simms estava embrulhada em um casaco pesado, um chapéu de abas largas e um cachecol preto. Usava aquela mesma roupa o ano todo. Seus olhos amarelos reptilianos se destacavam em meio a todo aquele preto e, para variar, não estavam cheios de desdém ou aversão. Em vez disso, me pediam respostas.

— Já tinha visto alguma coisa assim?

Olhei para o defunto e depois de volta para ela, ainda confuso com aquela situação e com o motivo pelo qual fora chamado para compartilhar meus conhecimentos inexistentes.

— Por que está me perguntando isso?

A detetive se aproximou.

— Fetch, a gente sabe o que você está fazendo.

— Ah, é mesmo? E você poderia me dizer o que é?

— Você está procurando algum jeito de trazer a magia de volta.

— Eu não sei quem que está…

— *Shhh*. Vamos falar disso em outro momento. Por enquanto, só quero saber que tipo de magia mataria o cara desse jeito.

Não dava para discutir, não ali. E a resposta era óbvia: nenhum tipo de magia, porque não *existia* magia, e todo mundo sabia disso. Mas, como meu papel fora explicado de forma bem explícita, teria sido falta de educação da minha parte não fazer o que me pediam.

Primeiro me concentrei no rosto dele. Era ali que a história estava sendo contada. A boca do morto estava aberta de dois jeitos. O primeiro, na frente, do jeito que era de se esperar. Estava sem quatro dentes, dois em cima e dois embaixo. Os mais próximos ao buraco tinham sido empurrados para trás, sugerindo que a explosão tinha entrado na boca pela frente. A segunda abertura atravessava a bochecha, a mandíbula e até parte do pescoço. Os lábios ainda estavam juntos no lado esquerdo, mas a bochecha estava destruída, arreganhada, e o fundo da garganta era uma maçaroca indistinguível de sangue e carne.

Sangue cobria a parede de trás como confete. Havia esguichos por todos os cantos da sala, mas o ponto onde o vermelho estava mais concentrado era logo atrás da cabeça. Tinha sangue na mesa também. Menos. Como se ele tivesse espirrado.

Então, o que tinha acontecido ali?

Fiz uma lista mental e tentei eliminar as opções. Aquilo poderia ter sido feito por uma arma? Não uma lâmina, o ferimento era caótico demais. Qualquer pessoa com uma arma de concussão, como um porrete ou cassetete, teria golpeado a cabeça dele de cima para baixo, ou na lateral do rosto, não enfiado boca adentro. Além disso, a coisa teria que ter sido disparada de uma balista para causar esse tipo de dano.

Pensei em todas as criaturas que eu conhecia; as com garras e unhas, chifres e presas. Talvez fosse possível atingir a vítima tão rápido que ela não se desse conta, mas seria preciso mais do que unhas afiadas para explodir a cara de um homem.

Um projétil? Não havia virote ou flecha à vista e, mais uma vez, o ferimento era feio demais. Além disso, se a pessoa com quem alguém está bebendo tira uma besta do bolso, é preciso ser mais durão que um dentista de dragão para não largar o drinque.

Eu me aproximei bem daquele circo de horrores e vi que parte da gola da camisa da vítima estava preta e estragada. Queimada. Na mesa, junto com o sangue e os talheres, havia uma leve camada de pó fino. Cinzas.

— Algum deles tinha um cachimbo? — perguntei para Simms.

— É proibido fumar aqui. O recepcionista saberia.

Minha lista estava ficando irritantemente curta. A única coisa que restava era o impossível. Então, eu disse o que sabia que eles queriam ouvir.

— Alguém invocou fogo.

Simms assentiu para confirmar que chegara à mesma conclusão, mas sua expressão me revelou outra coisa. Ela estava chocada, sim. Com medo. Porém, sob tudo isso, estava *animada*. Nos seus velhos olhos dourados de serpente, vi a expectativa entusiasmada de uma menininha pronta para uma aventura.

Isso me assustou mais do que tudo.

— Vamos encontrar algum lugar calmo para conversar — disse ela.

Entramos em outra sala, longe de olhos e ouvidos curiosos. Simms se sentou numa poltrona, eu de frente para ela, e Richie ficou parado na porta, de vigia.

A detetive desenrolou o cachecol e o deixou pendurado nos ombros. Seus lábios estavam rachados, o inferior com uma gota de sangue que ela lambeu com a ponta da língua bifurcada. Normalmente, Simms era rígida, autoritária e impaciente. Hoje, ela se recostou na poltrona e fitou a beirada da mesa como se esperasse uma resposta cair do céu. Depois de um tempo, fui obrigado a começar a conversa.

— Quem é ele?

Ela ergueu a cabeça como se eu a tivesse despertado de um sonho.

— Lance Niles — respondeu. — Recém-chegado na cidade. Estava dando uma olhada por aí, comprando imóveis e fazendo amigos. Ninguém sabe muito dele, mas o cara tem muito dinheiro e já é dono de um monte de terrenos.

Isso explicava as joias no corpo. Desde a Coda, ninguém que era daqui zanzava por aí usando pedras preciosas ou ternos caros.

— Alguma testemunha?

— Só o recepcionista. Niles chegou primeiro. Alguns minutos depois, um homem se juntou a ele. Usava uma bengala e um chapéu-coco. Terno preto e bigode fino. Pediram a primeira rodada de bebidas. O outro homem pediu uma segunda. Minutos depois, o recepcionista ouviu uma explosão rápida e aguda. Quando entrou, a cena estava exatamente como agora, só que mais fresca. Os outros clientes disseram a mesma coisa, com ainda menos detalhes.

O pior nessa história era ela ser quase normal. Seis anos atrás, antes que o mundo se tornasse aquela merda, esses acontecimentos não pareceriam nada estranhos. Dois bêbados se metiam em uma briga, um deles disparava uma bola de fogo na cara do amigo. Isso acontecia. Mas não em um lugar assim. Mesmo naquela época, esse clube era só para humanos. Era o último lugar em que se esperaria ver qualquer sinal de feitiçaria.

— Como era o assassino? — perguntei.

— Ele tinha algumas cicatrizes no rosto, parece, mas os funcionários não se lembram de nada específico. Nenhum sinal de magia: orelhas arredondadas, dentes alinhados, pele lisa, ombros retos, todos os dedos proporcionais. Os funcionários daqui são treinados para perceber essas coisas.

— Então ele era humano?

— Ou alguém que consegue se passar por um. Um mago ou licum teria mais sorte. Depois da explosão, ele se mandou pelos fundos e ninguém teve coragem de seguir. Ninguém sabe para onde foi, se tinha um cavalo ou alguém esperando do lado de fora. Niles fez a reserva e era membro do clube, então o assassino nem precisou dizer o nome. Só sabemos que roupa ele usava, e duvido que isso vá nos levar muito longe.

Assenti. Aquilo não era nada. Era menos que nada. Todos imaginávamos as roupas, não o homem embaixo delas. Depois que se trocasse e tirasse o bigode, estaríamos perdidos.

Enfim, tive que fazer a pergunta que tanto incomodava minha mente.

— Simms, por que você me chamou aqui?

Ela me encarou como se eu fosse um pedido de comida que chegou errado à mesa.

— Os boatos se espalham por Sunder como fogo na floresta, e você está bem no meio das brasas. Rumores sobre o que você encontrou na biblioteca. Coisas que você talvez saiba. Você é o novo garoto-propaganda de mistérios mágicos.

— E você acredita nisso?

Ela bufou.

— Fetch, se eu achasse que você tem algum segredo de verdade, a gente não estaria aqui. Você estaria amarrado numa sala de interrogatório com um atiçador de lareira quente entre os colhões. Mas se essa história está correndo pelas ruas, pessoas vão acabar batendo na sua porta. Então, o que andou ouvindo?

Fazia sentido, eu acho. Porém, era uma manobra bem desesperada para uma detetive cínica como Simms.

— Nada de útil. Só esperanças vazias.

— Alguma coisa que possa ter a ver com isso?

Neguei com a cabeça, e Simms não pareceu surpresa.

— Valia a tentativa.

— Eu te aviso se souber de alguma coisa.

— Pode apostar que sim. Porque agora que você viu isso, está trabalhando para mim. Em caráter extraoficial, é claro.

— Estou confuso de novo.

Simms soltou uma risadinha, mas não entendi qual era a graça.

— Você está em uma posição em que pode se enfiar em lugares que a gente não pode. As pessoas te procuram achando que você é o cara com as respostas para as perguntas que não fazemos mais. E... — Ela deu uma olhada para Richie. — E vão acabar expulsando a gente dessa. Lance Niles estava fazendo muitos amigos antes de morrer. Um desses amigos era o prefeito Piston. Já me mandaram compartilhar todas as informações sobre o caso com o escritório do prefeito. Em algumas horas, vão me dizer para me afastar do caso. Amanhã, ele mandará seus capangas idiotas para as ruas, e eles chutarão umas portas. Quando isso acontecer, também quero ter um capanga idiota trabalhando para mim.

— Mas por quê? O prefeito já tirou vários casos das suas mãos e você nunca ligou para isso.

Ela se inclinou para a frente, e havia algo na sua expressão que eu nunca tinha visto. Quase beirava a vergonha.

— Porque isso parece magia, Fetch. Eu sei que não pode ser, mas se for, quero ser a primeira a saber.

Concordei. Não tive opção. Ela não estaria mais despida se tivesse tirado até a última peça de roupa.

— Não posso te pagar — continuou. — Mas haverá uma recompensa. Se você encontrar o cara que fez isso, ou descobrir alguma informação que nos leve até ele, vou garantir que você receba o que merece. Mas venha até mim primeiro.

Era uma proposta estranha. Por mais sincera que Simms parecesse, eu não conseguia esquecer as dezenas de vezes em que as botas dela acabaram nas minhas costelas. Por outro lado, eu estava desesperadamente sem trabalhos e não seria má ideia ter alguns policiais ao meu lado. Mas esses motivos nem me importavam. Eu estava tão curioso quanto ela. Depois do que tinha visto, eu não conseguiria me segurar, nem se quisesse. Começaria a perguntar por aí, de qualquer maneira. Se Simms queria me recompensar por isso, eu não via motivo para impedi-la.

— Pode me considerar contratado.

Demos um aperto de mãos e pude sentir o tremor em seus dedos. Eu tinha mil respostas prontas que poderia ter dado. As mesmas coisas que dava a todas as criaturas desesperadas que apareciam na minha porta, torcendo para que eu conseguisse devolvê-las à velha forma. Acima de tudo, eu poderia abrir os olhos dela para o fato de que só um louco veria a salvação no rosto ensanguentado de um morto. Eu poderia ter dito muitas coisas. Mas não disse. Assenti, me levantei, dei um tapinha nas costas de Richie e saí para a rua.

Os policiais do lado de fora me observaram enquanto eu deixava o prédio como se estivessem esperando alguma grande declaração, mas era a mesma história que a gente já ouvia fazia seis anos: a morte é uma filha da mãe da qual nenhum de nós consegue escapar.

Simms estava se iludindo. Talvez eu não pudesse provar naquele momento, mas mostraria a verdade a ela quando encontrasse o assassino. O assassino humano e não mágico.

Resolver esse caso poderia encher minha carteira, trazer Simms para o meu lado e botar um homicida na cadeia. Mas, acima de tudo, mostraria a todo mundo que eu não tentava ganhar dinheiro fingindo que a magia ainda existia em algum lugar por aí. Havia uma explicação racional e científica para aquela morte, e eu a entregaria em uma bandeja de prata.

4

Eu vinha evitando o Fosso por todo o inverno. Alguns meses antes, por minha causa, um grupo enorme de anões havia sido despejado de casa. Em troca, recebi a posse de uma mansão caindo aos pedaços que abrigava o corpo congelado de uma fada há muito tempo morta. É uma daquelas escolhas que me faz sentir mal toda vez que paro para pensar nela. Porém, se tivesse outra chance, eu faria a mesma coisa de novo sem pensar duas vezes.

Para piorar a situação, os anões eram frequentadores assíduos do meu bar favorito, o que me deixou com medo de aparecer por lá. Dizem que o tempo cura todas as feridas, mas só se você fizer um curativo. Caso contrário, ele só infecciona o ferimento e o deixa cheio de pus.

Mantive a cabeça baixa ao entrar e vi somente um deles, cujo nome era Clangor. A barba ruiva e o cabelo sujo estavam trançados, e ele ainda usava o uniforme de metalúrgico, mesmo depois de anos de desemprego. Estava sentado no bar, bebendo a ale escura barata, com gosto de graxa. Ele não tinha me visto, e eu queria que permanecesse assim, então virei para a esquerda, para os fundos do bar, onde ficavam os alvos de dardos, o telefone público e as cabines.

O Fosso não era mais aquecido. Não sem o fogo. Os clientes se mexiam menos do que antigamente. Riam menos. Nada de dança ou música, só frequentadores calados enchendo a cara para esquecer as lembranças de dias melhores.

O único barulho vinha de Wentworth, um dos poucos magos que usavam um bigode sem barba. Como de costume, ele enchia o saco: apoiando-se em uma das mesas, gritava para um bando de banshees que, mudos, não tinham como mandá-lo calar a boca. Talvez fossem parentes de Boris, o bartender pós-Coda que comprara o lugar por uma mixaria quando Tatterman se aposentou. Ele me viu de onde estava, atrás do bar, e seu olhar dizia: *É bom te ver, mas você devia dar o fora daqui.*

Eu não gostava de arrumar confusão para o lado do Boris, mas esperava que salvar sua família do massacre de Wentworth me desse alguma vantagem. O mago estava no meio de um discurso inflamado quando me aproximei.

— ... dizem que foi um acidente, mas quem é que acredita? Eu é que não vou acreditar, isso com certeza. Um acidente conveniente pra caralho para eles, vou te contar. Tirar meus poderes. A voz de vocês. Todas essas coisas que antigamente faziam a gente estar acima deles. Isso foi um ataque, é o que digo, e ainda não acabou. Estamos no meio de uma guerra, mas o nosso lado acha que já acabou, então estamos deitados no meio do campo de batalha, deixando os canalhas ganharem. A gente precisa acordar. A gente precisa revidar com tudo que...

Os olhos de todos os banshees se voltaram para mim, atrás dele, até que depois de um instante o mago percebeu.

— Oi, Wentworth. Se você tiver um momento, eu queria te pedir um conselho.

Algumas pessoas talvez ficassem com vergonha por serem pegas no meio de um discurso desses. Mas não o velho Wentworth. Ele fez uma careta bem na minha cara, deixando claro que não se importava se eu tinha ouvido o que ele dizia sobre a minha espécie.

— O que você me oferece em troca?

Boris me observava atentamente, então fiz um sinal para ele trazer duas bebidas. Ele sabia o que nós dois bebíamos, e Wentworth suavizou a expressão quando viu os copos sendo servidos.

— Vem aqui para o canto — falei. — Não quero chamar atenção.

— Ah, aposto que não, de fato.

A família de banshees assentiu em agradecimento quando o mago lhes deu as costas. Nós nos sentamos na cabine do canto e as bebidas chegaram logo depois. Wentworth não me deu atenção até que tivesse tomado um belo gole.

— Então, rapaz — disse ele com a espuma pingando do bigode molhado. — O que te traz até mim hoje?

Baixei os olhos para a seiva queimada que Boris tinha posto na minha frente.

— Quero saber como a magia funcionava. Antes de acabar.

— Acabar uma ova, rapaz. Seus amiguinhos destruíram a magia.

Eu já tinha aprendido havia muito tempo a não discordar de Wentworth. Especialmente quando ele tinha razão.

— Sim, antes de ser destruída. Quero saber como se lançava feitiços. Especificamente do tipo que podia ser usado como arma.

— Já que você teve o bom senso de vir à fonte correta, vou te dar a informação que procura. — Ele deu outro longo gole, feliz por alguém querer ouvi-lo, para variar. — Existem três tipos de feitiços, cada um lançado por uma classe diferente de usuário de magia. As duas primeiras são os feiticeiros, os quais podem ser magos (que são treinados) e arcanistas (que não são). Um feiticeiro pode ser reconhecido pelas pupilas e cabelos brancos e pelos dedos extravagantes. A maioria dos feiticeiros nasce de pais humanos. Ninguém nunca conseguiu provar como ou por que isso acontece. O máximo que conseguimos compreender foi que a atmosfera mágica se concentrava no corpo da mãe e passava para o feto antes do nascimento. Muitas mentes doentias tentaram forçar esse processo, mas, até onde sei, nenhuma conseguiu.

"Essas crianças de olhos brancos conseguiam sentir as energias do mundo ao redor. As habilidades naturais variavam, mas os talentos básicos normalmente eram os mesmos: criar ondas na água, conjurar rajadas de vento, alimentar fagulhas até que se transformassem em enormes incêndios. Feiticeiros têm a habilidade instintiva de ouvir a magia dentro dos elementos e dar um empurrãozinho. Esses talentos, quando praticados em um ambiente não controlado, criam o que chamamos de arcanistas. Bom, o que *chamávamos* de arcanistas."

Ele queria dar outra cutucada, mas eu sinceramente não tinha mais forças para retrucar.

— Um arcanista com treinamento se transforma em um mago. Esses são os usuários de magia mais poderosos, mais habilidosos e mais difíceis de explicar. — Ele fez um gesto para si mesmo sem qualquer sinal de ironia. — Alguns dizem que só os alunos da Universidade Keats são magos de verdade. Foi lá que eu estudei, é claro, mas nunca fui esnobe assim. O que importa é o nível de habilidade. Quando treinado, o mago aprende a estender seus poderes além do que está nas imediações, entrando em sintonia com os elementos na sua forma mais pura, invocando-os para o espaço entre suas mãos. Quando precisava de fogo, eu abria um portal para um mundo de enxofre e chamas. Quando queria voar, eu trazia vento do desconhecido para soprar sob meus pés. Se eu queria prender um homem no lugar, conjurava a gravidade para as pontas dos dedos e o mantinha sob a força do meu punho.

Era impossível não perceber a satisfação nos lábios do velho. Seus olhos de pupilas brancas se estreitaram e ele trincou os dentes, lembrando os dias em que tinha poderes capazes de matar ao seu dispor.

Vi muitos magos lançando feitiços quando estava na Opus. Até ouvi a localização desse *lugar invisível*. Depois de desertar para o Exército

Humano e de ser convencido de que os magos estavam tentando nos destruir, entreguei essa informação. Quando os humanos enfiaram suas máquinas na magia, ela se congelou em resposta.

— Então esses são os feiticeiros — falei. — Qual a outra?

Ele piscou, como se tivesse esquecido onde estava.

— A outra o quê?

— A outra classe de usuários de magia. Você falou que...

Ele tamborilava o dedo no copo vazio. Entendi a dica e fiz um gesto pedindo mais uma rodada a Boris.

— Ah, a outra classe? Sim, sim, sim. Os bruxos e bruxas. Dedos mais longos que os de vocês, o que lhes dá certos talentos. Perdão por deixá-los por último, é que são uma baita decepção, em comparação. Tudo o que fazem, basicamente, é brincar com a magia que já existe no mundo físico. É como cozinhar. Misture uma coisa com outra e adicione uma pitada de essência de não-sei-o-quê e, por um momento, essa mistura libera a energia mágica presa ali. Um substituto fraco para feitiços verdadeiros, mas já vi uma bruxa bem equipada criar bastante confusão. Mais que...

— Mas só pode estar de sacanagem!

Olhei por cima do ombro. Boris, o dono do bar, estava a caminho da nossa mesa com as bebidas e uma expressão de arrependimento. Ele fora pego. No bar, Clangor estava com a cara vermelha de fúria e apontava o dedo direto para mim.

— Mas o que você tá fazendo aqui, caralho?

O olhar de Boris me dizia: *Foi mal, mas será que você pode dar o fora daqui antes que esse babaquinha comece a destruir coisas?* Assenti para avisar que faria isso.

Eu nem tinha terminado minha primeira bebida, mas joguei algumas moedas na mesa para pagar pelo pedido. Fiquei de pé, ergui os braços em submissão, fiz uma mesura envergonhada e segui para a saída, mas o anão era mais cerveja do que cérebro e não queria me deixar dar o fora.

— Eu te fiz uma pergunta!

Ele tinha se levantado do banco, tremendo de raiva, com um pêndulo de baba balançando em seu lábio.

— Só vim falar com um amigo. Não quero incomodar.

A caneca dele acertou o batente da porta, derramando cerveja barata em mim e no capacho de boas-vindas.

— Amigo? — Ele soltou uma daquelas risadas que, na verdade, são puro sarcasmo audível. — Você não tem nenhum amigo, Fetch. Não neste bar. Não nesta cidade. Em lugar nenhum. Você sabe disso, não sabe? — Ele se aproximou e eu recuei, subindo as escadas em direção à porta. — Se eu ainda fosse forte como era antes da sua gente foder com o mundo todo, eu cortaria suas pernas, depois sua cintura, depois seu pescoço, aí enfiaria o pé nessa sua cabeça oca de merda e esmagaria seu crânio bem aqui no chão.

Eu olhei em volta. Não deveria ter feito isso.

Eu já tinha trabalhado no Fosso. Depois tinha bebido no Fosso, todos os dias. Já tinha pagado rodadas de bebidas para todos os clientes de sempre, e eles também já tinham feito o mesmo por mim. Mas todos mantiveram os olhos baixos. Ninguém disse nada. Ninguém ergueu os olhos. Ninguém ia discutir com o anão.

— Some daqui — disse ele.

Foi o que fiz.

A última coisa que aconteceu comigo no Exército Humano foi levar um virote de pura mágica bem no meio do peito. O ferimento nunca cicatrizou direito e a dor, de vez em quando, tentava arrancar minhas costelas. Depois que saí do Fosso, abri um pacote novo de Clayfields e mordi a ponta do graveto, sugando o sumo. Ajudou um pouco, mas ainda sentia falta de ar.

Foi burrice voltar lá. Nos últimos anos, eu havia falado o suficiente com magos para saber que os poderes deles não estavam funcionando. Não havia uma faísca sequer de coisa alguma. Os jornais diziam que a

Universidade Keats ainda tinha alunos e professores que, todos os dias, tentavam liberar a antiga magia. Se aqueles especialistas dedicados não tinham conseguido, eu duvidava de que um arcanista sem treinamento tivesse alguma chance. E, ainda que conseguisse, era improvável que a primeira coisa que faria, ao reconquistar seu poder perdido, seria explodir a cara de um empresário com uma milagrosa bola de fogo pós-Coda.

Isso me deixava com bruxos e bruxas: usuários de magia de dedos longos que nunca invocavam nada sozinhos, só extraíam o poder dormente da matéria orgânica ao seu redor. Até onde eu sabia, nada disso funcionava agora.

Bom, não como funcionava antes.

Tirei o Clayfield da boca e examinei a ponta mastigada. Antigamente, aquilo era mágico. Poderoso o bastante para deixar meu corpo todo entorpecido. Agora tinha só uma sombra de seu antigo poder. Mesmo assim...

Havia algum poder ali. Um eco manipulado por pessoas que sabiam que um pedacinho da antiga magia escondido naquela planta talvez ainda tivesse alguma utilidade.

Coloquei o Clayfield entre os lábios de novo e sorvi o sabor.

Sim, aquilo era alguma coisa.

5

Liguei para a casa de Warren e uma mulher atendeu. Ela me disse que eu poderia encontrá-lo na Hamhock Cerâmicas, uma fábrica falida no meio do distrito industrial. O vento se revezava com a neve enquanto eu atravessava a cidade e desejava ter parado um segundo para costurar os buracos nos joelhos da minha calça.

Quando o fogo da cidade ainda ardia, a neve ficava marrom mesmo no ar. Depois da Coda, era só depois de tocar o chão que começava a absorver as cinzas, a ferrugem e a sujeira. Pelo menos não fedia muito. No verão, os esgotos cozinhavam como um ensopado.

O distrito industrial era uma confusão decrépita de fábricas e mercados de atacado no lado oeste da cidade. Normalmente eu fazia minhas compras por lá, em vez de na rua Principal, onde os vendedores cobravam mais caro pelo mesmo produto só porque estava pendurado em um gancho de melhor qualidade.

Eu já tinha passado pela Hamhock várias vezes, mas nunca entrara. Era uma fábrica de dois andares, com uma porta de correr que ocupava toda a parede da frente. Meia dúzia de chaminés brotavam do telhado, além de uma grande turbina de vento que girava em um ritmo hipnotizante.

A porta estava aberta, e a parte de dentro do prédio estava uma zona. Um líquido marrom-acinzentado cobria o chão, as paredes, as máquinas e a maior parte dos trabalhadores. As prateleiras de secagem estavam cheias de cerâmicas ainda não queimadas: vasos, tigelas e pratos. Havia peças que ainda brilhavam, úmidas, já outras estavam secas e algumas rachando. A turbina no teto se conectava a um imenso tonel de argila, de modo que o giro do moinho misturava o líquido, que às vezes vazava pelas bordas.

Muito trabalho era feito ali, mas algo os fizera encerrar as atividades. Os funcionários estavam parados, improdutivos, enquanto uma pequena equipe se reunia em torno de uma caixa de metal grande no canto.

Warren, o gnomo bem-vestido, estava sentado sozinho. Anos atrás, antes que eu o conhecesse pessoalmente, ele era uma lenda do submundo do crime. A Coda matou os chefões que ele pusera no poder e tirara o músculo dos seus capangas. O gnomo gastou uma fortuna tentando restabelecer seu império depois do Coda, mas acabou se tornando só mais um vigarista solitário que já vira dias melhores.

Embora tivesse perdido muito dinheiro e a maior parte dos negócios, o orgulho dele continuava intacto. Seus ternos estavam sempre limpos, o cabelo era aparado semanalmente no barbeiro e ele tinha uma postura muito relaxada, como se contasse com todo o tempo do mundo.

Mas ele não tinha todo o tempo do mundo. Tinha pouquíssimo tempo e temia pensar em como o passaria.

Segurava o chapéu nas mãos e seu charme de sempre havia sumido. Puxei um banco para me sentar ao seu lado e deixei que falasse primeiro.

— Quando ainda existia magia, meu amigo era dono dessa fábrica e ganhava um bom dinheiro vendendo pratos e vasos. Isso acabou há seis anos. Então, vieram as cheias do outono, que deixaram grandes piscinas de argila rio abaixo, e achei que poderíamos usar a lama para reativar esse lugar. Mas o fogo... — Ele abanou a mão na direção da caixa de metal. — Não conseguimos fazê-lo esquentar o suficiente. Já tentamos de tudo. Mesmo que custasse mais para esquentar o forno do que o que ganharíamos vendendo as cerâmicas, pelo menos estaríamos *fazendo* alguma coisa. Mas não. Não tem nada aqui. Só mais lixo.

Observamos enquanto os empregados cobertos de lama retiravam uma bandeja de xícaras úmidas do forno e as jogavam no chão.

— Vamos tentar alguma coisa menor — ordenou Warren. — Uns... dedais, talvez. Com o dobro de madeira.

Os ceramistas desanimados assentiram, e era quase engraçado. Eram criminosos. Homens durões que antes ganhavam a vida nocauteando pessoas com os punhos. Agora estavam todos ali, de avental e luvas, decepcionados por não conseguirem terminar suas xicarazinhas.

Era *quase* engraçado.

— Sinto muito, Warren. Queria poder te ajudar, mas ciência nunca foi meu forte. Se eu ficar sabendo de alguma coisa útil, te aviso.

Ele ergueu os olhos para mim.

— Então é *mesmo* isso que você está fazendo? Procurando poderes mágicos? Você tinha dito que era impossível.

— E é. Mas isso não significa que não existam coisas novas por aí, coisas não mágicas. Tipo o que quer que aquele médico estava tentando te vender.

Ele amassou a aba do chapéu. A decepção com o chifre de unicórnio ainda doía.

— Ele só teve uma ideia, só isso. Só queria ajudar.

— Bom, eu também quero ajudar. Posso falar com esse seu amigo?

Ele me olhou com uma expressão que eu já vira muitas vezes, em muita gente: a cara que as pessoas faziam quando sabiam que eu ia arrumar problemas.

— Ele é só um químico. Um bruxo tentando ganhar a vida de um jeito novo, como todos nós.

— Vendendo mentiras, quer dizer. Quanto ele ia cobrar para preparar essa sopa de unicórnio para você?

Warren pousou uma das mãozinhas na minha. Aquilo me chocou. A gente tinha uma rotina ótima de troca de farpas e cutucões. Por algum motivo, ele tinha resolvido interromper aquilo com uma honestidade rara.

— Não o culpe por me dar um sonho, Fetch. O coração dele estava cheio de esperança, como o meu. Vou te dizer onde encontrá-lo, mas não chegue com o pé na porta. Só porque você desistiu não precisa arrastar todo mundo junto buraco abaixo.

Droga. Eu tinha estragado tudo de novo. Pensei em me desculpar, mas Warren não precisava daquilo. Ele disse o que tinha para dizer, e eu ouvi. Era o bastante. Tentei me lembrar de fazer aquilo mais vezes. Pus a outra mão em cima da dele e a apertei. Ele respirou fundo, olhando em volta, para a fábrica inútil e o negócio moribundo que falhara em ressuscitar. Eu não precisava lembrá-lo de que as coisas tinham mudado. Ele via isso com mais clareza do que eu jamais seria capaz. Qualquer que fosse o trabalho que eu achava que fazia, certamente não era meu dever arrancar os últimos resquícios de esperança das mãos de ninguém.

Então não falei nada. Warren me disse que o nome do químico era Rick Tippity e que trabalhava alguns quarteirões ao norte. Ele me falou para ser legal com o bruxo, porque já tinha gente demais sendo má no mundo, e todas elas eram melhores nisso do que eu.

— Então seja legal — completou ele. — Hoje em dia, há menos concorrência se você for legal.

6

Quando a Coda pôs bruxos e curandeiros para escanteio, os farmacêuticos se deram bem e ocuparam o espaço que vagou. As curas são menos dramáticas, mais caras e nem sempre confiáveis, mas essa é a única opção quando alguém fica doente agora.

Warren me contou que Rick Tippity, além de bruxo, também era um alquimista treinado. Com uma compreensão rara da interseção entre ciência e magia, ele teve a chance de se adaptar ao novo mundo mais rápido que outras pessoas. Eu já tinha visitado a farmácia dele antes: para fazer estoque dos Clayfields quando não era fácil encontrá-los em qualquer lugar de Sunder. Era uma lojinha na Kippen, uma rua estreita que servia para cavalos, mas não era ideal durante o breve período em que os automóveis a cruzavam em direção à cidade.

Os negócios da Kippen estavam longe de prósperos. As únicas portas abertas eram de uma lavanderia, um restaurante e a própria farmácia, que destoava do restante dos prédios pelas vitrines limpas, a pintura recente e a placa acima da porta com uma grande folha verde.

Quando entrei, a primeira coisa que senti foi o cheiro: uma mistura pungente de fumaça, vapores químicos e pólen que atacou minhas narinas.

O lugar fora reformado recentemente e a cartela de cores escolhida consistia em branco sobre branco com um toque extra de branco. Uma escolha corajosa para uma cidade como Sunder, em que até o ar deixava manchas. Um balcão de madeira dividia a loja e, apoiado nele, rabiscando em um bloco, estava o bruxo que eu procurava.

Rick Tippity parecia ter quarenta e poucos anos, mas o cabelo, que batia na cintura, perdera toda a cor. Ele usava óculos pequenos, de aro prateado, e um jaleco branco que combinava com as paredes. Quando ergueu os olhos, percebi neles a concentração intensa de alguém extremamente inteligente ou um pouco desequilibrado.

Ele baixou o lápis e se ergueu, pousando as mãos de dedos longos no balcão. Tinha um ar de confiança que beirava a arrogância, como se quisesse mostrar a todos que o fim do mundo não o tinha afetado em nada.

— Boa tarde, senhor. Como posso ajudá-lo?

— Dois maços de Clayfields Heavies, por favor. Além disso… — Apontei para os quatro cortes que atravessavam meu rosto. — Você poderia me recomendar algo para curar rapidamente essas feridas e não deixar uma cicatriz? Minha esposa volta mês que vem e acho que ela não vai acreditar que arrumei isso aqui na igreja.

Ele sorriu, demonstrando compreensão, e se virou para as prateleiras. Uma das coisas que eu tinha aprendido depois de seis anos naquele emprego era que, se você entrava no comércio de alguém esperando ajuda, era melhor estar preparado para comprar alguma coisa. Não importa se a pessoa é inocente, culpada ou não tem nada a ver com aquilo, todo mundo abre a boca mais fácil depois de ver um pouco de bronze.

Rick parou em frente a uma prateleira com cinco urnas de metal, cada uma com uma torneira na parte de baixo. Ele abriu uma delas e dali caiu uma gota de um líquido verde-claro em uma garrafinha de vidro. Antes que enchesse, o homem seguiu pelo corredor, acrescentando alguns pós diferentes, e depois sacudiu a garrafa.

— Esfregue isso aqui nos ferimentos duas vezes por dia e logo antes de dormir. As cascas vão ficar mais moles, o que terá uma aparência desagradável durante o processo de cura, mas devem sumir em uma semana.

Ele pôs a garrafinha no balcão junto com os maços de Clayfields.

— Valeu. Não quero ser expulso de casa nesse frio.

— Uma moeda de bronze pelos Clayfields, outra pelo remédio.

Fiz uma grande cena ao pagar: procurando a carteira, descobrindo que não tinha nenhuma moeda ou nota de bronze, catando moedas de cobre nos bolsos do casaco para completar o valor.

— Você ficou sabendo da história lá no Bluebird Lounge? — comentei. — Meio bizarro.

Ele já estava concentrado nas anotações de novo, esperando que eu fosse embora para poder concluir a questão sobre a qual se debruçava.

— O que houve? — perguntou, parecendo desinteressado.

— Alguém foi morto com uma bola de fogo na cara. — Cada moeda vinha de um bolso diferente. Eu as alinhei no balcão, devagar, enquanto seus olhos de águia voltavam ao presente. — O pessoal já está espalhando todo tipo de bobagens por causa disso. Aposto que você ouve essas coisas o tempo todo, né?

Ele juntou as sobrancelhas com tanta força que quase pareceram uma coisa só.

— Que tipo de bobagem?

— Ah, gente aparecendo aqui querendo saber como fazer magia. Em geral, para ajudar. Às vezes, para machucar. — Peguei a garrafinha de líquido claro e examinei a consistência. — Não estou fingindo que entendo como você faz o que faz, mas pelo menos sei que é ciência. Tem gente por aí que acha que você ainda está mexendo com o negócio de verdade.

Ele não se moveu. Estava assustado. Eu só não sabia o motivo. Então ele respondeu:

— Eu estou.

A loja estava gelada. Como se alguém tivesse aberto a porta e deixado o vento frio do inverno entrar. Mas a porta permanecia fechada, e nós estávamos a sós. Só eu e o bruxo com olhos malucos.

— Ah, sério? Nossa. Isso, hum… Como assim?

— Existe magia em todas as coisas. Sempre existiu. Sempre existirá. O seu povo pode ter mudado a forma como a usamos, mas não pode tirá-la de nós. Não. Não pensem que são tão importantes assim.

O filho da mãe não piscava já fazia um minuto inteiro. Era minha vez de ficar assustado.

— Então… está dizendo que ainda existe magia nisso tudo aqui? — Indiquei as caixas e frascos atrás dele e continuei, com o tom de voz mais condescendente e irritante que encontrei: — Mas não deve ser muito poderoso, né? Você pode secar algumas espinhas, mas não dá para usar essas coisas para matar alguém.

O bruxo tirou os óculos e os colocou no bolso da camisa. Suas mãos baixaram para as laterais do corpo, atrás do balcão.

— Para quem você trabalha?

— Para ninguém. Sou só um cara qualquer fazendo perguntas idiotas. Não queria pisar no seu calo.

Ele não agia como se eu tivesse pisado em algum calo. Era mais como se eu tivesse esmagado todos os dedos dos pés dele com uma bigorna.

— Você trabalha para a polícia.

Uma acusação que, em qualquer outro dia da minha vida, teria sido absurda.

— Não. De jeito nenhum. Eu só quero provar para eles que ninguém poderia ter…

Ele tirou as mãos de trás do balcão e havia algo na palma direita. Parecia uma bolsinha de moedas ou um saco de bolas de gude. Eu me afastei do balcão e, na mesma hora, ele rasgou a embalagem. Uma bola de fogo gigante apareceu em suas mãos.

A bola de fogo rugia como um animal selvagem, e o ar quente enterrou o grito no fundo da minha garganta. Ao recuar, tropecei. No fim, pode ter sido isso que me salvou.

Bati a parte de trás da cabeça no concreto. A queda não me fez desmaiar, mas a dor foi tanta que quase desejei que isso tivesse acontecido. Dava para sentir o cheiro das partes de mim que tinham virado churrasquinho: cabelos, sobrancelhas, um pouco da pele. Bati as mãos no rosto e no peito, mas por sorte as chamas não acertaram em nada. Foi só um clarão instantâneo. Um instante ardente, doloroso e desconfortável, porém tão rápido que causou um dano superficial.

Não foi um golpe fatal. Nem o suficiente para derreter a tinta das paredes.

Mas era magia, com certeza.

7

Quando consegui me levantar, Tippity já tinha se mandado, e não posso dizer que fiquei triste. Eu queria pegar o filho da mãe, mas precisava de um tempinho para me recompor. Eu tinha esperado seis anos para ver alguém usando magia, mas não a meio metro da minha cara. Passei as mãos pelos cabelos e senti tufos queimados caindo entre meus dedos. Minha garganta ardia por ter engolido uma lufada de ar quente, e a visão estava cheia de pontinhos brancos.

Havia cinzas no chão ao meu redor. Procurei a bolsinha que cuspira as chamas, mas imaginei que tivesse sido incinerada na explosão. Notei uma portinha de madeira no balcão, então a empurrei e passei para o outro lado. Havia algumas prateleiras no ponto em que o bruxo escondera as mãos atrás do balcão, mas nenhuma outra bolsinha mágica cheia de fogo.

As anotações em que Tippity trabalhava eram indecifráveis para mim, então as deixei para que a polícia se encarregasse delas. Por outro lado, achei uma lata com bastante dinheiro, então me dei um reembolso pelas compras e aproveitei para pegar o tanto que me custaria a necessária viagem ao barbeiro.

Havia um telefone na parede, mas não o usei de imediato. Meu objetivo ao visitar aquela farmácia era provar que a teoria de que a magia voltara estava incorreta, não alimentar os rumores. Então, queria ter algo mais a dizer do que: *A magia voltou e a prova é que a minha cara está toda queimada.*

Os corredores nos fundos da loja estavam cheios de óleos, sementes e pedaços de casca de árvores, mas nada que se assemelhasse à bolsinha explosiva. Nada tinha rótulo, também, então minha busca foi inútil (exceto pelo estoque de Clayfields, que foi parar no bolso do meu casaco).

Atrás dos corredores, na parede dos fundos, havia uma porta entreaberta. Foi por ela, provavelmente, que o bruxo fugiu. Peguei a faca no cinto e ergui, pronto, quando chutei a porta e olhei o que havia lá dentro.

Era só um estoque bagunçado e escuro. A única luz vinha da saída oposta, que dava para o beco dos fundos. Meus olhos ainda estavam se acostumando depois do ataque, então tropecei em algumas caixas antes de achar uma lamparina pendurada no teto. Acendi o isqueiro e ergui a mão para a lamparina. Quando o pavio se acendeu, dei um pulo, em choque. Não por causa do fogo, mas pelo bloco de gelo gigantesco nos fundos do estoque, com um homem aos gritos preso dentro dele.

Ele estava apoiado na parede como se tivesse se escorado ali depois de uma noite de bebedeira. O gelo cobria seu corpo inteiro, mas era mais grosso em torno do peito e da cabeça. A água era totalmente cristalina, mas a superfície estava pontilhada por pequenos pingentes de gelo.

Eu não tinha ideia de quando aquilo tinha acontecido. Com a porta do estoque aberta, o ar externo era frio o suficiente para impedir o derretimento do gelo.

O homem era outro bruxo. Seus dedos longos estavam abertos, e os braços, dobrados, como se estivesse implorando quando o feitiço o atingiu.

Ele era mais velho que Tippity, com cabelo curto e uma barba aparada, e sob seu jaleco usava o mesmo uniforme que o outro.

Deviam ser colegas. Então, o que tinha desandado ali?

As mãos dele estavam vazias. Olhando em volta, não vi sinais de luta. Os engradados, as garrafas e os potes empilhados eram muitos, mas as únicas coisas bagunçadas eram as caixas que eu mesmo chutara.

Abri alguns potes e procurei algo que parecesse mais mágica que remédio. Nem uma coisa, nem outra eram minha especialidade, então não cheguei à conclusão alguma. Revirei potes de terra vermelha, caixas de ataduras e frascos de xarope. Achei uma garrafa de um líquido dourado claro que me pareceu familiar, então abri e provei um pouquinho. Era seiva de tariço, e de melhor qualidade do que se encontrava na maioria dos bares, então enfiei no meu bolso também. Era mais difícil de esconder do que os Clayfields, mas bem mais valioso.

Nada mais pareceu especialmente interessante. Fiquei parado no meio do cômodo, mordendo um Clayfield e encarando o homem congelado no canto. Havia algo de familiar no rosto dele. Não que eu o conhecesse. Era a expressão dele. Como ficara paralisada em um momento de surpresa e horror.

Como se tivesse acontecido em um instante.

Estava igual ao corpo do clube. Pego de surpresa. Só que esse cara tinha sido atingido por gelo, não fogo. A morte estava sempre ocupada em Sunder City, mas agora trabalhava mais rápido que o normal, e de um jeito mais escandaloso.

Voltei para a loja, liguei para a delegacia e pedi para falar com Simms.

— Posso saber quem está falando?

— É o vizinho dela. Ela me pediu pra tomar conta dos gatos, mas um deles começou a vomitar sem parar e ela me disse pra dar um comprimido azul se isso acontecesse, mas o bicho não para de vomitar o comprimido, o carpete tá um horror e eu não sei o que…

— Aguarde um instante, senhor.

Trinta segundos depois, Simms resmungava do outro lado da linha.

— Tá bom, espertinho. O que você quer?

— Imaginei que você não quisesse que a secretária anunciasse meu nome na frente da delegacia inteira. Sei que os outros policiais não gostam tanto de mim quanto você.

Ela bufou, sem querer admitir que eu estava certo.

— Tá, e por que você ligou, afinal?

— Tenho outro cadáver pra você. Farmácia na rua Kippen. Não estou dizendo que é magia, mas é parecido com o que vimos hoje de manhã. Só que dessa vez foi gelo.

Simms fez uma longa pausa enquanto considerava o que aquilo podia significar.

— Sabe quem foi?

— Quase certeza de que foi o farmacêutico, Rick Tippity. Comecei a fazer umas perguntas sobre magia de bruxo e o cara ficou tão nervoso que me atirou uma bola de fogo na cara.

— Cacete. Você tá bem?

— Você é que vai ter que me dizer. Ainda não me olhei no espelho.

— Toma cuidado. Estou indo para aí.

Quando desliguei o telefone, comecei a rir. A adrenalina abandonava meu corpo e fiquei todo bobo com o absurdo de Simms ter falado comigo como se ela se importasse com meu bem-estar.

Voltei para o estoque e tirei o Clayfield gasto dos dentes. Como havia uma caçamba de lixo no canto, fui até lá e levantei a tampa.

Então eu parei.

O cômodo estava escuro e eu disse a mim mesmo que devia estar vendo coisas. *Torci* para estar vendo coisas, porque *achei* ter visto corpos caídos no fundo da lixeira.

Rezando para que aquilo fosse coisa da minha cabeça, levantei totalmente a tampa e peguei o isqueiro de novo.

Quando a luz alaranjada iluminou o interior da lixeira, corri para fora e vomitei.

8

Quando Simms e Richie chegaram, contei o que havia acontecido o mais rápido que pude. Logo outros policiais chegariam e Simms não queria que nos vissem tão amiguinhos. Mostrei onde o farmacêutico me acertara, descrevi a bolsinha e o fogo que saíra dela, depois os levei para os fundos a fim de apresentá-los ao homem de gelo.

Eles não disseram muita coisa, só assentiram e tentaram não tirar conclusões precipitadas. Era basicamente o que eu estava tentando fazer também. Havia muitas formas de criar fogo. No meu bolso eu tinha um isqueiro que fazia isso todos os dias. Não havia nada de mágico nisso. Mas gelo? Bom, gelo é diferente. É lógico que tem muito gelo por aí nesta época do ano, e não era a primeira vez que alguém morria por causa do frio, mas aquele não era o caso de algum pobre coitado sem teto que ficou tempo demais ao relento. Pelo que parecia, alguém invocara aquele bloco de gelo do mesmo jeito que a bola de fogo. Se, ao rasgar uma bolsinha, Rick Tippity tinha produzido uma nuvem azul congelante e matado alguém, eu não sabia como definir aquilo de outro jeito além do óbvio.

Ainda assim, eu não era cientista. Só porque uma coisa é estranha, não significa que alguém descobriu o segredo para fazer a magia fluir de novo. E mesmo que fosse o caso, eu é que não seria o primeiro a dizer isso, com certeza.

— Já viram algo assim? — perguntei.

Os dois balançaram a cabeça.

— Já faz muito tempo — respondeu Simms. — Nossos reforços vão chegar logo. Tem mais alguma coisa que você queira nos contar antes que os caras comecem a imaginar coisas?

— Aham. Não sei se tem relação, mas vejam isso.

Abri a caçamba. Os dois policiais estoicos deram uma olhada e suas expressões se partiram como pratos de porcelana no chão de concreto.

A lixeira estava cheia de corpinhos. Mais de vinte. Eram minúsculos, entre trinta e sessenta centímetros, todos muito magros e rígidos.

Eram corpos de feéricos. Mortos. Secos e sem magia.

— Ah, meu Deus. — Richie saiu aos tropeços pela porta dos fundos.

Simms encarou o nada com uma expressão sombria.

— O que foi que esse cara fez com eles? — perguntou.

Ela estava falando do rosto deles. Encontrar uma lixeira cheia de corpos de feéricos já era bem ruim, mas a cabeça deles tinha sido aberta. Alguém rasgara seu rosto, fizera algo com o que havia lá dentro e depois descartara os corpos.

Simms baixou a tampa. Mordi outro Clayfield. Richie ainda estava do lado de fora, xingando.

Havia muitas criaturas mágicas no mundo, mas feéricos eram diferentes. De certa forma, eles *eram* mágicos. Puros pedacinhos do impossível que andavam entre nós. As variações eram infinitas: duendes, diabretes, leprechauns, bichos-papões e elementais, mas quando veio a Coda, o sofrimento de todos foi idêntico. Ficaram congelados, como o grande rio, e a vida abandonou o corpo deles.

Mesmo em uma cidade feita de aço como Sunder, tão distante das florestas, dava para sentir o espaço vazio deixado por eles. Eu achava que a tragédia era não vermos mais feéricos. Acontece que não ver nenhum deles era melhor do que encontrar uma pilha de corpos sem vida profanados e jogados no lixo.

Depois de um tempo, Simms perguntou:

— Você sabe por que eles foram…? — Ela abanou a mão na frente do rosto.

Balancei a cabeça.

— Não.

Ficamos em silêncio de novo. Richie entrou.

— Era seu? — perguntou, limpando os sapatos.

— Era. Desculpa.

— Não, eu entendo.

Simms secou os olhos.

— Quando o restante do pessoal chegar, vou ter que ser má com você, como antigamente. Vou te perguntar o que estava xeretando aqui, ameaçar te levar para a delegacia se não me disser para quem está trabalhando… Aquela história.

— Certo.

— Foi mal, Fetch. Sei que você está tão chocado quanto eu, mas o prefeito já está interferindo nesse caso, pedindo atualizações em tudo que achamos. Temos que te manter isolado, livre e…

A porta da loja se abriu e os primeiros policiais chegaram. Em dez minutos, todo tira, detetive, inspetor e guarda de trânsito da cidade já tinha aparecido para dar uma olhada no segundo assassinato inconcebível do dia. Simms, Richie e eu seguimos o plano, interpretando os papéis que já fizéramos tantas vezes.

Eu bancava o espertinho. Era mais divertido agora que eu sabia que não ia mesmo ser arrastado para a delegacia. Tive que me controlar, porém, quando senti que Simms parava de fingir e começava a ficar puta de verdade. Com um aviso pra ficar de boca fechada e não sair da cidade, eles me chutaram de lá. Fiquei feliz de ir embora. Queria me afastar o máximo possível daquela lixeira cheia de corpos destruídos.

A imagem dos feéricos estava marcada a ferro na minha mente. Era triste demais. Trágico demais. Familiar demais. Meu estômago revirava a cada passo, e eu não conseguia identificar se estava com raiva, com medo ou prestes a chorar.

Mas eu sabia exatamente para onde tinha que ir.

9

Passei no meu escritório para deixar os Clayfields e a seiva. Lavei o rosto e penteei o cabelo queimado. Olhei no espelho e me tranquilizei com o fato de que só uma das minhas sobrancelhas havia sumido.

Tentei me limpar. Usei um enxaguante bucal. Até vesti uma camisa limpa.

Como se importasse. Como se eu não estivesse indo visitar uma garota que não se mexia havia seis anos.

Enchi um cantil de uísque, guardei no casaco e fui para a parte norte da cidade.

Tudo estava perfeito.

O portão da mansão estava fechado e não havia pegadas na neve. A porta estava fechada. As janelas não estavam quebradas. O teto não havia desabado.

Subi os degraus de pedra, com cuidado para não escorregar nas poças congeladas, e peguei a chave no bolso. Antes eu deixava debaixo de um vaso na varanda. Na época não parecia correto levar nada dali. Mas agora aquele lugar era todo meu.

A chave entrou com perfeição na nova fechadura e abri a porta que consertara pouco tempo antes. Entrei e logo fechei a porta para impedir que o vento me acompanhasse. Estava tudo silencioso. O ar estava quase completamente parado, mas ainda havia uma brisa entrando por algum lugar lá em cima: uma fresta, no segundo andar, que eu ainda não consertara. Já passara uma boa semana fechando buracos, cobrindo janelas e preenchendo rachaduras. A casa fora abandonada para apodrecer depois da Coda e eu era a primeira pessoa a tentar consertá-la. Sempre havia mais trabalho, mas eu ficava feliz por fazê-lo. Por ela. Pela mulher que me esperava, de joelhos, no meio da sala.

Amari era uma ninfa das árvores. Uma elemental da floresta. Maior que os feéricos que encontrei na farmácia, mas igualmente preciosa. Antigamente, ela era a coisa mais mágica do mundo. Podem ficar com seus pores do sol, suas estrelas cadentes e suas risadas de bebê. Todas essas ideias clichês do que faz a vida valer a pena. Eu trocaria tudo isso por ouvi-la falar mais uma palavra.

Amari não movera um músculo nos últimos seis anos. Estava presa. Transformada em madeira. Rachada e partida. Mas segura. Tratei de garantir isso. Consertei as telhas e cobri o telhado com lonas antes da primeira neve do ano. Até removi as vinhas que antes circundavam seu corpo. Desenrolei cada galho da cintura dela, cortei cada ramo de seus membros e tirei cada folha do chão com mais cuidado do que qualquer outra coisa que já fiz na vida. Arranquei o antigo uniforme de enfermeira, já apodrecido. Limpei os insetos e o pó. Raspei o musgo de suas pernas e a terra embaixo dos seus joelhos.

Ela estava inteira, mais ou menos. As piores ameaças ao seu corpo haviam sido eliminadas. Ela ainda era frágil, delicada demais, então eu só a tocava quando era extremamente necessário. Tudo que eu mais queria era pousar a mão na sua bochecha e lembrar a sensação de quando sua pele era quente, mas não valia o risco.

Ela usava um uniforme novo. Igual ao antigo, mas limpo. Eu fiz tudo o que pude. Mais do que era necessário. Porque nada daquilo era necessário. Nada daquilo importava, ela se fora. Aquilo era só seu corpo, abandonado e vazio, e não havia nada que eu pudesse fazer para trazê-la de volta.

Era isso que eu dizia a mim mesmo. Sem parar. Era isso que eu dizia a todas as almas perdidas que batiam na minha porta com alguma ideia sobre como voltar à época em que as melhores coisas da vida não tinham sido destruídas. Continuei dizendo isso sem parar, até que quase acreditei.

Mas aí veio Rye.

Fui espancado em um porão por um vampiro de trezentos anos que não deveria ter forças sequer para sair da cama. Algum tipo de poder voltara ao seu corpo e, se isso aconteceu com ele, por que não poderia acontecer com ela?

Por isso eu a mantinha segura. Porque qual seria o sentido de tudo isso se fosse possível consertar o mundo para todos, mas não para Amarita Quay?

Eu me sentei na frente dela. O branco de seus olhos eram de madeira clara. Suas pupilas, ligeiramente mais escuras, continuavam igualmente paradas. Tirei o cantil de uísque e fiz um brinde ao seu lindo rosto e à bela alma, que desaparecera.

Naquele dia eu vira algo ruim na farmácia. Algum tipo de crueldade inimaginável. Mas talvez fosse magia. Talvez ela não estivesse perdida, afinal. Talvez eu tivesse razão em protegê-la. Para sempre.

Por via das dúvidas.

10

Baxter Thatch era um tipo único de demônio: ministro da Educação e História, curador do museu, amigo intermitente, inimigo ocasional, especialista por uma quantidade indefinida de anos em uma variedade de fenômenos mágicos e tecnicamente sem gênero definido. Seu conhecimento sobre magia não vinha de realizá-la, mas de observá-la e estudar seu uso por muitos séculos.

Baxter trabalhava incansavelmente para colocar Sunder City de volta nos trilhos. Eu nunca sabia onde encontrá-lo, então sempre era melhor ligar com antecedência para a Casa dos Ministros. Dessa vez, fui informado de que Baxter estava na Usina Elétrica de Sunder City porque, aparentemente, "aquela merda pegou fogo de novo".

A usina tinha sido construída no nordeste da cidade, escondida atrás de um morro, como se a cidade tivesse vergonha da presença dela. Mortales, a empresa de eletrônicos criada por humanos, a construiu às pressas depois que a Coda acabou com o fogo da cidade. Era uma substituta pobre para as chamas eternas que fundaram Sunder. A usina não conseguia produzir energia suficiente para fazer as fábricas voltarem a funcionar, nem sequer para manter os postes da rua Principal acesos. O máximo que conseguia era manter as linhas telefônicas e iluminar a maior parte das casas, na maior parte das noites, mas se a gente começasse a forçar demais, provavelmente daria merda na usina.

Havia planos de consertá-la, mas nenhum era posto em prática. Todos os anos, o prefeito falava em construir outras, mas isso também nunca acontecia. Todos os esforços se concentravam em consertar o que quebrava ou diminuir o número de acidentes, porque o motor a vapor causava mortes de forma mais consistente do que produzia energia.

A usina cuspia mais fumaça das chaminés do que o normal, escurecendo o céu já preto, e senti o cheiro do lugar antes mesmo de vê-lo.

Os funcionários estavam parados na rua enquanto bombeiros entravam e saíam do prédio correndo, com mangueiras e baldes de neve. O incêndio parecia quase sob controle, e as pessoas que estavam ali, mais frustradas do que em pânico. Provavelmente levaria um ou dois dias para a usina voltar a funcionar, mas todo mundo que morava em Sunder já tinha aprendido a sempre ter um estoque de velas à mão.

Era uma rotina cansativa, sem nada de novo. Os trabalhadores da usina já estavam zombando da situação e planejando como passar a folga. Baxter Thatch era o único que parecia realmente deprimido.

O corpo de Baxter era um bloco imenso de mármore vermelho e preto, aparentemente indestrutível, com dois chifres enormes. Quando veio a Coda, nada em Baxter mudou. Isso fez algumas pessoas, inclusive Baxter, questionarem se sequer faziam parte da magia, para começo de conversa.

Talvez por isso ele trabalhasse tanto. Dedicava seus dias a ajudar como fosse possível. Primeiro como viajante, agora como ministro, sempre conseguia manter um ar de confiança e positividade.

Até agora.

Baxter estava sentado em uma pedra do outro lado da rua, com a cabeça apoiada nas mãos. O terno, em geral muito bem passado, estava amarrotado e bagunçado. A gravata, que sempre figurava em seu pescoço, fora jogada no chão. Eu nunca tinha visto Baxter deprimido. Chateado, talvez. Decepcionado, certamente. Mas nada assim, principalmente em público.

— Algum problema, Bax?

Baxter ergueu tanto as sobrancelhas que elas quase encostaram nos chifres vermelho e preto.

— Só todos.

Eita. Baxter existia desde o início dos tempos e finalmente alguma coisa tinha sido a gota d'água. Sentei na pedra, tirei o cantil do bolso e entreguei a ele.

— Não adianta — falou ele depois de um gole. — Sem o fogo ou as fábricas, esse lugar não é nada. Mas as pessoas continuam vindo para cá. Não por causa do que é. Nem por causa do que foi. Mas por causa do que era para ser. Elas estão vindo em busca de uma história.

— Nem todas as histórias são tão encantadoras.

Ele bufou e me devolveu o cantil.

— Tá, tinha crime e pobreza antes da Coda. Mas também tinha equilíbrio. Havia um motivo para aguentar a lama e a neve preta e a porra dos trombadinhas. Mas agora?

Baxter se inclinou para trás e olhou para o céu. Bebi um gole, e a boca do cantil tinha um cheiro defumado.

— Eu tinha esperança, Fetch. Vi uma chance de fazer algo acontecer aqui de novo. Não essa… — Baxter acenou vagamente para a usina soltando fumaça do outro lado da rua — essa merda. Progresso de verdade. Indústrias. Empregos. Agora acabou.

— Por causa disso? Foi só um foguinho de nada.

Baxter ergueu as mãos e fez um gesto para uma grande bola de nada.

— Ele morreu!

Olhei de novo para a usina soltando fumaça e os bombeiros preguiçosos entrando e saindo do prédio. Ninguém estava agindo como se houvesse alguma vítima fatal.

— Quem?

— A primeira pessoa a chegar à cidade com uma visão. Com energia. Com dinheiro, cacete!

Baxter socou a pedra e achei que ela fosse se partir ao meio.

— Ah. O nome dele não era Lance Niles, era?

Baxter não ergueu a cabeça.

— Você ficou sabendo?

— Não, eu vi.

Contei a Baxter sobre a bola de fogo e o homem de chapéu-coco. Simms tinha razão sobre Lance ter feito amigos poderosos. De acordo com Baxter, o prefeito estava todo animado para dar um gás nas indústrias de Sunder outra vez, e era tudo por conta do falecido Lance Niles.

Baxter talvez estivesse de mau humor, mas quando descrevi o fogo e o gelo que Tippity transformara em armas, o enxofre em seus olhos brilhou com animação. Como eu, Baxter tentara enterrar o sonho de dias melhores. Sonhadores não tinham muita serventia nesses dias. Era preciso ter punho firme, sangue frio e pés bem fincados na realidade para conseguir fazer qualquer coisa.

Mas quando descrevi como as chamas explodiram da bolsinha, Baxter chegou até a sorrir.

— Então foi isso que aconteceu com a sua sobrancelha.

— Pois é.

Baxter olhou para o céu de novo.

— Nunca achei que esse dia chegaria.

— Talvez não tenha chegado.

Baxter parou, a frustração estampada no rosto com a minha interrupção, mas inteligente o suficiente para saber que estava botando a carroça na frente dos bois.

— O que mais pode ser?

Guardei o cantil vazio e masquei um Clayfield.

— Não sei. Nunca entendi como a magia funciona, mesmo na época em que ela funcionava, então sou a última pessoa que deveria se dizer especialista agora. Mas pelo que me explicaram, a magia fluía. Era uma coisa viva. Isso parece mais uma sombra da magia. Aquilo que sobra depois que a vida acaba.

— Mas você o viu conjurar um feitiço, não?

— Talvez.

Isso não foi tudo que vi. Não queria descrever o que havia naquela lixeira. Não tinha problema de falar de Lance Niles com a cabeça explodida e cheia de sangue no Bluebird Lounge. Não era uma visão bonita, mas fazia parte da vida. Todo mundo vai morrer um dia, e ninguém ficará bonito quando isso acontecer. Mas aqueles serezinhos de pura magia, empilhados no escuro? Aquilo era uma tragédia. O tipo de coisa que fica na cabeça para sempre. Não queria colocar aquele peso em Baxter, se pudesse evitar.

— Como alguém conseguiria encontrar um feérico? — perguntei. — E não diga na mansão do governador porque, se a gente agiu direito, ninguém nunca vai encontrar nada por lá.

— É impossível encontrar um feérico. Você sabe disso. Eles morreram.

— Mas e os cadáveres? Nunca pensei nisso antes, mas não vi nenhum corpo de feérico depois da Coda. Acho que pensei que eles tinham desaparecido, virado pó de pirlimpimpim, sei lá. Mas isso não aconteceu com Amari, e acabou não acontecendo com vários outros.

Baxter perdeu um pouco do entusiasmo.

— Como assim, não aconteceu com vários outros?

Balancei a cabeça. Depois de um tempo, Baxter percebeu que era melhor não saber a resposta, então continuou a falar:

— Nunca houve muitos deles por aqui. A maioria morava nas favelas. Eram refugiados das florestas destruídas tentando recomeçar. Não as criaturas mais elevadas, claro, mas feéricos simples, como diabretes e bichos-papões. As coisas ficaram complicadas quando alguns tentaram procurar trabalho nesse mundo industrial.

— Eu lembro.

— Bom, uma coisa de que você não vai se lembrar, porque ainda estava trancado em Sheertop, é que alguns dias antes da Coda, todos os feéricos saíram da cidade.

Eu não sabia disso. Depois de desertar do Exército Humano e ser capturado pela Opus, eles me jogaram em uma prisão mágica onde eu deveria passar o resto dos meus dias. É óbvio que isso não aconteceu. A Coda destruiu o sistema de segurança de Sheertop e eu saí pela porta da frente sem que ninguém me impedisse. Quando consegui voltar para Sunder, o fim do mundo já tinha acontecido havia alguns dias.

— Para onde eles foram?

— Para o sudeste. Parece que tem uma antiga igreja feérica na Floresta Fintack. Não sei por que todos foram para lá logo antes de tudo dar errado. Talvez tenham sentido algo que a gente ainda não sabia.

Não era impossível. Feéricos eram uma mistura perfeita de magia e matéria, mais próximos do rio sagrado do que qualquer outra criatura. Talvez, quando uma centena de soldados humanos marcharam pela montanha sagrada e tentaram capturar seu poder, os feéricos soubessem instintivamente que algo não estava certo.

— Você pode me dizer onde fica essa igreja? — perguntei.

— Por quê?

— Para eu poder capturar o homem que matou Lance Niles.

O fogo nos olhos de Baxter ficou azul por trás dos óculos.

— Venha comigo.

Nós voltamos para a Casa dos Ministros e entramos em uma sala denominada *Mapas e planejamento*. As paredes eram cobertas por imensas prateleiras e gavetas compridas e finas.

Dentro de cada gaveta havia um mapa dos arredores. Cada um era diferente, dependendo da raça que o desenhara.

— Os feéricos não faziam os próprios mapas — explicou Baxter —, pelo menos, não de alguma forma que a gente conseguisse ler. Por sorte, um elfo dedicado se deu ao trabalho de traduzi-los.

Baxter puxou uma folha grande de papel desbotado e a estendeu em cima da mesa. Realmente, a sudeste da cidade, a alguns quilômetros do início da Floresta Fintack, havia uma estrutura solitária marcada por runas mágicas.

— É a igreja? — perguntei.

— Acho que sim. Mas não sei o que isso tem a ver com Lance Niles.

— Ainda bem. Você já recebeu notícias ruins o suficiente hoje.

Anotei a localização da igreja e agradeci a Baxter pela ajuda. Não queria imaginar o que havia por lá. A viagem não seria fácil e no fim poderia ser simplesmente um pesadelo. Então me concentrei em Rick Tippity. Se uma trilha na floresta para encontrar um cemitério de feéricos no meio do inverno me deixasse mais próximo de pegar aquele assassino, então era isso que eu queria fazer.

11

Não havia estrada para Fintack, só uma trilha que se afastava da estrada Maple e passava pelos montes baixos a leste. O sol finalmente decidira aparecer, no último minuto do dia, como uma mulher que passa o encontro inteiro agindo com timidez, mas te manda um beijo ao passar pela porta.

Aprendi com os meus erros e parei em um brechó antes de sair da cidade. Vestia quatro camadas na parte de cima e uma calça térmica por baixo da normal. Minhas meias eram grossas e o pelo de quimera no casaco ainda era tão denso quanto no dia em que fora arrancado da fera.

Sem as antigas luzes para iluminá-la, Sunder logo desapareceu na escuridão. As nuvens estavam rarefeitas e a lua iluminava o caminho à frente. Segui em um bom ritmo, só parando para mijar ou pegar comida na bolsa.

Georgio me pegou saindo do prédio e fez a gentileza de preparar um lanche para mim: nozes, frutas secas e fatias de salsicha.

Depois de duas horas andando, um bando de morcegos cruzou o céu, seguindo o caminho para a floresta. Havia mais de cinquenta deles, gritando como bruxas e batendo as asas coriáceas.

Na meia hora seguinte, a tensão sumiu do meu corpo. Primeiro, foram nos músculos pequenos e tensos na testa. Depois, maxilar, pescoço e ombros. Os nós se desfizeram na coluna. Meus braços se agitavam ao lado do corpo e eu respirava fundo, deixando o ar gelado entrar nos pulmões. Estava sozinho. Não sozinho como no meu escritório, onde alguém poderia bater na porta a qualquer momento. Nem sozinho como num bar, onde mesmo que me sentisse solitário, ainda estava rodeado por estranhos. Sozinho de verdade. Sem seres humanos. Sem seres ex-mágicos também. Nada com lembranças ou opiniões. Ninguém para julgar as coisas que fiz ou estava prestes a fazer. Nem os erros que cometi ou as bobagens e ingenuidades que falei. Eu não significava nada para ninguém. Era apenas parte da paisagem, sem uma história ou um futuro que importasse a alguém. As estrelas distantes não conseguiam me ver e não se importavam. Ninguém se importava. Eu poderia deitar no chão ali mesmo até minha respiração falhar e parar que ninguém ligaria nem um pouco.

Era maravilhoso.

Nos limites da floresta, encontrei uma antiga cabana de caçador ocupada somente por uma família de aranhas e um gambá de nariz rosado.

— Tem espaço para mais um? — perguntei.

Os residentes não responderam, então fechei a porta. Foi gostoso sair do vento frio por um momento. Havia uma rede de lona num canto, suja mas inteira. Bati no tecido para tirar o pó e subi. Não era tão confortável quanto uma cama e não esquentava muito, mas não era o chão, e minhas pernas, que já estavam doloridas, ficavam erguidas. A cabana era escura e silenciosa, e não levei muito tempo para adormecer.

Ruídos. O rasgar de carne e o estalar de ossos.

Edmund. Albert. Rye.

Eu podia ouvi-lo. A boca cheia de dentes partidos e gengivas sangrando, mordendo os ossos de meninas e sugando o tutano. Ele queria magia. Em vez disso, transformou-se em um monstro. Um devorador de criaturas doces. Uma maldição para si e para todos que amava.

Ele estava de pé sobre mim. Os assassinatos que cometera em seu hálito. Olhos cheios de esquecimento. Rindo, porque se libertara do fardo de tentar consertar as coisas.

Então a escuridão se tornou vermelha. Depois dourada. Nascer do sol. Eu me lembrei de abrir os olhos.

O gambá estava mastigando a maior aranha da teia. Perninhas se projetavam do focinho dele, como se fossem bigodes extras.

— Guarda um pouquinho para mim?

O gambá não respondeu, mas como dormi abraçado à bolsa, foi fácil enfiar a mão e tirar um punhado de frutas secas para um café da manhã na cama. Após compartilharmos essa refeição, desejei boa sorte a ele e prossegui em minha caminhada.

Mesmo com a névoa e as árvores densas, a trilha era iluminada o suficiente para que eu conseguisse manter um ritmo bom e o sangue circulando. Mas precisava ficar de olho no chão. Quando olhava muito tempo para a frente, fitava a neblina branca e perdia a noção de realidade. Havia barulhos por toda a parte. Mais morcegos e gambás, provavelmente. Talvez lobos. Eu tinha uma faca, não muito mais. Preocupado com o cheiro da carne atraindo predadores, comi o restante da salsicha, joguei fora o papel de embrulho e limpei as mãos na grama úmida.

Não havia folhas nas árvores. Talvez por causa da Coda. Ou talvez só porque estávamos no inverno. Eu não sabia. Os galhos se esticavam acima da trilha como dedos de bruxas. Eu me abaixava para evitá-los, às vezes. Em certo momento, quando estava encarando meus pés, um galho arrancou a casca de um dos arranhões na minha testa. Eu estava prestes a xingar quando vi alguém no caminho, esperando em meio à névoa.

A pessoa estava bem à minha frente, na trilha. Prendi a respiração, mas meu coração batia nas costelas com tanta força que temi que a figura nas sombras conseguisse ouvir.

Ela estava olhando bem na minha direção. Só uma silhueta cinza contra o branco. Menor do que eu. Não era Tippity. Um amigo dele? Um parceiro?

Ele não falou nada. Não atacou. Talvez não tivesse me notado. Ou, se notara, não sabia se eu era amigo ou inimigo.

Dobrei os joelhos e deixei a bolsa no chão o mais silenciosamente que pude. A figura não reagiu. Tirei a faca do cinto, abafando o som de metal em metal com o casaco por cima. Enfiei a mão direita no bolso e coloquei o soco-inglês nos dedos, então fiquei de pé e falei em alto e bom som:

— Olá.

A única resposta veio do vento, que balançava minhas roupas e martelava meus ouvidos.

— Está me esperando? — perguntei.

Ainda nada.

Eu me aproximei, tenso como um arame farpado.

— Prefiro conversar a brigar, se puder escolher. Mas estou preparado para as duas coisas.

Apertei os olhos, procurando o rosto, mas havia algo de errado. A névoa girava em torno do estranho. As roupas soltas se agitavam com o vento, mas o que havia por baixo delas era rígido. Ele estava com uma bengala em uma das mãos e a outra estendida. Os dedos magros estavam abertos, mas imóveis demais para estarem vivos. Era uma estátua, vestida em trajes formais, esquecida no meio da floresta.

Mesmo assim eu não conseguia enxergar seu rosto.

Eu me aproximei mais. Era ainda mais baixo do que eu imaginara a princípio, mal passava de um metro de altura. As roupas estavam em frangalhos, e insetos viviam entre as dobras do tecido. Saí da neblina, com a faca a postos, e percebi por que era tão difícil ver seu rosto.

Ele não tinha rosto. Não mais. Havia orelhas nas laterais da cabeça, e algo que se parecia com um queixo, mas tudo no meio havia sido escavado. Era um feérico. Um pobre coitado que morrera na Coda e sofrera uma autópsia não autorizada de seu corpo, como as criaturas nos fundos da farmácia.

Seu rosto rachado e oco era assustador de um jeito meio limpo. Não havia órgãos ou sangue, como haveria se fosse um humano. Parecia que alguém entalhara um antigo toco de árvore. A carne na cabeça do feérico era firme, como madeira petrificada, mas preenchida por minúsculos túneis. Ao me aproximar, vi que a parte de dentro dele era rajada de prateado; um brilho distante de algo como teias de aranha ou luz estelar, misturado aos músculos e ossos.

Eu estava enjoado, mas também um pouco grato. Quando voltei para Sunder, depois da Coda, Amari esperava por mim. Estava em segurança, dentro da mansão, não largada no meio da floresta, para ser comida por insetos e destruída como aquela pobre alma.

Não havia nada que eu pudesse fazer por ele, é claro. Nada que pudesse fazer por qualquer uma das criaturas que perderam a vida quando a magia desapareceu. Nada a fazer a não ser dar um tapinha no ombro dele e seguir pela floresta para ver se ele tinha amigos.

Então percebi que ele não estava apoiado em uma bengala. Era o poste de uma placa que fora quebrada. O poste estava à direita do caminho, ao lado de uma abertura entre as árvores que, em algum momento, talvez fosse uma trilha. Segui naquela direção, passei por um arco de árvores crescidas demais e logo encontrei mais dois corpinhos.

Diabretes, acho. Estavam se abraçando, meio cobertos pela neve, tão petrificados quanto o primeiro. O rosto de um deles estava destruído da mesma maneira, mas o outro tinha perdido a cabeça inteira. Eram criaturas da floresta. Isso significava que, diferentemente da criatura na placa, seus corpos continuavam a crescer. Pequenas vinhas atravessavam seus ombros e costas, circundando os corpos e esmagando os braços. Sob a neve, a folhagem devia ter se espalhado para chegar às árvores próximas, porque havia folhas ali; eram pequenas, nascidas dos ramos de vinhas que brotaram das criaturas se decompondo na terra. Tudo ali era familiar demais. Triste demais.

Segui pela floresta e só encontrei mais morte e profanação. Havia estátuas caídas na trilha e apoiadas em árvores, todas sem olhos. Sem rosto. Só cabeças vazias em corpos rígidos congelados em pantomimas de gestos de dor. O caminho se abriu e a névoa diminuiu, então, quando cheguei a uma clareira, consegui ver o contorno da igreja.

Tinha quase quinze metros de altura, sem uma linha reta sequer. As paredes eram feitas de galhos entrelaçados, criando padronagens inimagináveis do chão até a ponta de uma torre. Não era só impressionante pelo tamanho: era uma obra de arte. Havia formas em toda aquela madeira: rostos, espirais, runas e palavras. Tudo tridimensional. Era lindo.

Feéricos da floresta tinham poder sobre as plantas. Em geral, ele só era usado em pequena escala, como para fazer uma flor desabrochar mais cedo, ou uma fruta amadurecer. Eu não tinha ideia do que seria preciso para criar esse tipo de milagre. Seria obra de um grupo de habilidosas ninfas da floresta, ou de um arquiteto especialmente talentoso com muito tempo disponível? Pássaros construíram seus ninhos nas guarnições das janelas abertas e em torno das espirais afiadas do telhado. Cada centímetro era coberto por detalhes minuciosos e perfeitos. Depois de certa altura, eu não conseguia mais afirmar que formas eram parte da arquitetura e quais eram habitantes feéricos petrificados.

O jardim em torno da igreja estava cheio de criaturas amontoadas, e fiquei aliviado ao ver que algumas ainda estavam intactas. Quem quer que as estivesse destruindo, ainda não tinha terminado o trabalho. Parei de observá-las com tanta atenção e me forcei a seguir, torcendo para que os corpos estivessem todos inteiros a partir desse ponto.

Quando entrei, tudo piorou.

12

Mais corpos. Centenas mais. Atochados na igreja como sardinhas numa lata, se alguém tirasse a tampa e elas ressecassem. A maioria era minúscula, pareciam brinquedos. Outros poderiam ser humanos, considerando o tamanho. A mesma expressão de dor estampava o rosto de todos, e seus corpos estavam rachados e cercados de vinhas.

Eu não queria estar ali. Os corpos sem rosto me enchiam de ódio pelo homem que os destruiu. Os corpos com rosto me faziam odiar a mim mesmo. Alguns gritavam. Alguns estavam despedaçados. Todos estavam mortos.

Parecia que Baxter tinha razão. Os feéricos deviam ter sentido algo. De alguma forma, sabiam que a Coda viria antes de acontecer e decidiram fugir da cidade. Mas por quê? Por que era melhor morrer ali, no meio da floresta, em vez de na cidade que se tornara seu lar?

Havia uma mesa no meio do salão. Alta, como um pódio. Alguns dos feéricos maiores estavam apoiados nela. Outros tinham caído junto aos pés. Estava coberta por folhas de papel amarelado. Sendo uma igreja, pensei que pudessem ser textos espirituais de algum tipo. Mas não. Eram cartas, ordens e listas. Os feéricos não estavam só se escondendo ali. Estavam se preparando para algo importante.

Havia um pequeno mapa no centro dos papéis. Como Baxter explicara, a língua feérica não seria facilmente decifrável por um burraldo como eu. Eles tinham ideias bem específicas sobre espaçamento e distância, e suas frases pareciam mais flocos de neve do que uma linguagem. Folheei o restante das páginas, tentando não rasgar o papel frágil.

Tudo era indecifrável, exceto por uma carta, que era diferente das outras. Tratava-se da mesma mensagem repetida inúmeras vezes, traduzida para todos os idiomas possíveis: élfico, anão, gnômico. Para minha surpresa, a letra parecia familiar. Soprei a poeira e ergui o pergaminho para a luz.

Para todas as criaturas mágicas. Todos os defensores da luz. Todos os aliados do mundo natural.

Os humanos atacaram Agotsu, matando os Ecos e dominando a montanha. Pedimos o auxílio de todos de corpo são. Todas as criaturas conectadas à fonte. Devemos recuperar a montanha, proteger o rio e derrotar os vilões que cometeram esse crime.

Alertem suas forças. Preparem-se. Encontrem-nos na montanha.
Alto chanceler Eliah Hendricks
Opus

A carta tremulava na minha mão nervosa.

Fui eu quem levou o exército para a montanha. Mas quando a batalha começou, fugi e fui capturado pela Opus, que me jogou na prisão até que a magia acabasse no mundo.

Aprendemos a pensar na Coda como um momento específico, mas, é claro, houve uma batalha antes. Ou, pelo menos, os preparativos para uma batalha.

A comunidade feérica de Sunder City soubera do ataque e viera para a igreja preparar suas forças antes de partir. Mas o fim chegara cedo demais. O que quer que os humanos tenham feito na montanha, não perderam tempo.

Há perguntas que você tenta não fazer a si mesmo. E ainda que passe todos os segundos tentando afastá-las, elas nunca vão embora de vez. Encolhem-se nas sombras, com dentes afiados, esperando uma chance de morder as partes mais delicadas do seu cérebro. Aquela carta de Hendricks me pegara de surpresa, e todas aquelas perguntas famintas saltaram para a luz.

Parte de mim desejara em segredo que ele nunca tivesse descoberto o que fiz. Que a Coda o tivesse matado antes que ele ouvisse a notícia. Mas ele era o alto chanceler da Opus. Quando o Exército Humano invadiu Agotsu, ele provavelmente foi o primeiro a ser notificado. E, no mesmo instante, deve ter concluído que quem mostrou o caminho fui eu.

Será que ele ainda estava planejando uma resposta quando a Coda veio? Ou já marchara para a montanha, torcendo para conseguir recuperá-la? Talvez a batalha já tivesse começado. Talvez ele tenha morrido em uma luta antes que aquela imensa tristeza arrancasse a beleza do mundo. Talvez fosse melhor assim.

Hendricks tinha trezentos anos. Conheci elfos mais jovens que não sobreviveram à primeira semana. Sempre torci para que isso significasse que tudo aconteceu muito rápido. Ninguém dava tanto valor à vida quanto Eliah Hendricks. A pior morte que eu poderia imaginar para um homem assim seria sucumbir à beira da estrada e ver todas as coisas mais lindas desaparecerem sem poder se despedir.

Pelo menos a carta explicava uma coisa que me incomodava. Baxter dissera que todas os feéricos deixaram a cidade, mas Amari ainda estava lá.

Se os feéricos haviam sentido algo estranho, então por que ela havia sido deixada para trás? Aparentemente aquilo também era culpa minha.

Não era segredo que o "humano de estimação de Hendricks" tinha deixado a Opus e entrado para o Exército Humano. Mas a reputação dele não era a única que eu havia arruinado. A população mágica de Sunder City já me vira com Amari muitas vezes.

Por precaução, entendo por que os feéricos não contariam seus planos a ela. Talvez achassem que ainda mantínhamos contato. Se fosse verdade, levá-la à igreja poderia me alertar sobre o ataque iminente.

Então eles a deixaram sozinha naquela mansão abandonada, porque ela cometera o crime de confiar em mim.

Como todas as merdas que aconteceram nos últimos seis anos, aquelas criaturas estavam ali porque tinham a esperança de impedir o desastre que eu começara. Estavam mortas porque não conseguiram fazer isso a tempo. Seus corpos foram destruídos porque... Por quê? Era isso que eu não compreendia. A única coisa terrível que eu ainda tinha a chance de impedir.

Plec. Plec. Plec.

O som veio de todos os lados da igreja, como se todas as criaturas estivessem estalando a língua em desaprovação. Então, o som ficou mais alto. Mais rápido.

A chuva caía na neve lá fora e no telhado acima de mim. Esperei que os pingos se infiltrassem pela igreja, mas as paredes eram feitas de um milhão de galhos intrincadamente trançados, e os arquitetos selaram bem o lugar. A igreja permaneceu seca e quase cálida. Se eu tentasse voltar a pé para Sunder agora, acabaria como aquele bruxo congelado, preso em um bloco de gelo na beira da estrada. Além disso, talvez valesse a pena esperar.

Se em seus experimentos Rick Tippity estivesse usando os corpos de feéricos que deixara para trás ao fugir da farmácia, ele precisaria reabastecer seu estoque. Teria que vir até aqui.

E eu estaria à espera.

13

Eu deveria ter trazido mais comida. Deveria ter ficado com a besta. Deveria ter entrado para o circo quando tinha quinze anos, caído do trapézio e evitado muitos problemas para todo mundo.

Eu me sentei nos fundos daquela casa de horrores, me escondendo entre os feéricos imóveis e duvidando de mim mesmo. Talvez os rostos despedaçados não tivessem nada a ver com o bruxo. Talvez aquilo fosse obra de algum tipo de animal. Talvez tivesse algo na cabeça dos feéricos que agradasse ao paladar de alguma criaturinha faminta da floresta, que abria a cabeça deles como uma noz para mordiscar o que quer que houvesse lá dentro.

Talvez Tippity só tivesse encontrado alguns corpos descartados e os usado para suas poções. Só outro ingrediente estranho na sua coleção experimental de miudezas, como a seiva do tariço e os Clayfields.

Adormeci e despertei inúmeras vezes, faminto, com raiva e desejando nunca ter encontrado aquele lugar cheio de verdades dolorosas demais. Quando a chuva diminuiu, voltei a ouvir o mundo lá fora. Pássaros cantavam. O vento balançava os galhos das árvores. Então, enfim, ouvi passos pesados pela trilha recém-degelada.

Rick Tippity correu igreja adentro envolto em uma capa com capuz. Ele estava molhado, irritado e furioso. Quando o conhecera na farmácia, ainda conservava um fino verniz de sanidade, que agora se fora por completo. Ele resmungava consigo mesmo. Xingava. Estava com raiva do mundo. Rick Tippity era um homem inteligente e orgulhoso cujos planos haviam sido interrompidos, e isso o tornava um dos filhos da mãe mais perigosos que existiam.

Ele não esperava companhia. Eu não ocultara meu rastro, mas a chuva fizera isso por mim. Tippity observou a igreja, não em busca de inimigos, mas de vítimas. Como um convidado glutão em um bufê de café da manhã, ele procurava a fruta mais apetitosa.

Uma jovem elemental estava sentada de pernas cruzadas em um grupo de diabretes já mutilados. A pele dela era escura e sólida, como pedra queimada. Antes, ela era uma criatura do fogo, uma ninfa capaz de se mover pelas chamas, viver em fontes incandescentes e espalhar incêndios florestais sob as árvores para limpar o solo da mata.

Tippity se inclinou e examinou o rosto dela de um jeito que me deixou desconfortável. Parecia que eu olhava um daqueles espelhos de parque de diversão: um reflexo familiar, mas distorcido, que não me mostrava em meu melhor ângulo.

Ele enfiou a mão na capa e tirou uma ferramenta de metal que era uma mistura de abridor de garrafas e um picador de gelo. Ele ergueu o objeto até o rosto da moça de fogo e percebi, horrorizado, que estudava o ponto perfeito para a primeira incisão.

Fiquei tenso, mas não me mexi. Eu queria impedi-lo. É claro que queria. Mas, por mais que deteste admitir, também estava muito curioso sobre o que ele faria.

O bruxo posicionou a extremidade do objeto contra o globo ocular da ninfa e, com a outra mão, bateu na parte de trás da ferramenta. Com um som quase inaudível de algo se rachando, o metal penetrou a cabeça dela. Aí Tippity girou a mão. A ponte do nariz dela se partiu e parte do rosto se despedaçou.

Meu soco-inglês estava na mão direita.

Ele pôs a parte mais fina do objeto dentro do rosto dela e pressionou o crânio até algo estalar.

Minha adaga estava na mão esquerda.

Ele empurrou a parte afiada dentro do crânio dela até que a lâmina chegasse à mandíbula. Então puxou com força, e o rosto dela rachou ao meio. Suas bochechas caíram no chão e o restante se abriu, revelando algo brilhante lá dentro.

Era uma joia laranja-avermelhada com espinhos por todos os lados, como um ouriço-do-mar. Quando a luz a alcançou, ela brilhou.

Tippity enfiou a mão enluvada lá dentro. Seus dedos tocaram a joia…

E eu disparei.

Eu o surpreendi, mas o bruxo reagiu rápido. Ele girou e transformou a ferramenta em uma arma, erguendo-a como uma adaga. A outra mão tentou desesperadamente chegar ao bolso, sem dúvida em busca de outra bolsinha de magia impossível. Eu ignorei o instrumento de metal e fui derrubá-lo antes que ele achasse o que procurava. Melhor ser atingido por uma arma conhecida do que por uma que você não sabe o que faz.

O picador-de-gelo-abridor-de-garrafa acertou meu crânio e me cortou, provavelmente até o osso. Tive que ignorar o ferimento. Já estava no ar, derrubando Tippity com todo o meu peso. Estiquei o braço com dificuldade para manter a outra mão dele imobilizada. Derrubamos as frágeis estátuas de feéricos, e Rick Tippity caiu de costas nos corpos destruídos. Eu me abaixei em cima dele, com uma das mãos em torno da garganta e a outra apertando o antebraço direito. Ele continuava remexendo o bolso, como se quisesse tentar um último recurso para se livrar.

— Não adianta resistir — falei.

— Tira as mãos de…

Apertei a garganta dele, tentando impedir que seus pulmões recebessem ar, e o cérebro, sangue. Os movimentos do braço direito se tornaram mais desesperados, mas apoiei os joelhos no torso dele até imobilizá-lo.

As coisas se acalmaram. Eu finalmente estava no controle.

E então a virilha de Rick Tippity explodiu.

Era azul e laranja, tudo ao mesmo tempo. Uma lufada de ar quente atingiu meu rosto enquanto minha mão foi coberta por neve. Saí de cima de Tippity em um pulo, com medo de queimaduras pelo fogo e pelo frio, tentando apagar as chamas no meu peito com a mão esquerda congelada.

Tippity gritava. Saía vapor de todo seu corpo, e metade das calças havia desaparecido. Nada parecia fatal, só dolorido o bastante para impedi-lo de fugir tão cedo.

Ergui a mão esquerda e fechei o punho. Conseguia mexer meus dedos, o que era bom, mas quase não sentia nada. Soprei e esfreguei as mãos.

As queimaduras não eram graves. Havia rombos nas minhas roupas, mas eu usava tantas camadas que o fogo mal chegara à pele. Toquei o rosto com a mão intacta e descobri que a minha outra sobrancelha já era. Isso me deixou puto. Sobrancelhas, como papel higiênico, são coisas das quais você só sente falta quando estica a mão e percebe que não estão lá.

Tippity parou de gemer, então dei um chute nas costelas dele para fazê-lo continuar.

— Parece que a sua fórmula está meio instável, Tippity. Acho que é melhor eu arranjar outro farmacêutico.

Uma fúria renovada tomou seus olhos. Antes que ele pudesse falar qualquer coisa, apoiei meu joelho em seu peito para deixá-lo sem ar. Fiquei assim enquanto fazia uma limpa nele, de cima a baixo, como o faxineiro bem treinado que eu era.

No pescoço ele usava uma corrente de prata. O pendente tinha pontas afiadas, então arranquei o colar e joguei-o longe. Capas são famosas por esconder todo tipo de bolsos secretos, então passei as mãos por todos os centímetros do tecido. Não encontrei nenhum compartimento secreto, só uma cavidade espaçosa com um naco de pão dormido.

Tippity lutava, mas não conseguia escapar de mim. Não estava em boa forma, e eu não deixava que respirasse por tempo suficiente para se recuperar.

O bolso direito de sua calça fora destruído pelo fogo. No esquerdo, achei duas daquelas bolsinhas de couro, iguais à que explodira na farmácia. Eu o revistei por completo, procurando facas ou objetos escondidos junto à pele. Passei os dedos pelo pescoço, debaixo dos braços, até os pés. Tirei as botas dele e sacudi, mas só algumas pedrinhas caíram.

Havia uma bolsa com uma longa alça de couro atravessada no peito dele. Eu a arranquei e dei uma olhada.

Era um kit médico, cheio de pós e líquidos coloridos. Amari carregava um kit semelhante quando trabalhava como enfermeira.

Vasculhei os frascos e pacotes, procurando alguma coisa familiar. Por sorte, alguns deles tinham rótulos, porque Tippity vendia suas drogas para civis (diferentemente de Amari, que só precisava preparar os remédios para si mesma).

Encontrei dois frasquinhos, um preto e outro branco. O preto tinha um desenho de um olho fechado no rótulo. O branco tinha uma etiqueta parecida, mas o olho estava aberto.

— Tire… as mãos… das minhas coisas… seu idiota.

Tippity enfiava as unhas na minha perna, por isso a possibilidade de administrar a substância errada não me preocupava tanto. Abri o frasco preto do olho fechado, agarrei o cabelo comprido e grisalho de Tippity e ergui a cabeça dele. Ele lutou tanto que quase derrubou o frasco da minha mão, mas, enfim, consegui aproximá-lo do seu rosto.

Quando tirei o joelho do seu peito, ele não conseguiu evitar respirar fundo.

— Seu palerma — cuspiu ele. — Você não tem ideia de na…

Seus olhos se reviraram e a cabeça pareceu duplicar de peso. Aquela mistura certamente era potente. Eu pretendia fazê-lo beber, mas só o cheiro já fora suficiente. Mantive o frasco longe de mim enquanto colocava a tampa no lugar e o guardei de volta na bolsa.

Eu precisava amarrar Tippity, mas minha curiosidade exigia que eu a satisfizesse primeiro. A bolinha brilhante da elemental do fogo foi fácil de achar na escuridão. Voltei pelo caminho que havíamos aberto durante a luta, entre corpos despedaçados e feéricos destruídos, e me abaixei perto da estrelinha vermelha.

Era da cor de uma fogueira, ou de um vitral, e a luz lá dentro se movia como um líquido. Tinha o tamanho de uma frutinha, coberta de espinhos. Alguns eram afiados, outros haviam se quebrado, tornando-os mais curtos e fáceis de segurar. Senti seu calor quando a segurei, estava quente. Quase quente demais. Protegi aquela joia preciosa na palma das mãos e o calor descongelou meus dedos.

Era a magia dentro das fadas: pura, preciosa e ainda pulsante.

Quanto da criatura havia naquela pequena cápsula? Seria só o poder elemental, ou algo mais? Pensamentos e memórias, talvez? Personalidade? Os corpos dos feéricos estavam congelados, mas aquelas bolinhas brilhantes tinham sobrevivido. Esperando... o quê?

Envolvi a joia vermelha em musgo macio, depois em um pedaço de couro, e a guardei na bolsa. Consertei a alça, pendurei a bolsa no ombro e, quando o rubi estava a salvo, peguei uma das bolsinhas.

A trouxinha em si não era nada de especial, só uma bolsa de couro revestida de lã por dentro. Porém, ela protegia outro orbe.

Esse globo de vidro era feito pelo homem, não pela natureza, e era preenchido por um líquido translúcido, ligeiramente rosado. O líquido não era nada de mais. Algum tipo de ácido, imaginei. Forte o suficiente para que, quando o vidro se quebrasse e o ácido tocasse a essência de feérico, a joia vermelha se desfizesse e liberasse a magia represada.

Guardei as trouxinhas no bolso interno da minha jaqueta, longe da bolsa com a joia vermelha. Eu não queria me explodir, como o velho bruxo fizera.

Tippity ainda estava desmaiado. Os buracos em sua calça revelavam queimaduras: ele fora atingido por fogo e gelo ao mesmo tempo, causando uma confusão de pele e carne. Eu até sentiria pena dele se não tivesse visto o buraco na cabeça de Lance Niles, o bruxo congelado e como destruíra o rosto de uma elemental inocente momentos antes.

Havia muitas vinhas espalhadas pela igreja. A maioria estava seca e frágil, mas umas poucas ainda vicejavam. Cortei algumas que estavam agarradas aos elementais da floresta, arranquei as folhas e amarrei as mãos de Tippity. Então atei uma longa corda de vinhas ao pescoço dele, como uma coleira, e esperei que acordasse.

14

A volta para Sunder foi ainda mais dolorosa e entediante do que a ida. A chuva me ajudara a cobrir meus rastros, mas também transformara a neve em lama e deixara a estrada um horror de se atravessar. Pancadas de chuva iam e vinham, mas nunca paravam por tempo suficiente para que nada secasse. Não havia comida, nem abrigo, e meu corpo estava dolorido. A mão que fora atingida pela explosão estava com cãibras e o topo da minha cabeça era uma mistura de ferida inflamada e cabelo molhado.

Isso sem falar de Tippity.

Ele era insuportável, reclamando o tempo todo, tropeçando a cada passo na sua coleira. O fato de que, logicamente, ele não queria vir comigo não tornava a situação menos frustrante. Seus ferimentos não o levariam à morte. A explosão não lhe causara ferimentos graves, e a pele fora resfriada logo depois de ser queimada, então, por mais doloroso e desconfortável que fosse, caminhar não pioraria sua situação. Eu falei isso quando ele reclamou, mas não adiantava. Não havia como argumentar com ele. Nem negociar. Então recorri a uns bons socos nas bolas. Às vezes eu variava; um soco na boca do estômago ou um tapa na cara para manter as coisas interessantes, mas eram os chutes no saco que funcionavam de verdade.

Ambos estávamos para lá de exaustos, mas acontece que o líquido no frasco branco (o que tinha o olho aberto) era um ótimo estimulante. Eu dava uma cheirada, oferecia outra ao bruxo e nosso passo ficava leve por uma boa meia hora. Infelizmente, isso também o fazia matraquear que nem um pregador em praça pública depois de dez xícaras de café.

— Você está adorando isso, não é? A lama, a dificuldade. Dá para ver. Você finge estar chateado pelo que aconteceu, mas na verdade está melhor do que nunca. Porque agora esse mundo é seu. Tão simples quanto você. Tão medíocre. Você tem alguma ideia do caminho que eu estava trilhando? Décadas de estudo. De progresso. Eu ia mudar o mundo. Mas o seu povo não conseguia aguentar, não é mesmo? Vocês iam ficar para trás e não nos alcançariam, então acabaram com o jogo. Mas tudo vai voltar. Eu te prometo. Vamos encontrar outra forma de ressurgir. Eu já fiz isso. O que você viu foi só o começo. Em pouco tempo, vocês estarão de volta ao fundo do...

Puxei a coleira. Tippity tropeçou e caiu de cara na lama. Foi ainda mais satisfatório do que eu imaginei.

Chegamos à cabana de caçador ao pôr do sol, e fiquei triste por ver que o gambá tinha ido embora, depois de comer todas as aranhas do lugar.

— Deita — mandei, empurrando Tippity para a rede.

— Você vai me deixar ficar com a cama boa?

— Vai ser mais fácil do que te amarrar no chão.

Eu o prendi à rede, envolvendo as vinhas em volta do seu corpo várias e várias vezes. Quando ele estava bem enroladinho, juntei os retalhos de pano largados pela cabana, sacudi até tirar os insetos e fiz uma caminha de trapos miseráveis.

— Por que você se importa com o que faço com os feéricos? — perguntou o bruxo, embrulhado que nem uma linguiça homicida. — Eles já estão mortos, e vocês têm mais a ver com isso do que eu.

— Não vou passar a noite explicando por que profanar corpos pode ser malvisto. Se você não percebe por que isso é um problema, então seu cérebro está mais carcomido do que imaginei. E não vamos nos esquecer do seu amiguinho lá em Sunder. Ele te irritou tanto que você teve que prender o cara no gelo?

Ele deu um suspiro melancólico, como se eu o tivesse feito se lembrar de um belo verão do passado.

— Jerome e eu queríamos trilhar o mesmo caminho. Era um inovador, como eu. Ele só… cometeu alguns erros.

O rosto distorcido do homem de gelo voltou à minha mente e tentei esquecê-lo. Meu cérebro já tinha pesadelos o suficiente.

— Vai dormir. Temos que andar mais amanhã.

Peguei a joia vermelha na bolsa. Estava quente, mesmo dentro do embrulho.

— Você não sabe — disse Tippity, a voz fraca e cansada. — Você nem imagina como era fazer magia. Foi para isso que eu nasci. A razão pela qual tenho esses dedos e esse… sentimento dentro de mim. Meu destino era algo maior, mas os humanos arrancaram isso de mim antes que eu tivesse a chance de alcançar todo o meu potencial. — Eu me virei e tentei me convencer de que não me arrependia de ceder a rede a ele. — Só estou liberando o poder que mereço. É por isso que você está com tanta raiva. Por um momento, achou que fôssemos iguais. Mas agora você sabe que é um nada de novo. Um nada como sempre foi e sempre será.

Não falei mais nada. Em pouco tempo, Tippity estava roncando, e deixei a exaustão me carregar também.

Quando acordei, na manhã seguinte, Tippity estava voltado para o chão, pendurado nas vinhas e na rede virada.

— Confortável? — perguntei.

Ele tinha se virado durante a noite, mas era orgulhoso demais para pedir ajuda. Enquanto estava pendurado, levei o frasco do pó de acordar até ele, depois usei um pouco também, e seguimos.

Tudo parecia pior. A dor do dia anterior atravessara meus ossos. Todas as partes do corpo estalavam e gemiam como as engrenagens de uma máquina esquecida na chuva para enferrujar. Eu estava pesado e cansado, e Tippity parecia irritado. Desde o momento em que atei a coleira ao pescoço dele, foi só problema.

— Eu posso ir para qualquer lugar — resmungou ele, como um louco. — Mas você, você está preso em Sunder. Você é que nem um chiclete na rua. Uma mancha na calçada. Um borrão. Quando essa cidade morrer, você vai afundar com o navio. Eu e os meus, nós somos importantes em qualquer lugar.

De barriga vazia e garganta seca, tudo que tínhamos era água da chuva. Minhas mãos estavam cheias de bolhas de segurar a corda de vinhas. A parte de trás da minha cabeça doía, mas isso era melhor do que quando ela ficava dormente, e eu, tonto. Se eu desmaiasse, dificilmente Rick faria a gentileza de usar seus conhecimentos profissionais para me ajudar.

O mundo estava contra mim e meu corpo estava destruído, mas eu ainda contava com uma última coisa para me fazer seguir em frente: ódio. Nunca encontrei combustível melhor. Um homem pode atravessar um oceano por amor, mas, com ódio o bastante, é capaz de tentar bebê-lo. As bolhas e o sangue só ajudavam. Eu não ia parar. Não com um assassino na outra ponta da minha corda. Um assassino que dissecava milagres e roubava seus corações. Que usava a alma de criaturas sagradas para explodir pessoas e congelar seus amigos. Mantive o rosto daqueles feéricos bem nítido em minha mente. Eu os via pelo caminho e nas árvores, secos, nus e abertos para que Rick Tippity pudesse guardar a alma deles no bolso.

Se o ódio por Tippity em algum momento passasse, eu sempre teria a mim mesmo: o soldado teimoso que vendeu seu mentor para impressionar os novos amigos. Hendricks confiou em mim e dividiu seus segredos comigo, e eu os entreguei de bandeja para o exército que acabou com o mundo.

Eu era um idiota orgulhoso e não tinha feito nada para tentar me redimir por tudo aquilo. Mas aquele cara era pior. Não era? Tinha que ser. Eu arruinara o mundo sem querer, por ignorância, mas ele profanava cadáveres para explodir pessoas de propósito.

Isso tinha que ser pior. Né?

A gente estava andando devagar demais e a noite caiu de novo. As nuvens cobriram a lua e, quando chegamos à estrada Maple, a única coisa a seguir era a sensação do asfalto sob nossos pés. Eu estava arrastando Tippity pela escuridão. Toda vez que me virava para administrar o estimulante, ele tentava arranhar meus olhos ou enfiar os dedos no ferimento na minha cabeça. Mas ele estava fraco e eu continuava movido a puro ódio, então seus esforços só lhe causavam mais dores.

Seguimos a estrada que subia uma colina baixa e descíamos pelo outro lado quando o bruxo arriscou sua tentativa mais desesperada de fuga.

Senti a corda afrouxar. Isso em geral significava que ele tinha se aproximado de mim para tentar me acertar quando eu estava meio adormecido. Puxei a corda e a ponta bateu em mim, solta. Ele conseguira cortar a vinha. Provavelmente com os dentes, ou talvez com uma pedra obtida durante uma de nossas brigas anteriores.

Parei. Olhei para os lados. Prestei atenção nos sons.

Não conseguia ouvir pegadas. Ele estava sendo cuidadoso. Caminhando devagar. Dei um passo para trás, com as orelhas atentas.

Será que ele tentaria me atacar? Não. Não agora que estava livre. Eu tinha a vantagem em uma briga. Ele tentaria fugir e eu tinha que encontrá-lo. Rápido.

Saquei a joia vermelha do bolso e arranquei o embrulho. Um brilho carmim fraco se ergueu na escuridão, e o calor beijou meus dedos frios. Peguei uma das bolsinhas de Tippity e enfiei a joia lá dentro, junto com o orbe de ácido. Ergui a bolsinha acima da cabeça e me preparei para jogá-la no chão. Isso criaria uma explosão grande o bastante para iluminar o entorno e me ajudar a encontrar o bruxo fugitivo.

Então me lembrei do rosto. A elemental despedaçada no chão da igreja. Na minha mão estava o que restara dela. Talvez não fosse nada. Mas talvez fosse tudo.

Eu não faria aquilo com Amari. Jamais. Então decidi que não faria com ela também.

Baixei o braço e pus a bolsinha de volta no casaco.

Então, vi luzes. Uma carruagem. Vindo de algum lugar atrás de nós, na colina. Só o suficiente para iluminar parte da estrada adiante.

Ali! Tippity caminhava aos tropeços pela estrada, indo direto para a cidade. Eu me concentrei no ódio e o segui.

Ele já planejava aquilo havia algum tempo. Por isso tinha causado tantos problemas na última parte da viagem. Quando ele diminuía o passo, conservava sua energia e me forçava a me esforçar mais para puxá-lo. Ele tinha me forçado a arrastá-lo por metade do caminho para casa, mas eu era bem melhor em me punir do que ele. Eu levava porrada para sobreviver, enquanto ele ficava em um quartinho fazendo poções e falando sozinho.

Eu o teria alcançado, cedo ou tarde, mesmo que ele não tivesse tropeçado sozinho. Assim que Tippity tocou o chão, minha bota encontrou a virilha dele. Dessa vez, porém, o bruxo estava pronto. Agarrando minha canela, enroscou-se na minha perna e me fez cair junto.

Parecia que eu não era o único ali movido pelo ódio. Rolamos pela estrada como amantes, trocando socos, tapas e arranhões em vez de beijos. Eu não podia deixá-lo escapar. Quando seus dedos arranharam meu rosto e se enfiaram nos meus olhos, aguentei firme. Quando ele enfiou os dentes na pele macia entre meu polegar e meu indicador, empurrei a mão ainda mais para dentro da boca dele, para que se engasgasse. Esse tipo de coisa era o meu trabalho, não o dele. Mesmo quando ele conseguia acertar algum golpe, não era capaz de transformar isso em uma vantagem de verdade.

Ouvi um estrondo. A carruagem. Mas parecia alto demais. Eu me peguei de costas, com o braço em volta da garganta de Tippity, e percebi que as luzes nos meus olhos não eram estrelas.

— Sai da frente! — alguém gritou, e um coro de cavalos relinchou em concordância. A luz se moveu para a esquerda, então girei para a direita, mantendo Tippity seguro nos braços. Rolamos pela lateral da estrada e caímos nos arbustos enquanto a carruagem corrigia o curso e seguia para a cidade.

— Seus malucos! — gritou o motorista, sem diminuir a velocidade. Acho que ele não podia fazer isso. Não com outra carruagem vindo logo atrás. E mais outra. E a carroça, puxada por mulas. E a maravilha inacreditável que vinha atrás de todos eles.

O último veículo no comboio não tinha cavalo. Nem mulas ou bisões. Rugia como um animal, mas não havia animal algum envolvido. Era um caminhão. Automático. Retumbando pela estrada, carregando uma caçamba de metal duas vezes maior que meu escritório.

Nós observamos a caravana passar, os dois de queixo caído. Eu nunca tinha visto nada assim. Nem nos velhos tempos.

Tippity gritou, pedindo ajuda, mas sua voz estava rouca e o caminhão era barulhento demais. Eu o segurei pela garganta e apertei firme até que o filho da mãe desmaiasse.

15

— Estou congelando, cacete!

— A culpa é sua, Tippity. Eu te dei uma coleira bonitinha de vinhas, mas você a destruiu, não foi? Então, agora tem que ser assim.

Enquanto Tippity estava inconsciente, arranquei a capa dele, rasguei-a ao meio e torci o tecido para improvisar uma coleira substituta. Era mais curta do que a outra, mas também facilitava na hora de dar uns tabefes nele. Dessa vez, caprichei na amarração, com o tecido bem enrolado para não rasgar. Quando ele tentava ficar para trás, eu o puxava para a minha frente e o chutava até que caminhasse no mesmo ritmo que eu de novo.

O frio ajudava. Sem a capa e com a calça rasgada, ele estava mesmo congelando. O julgamento o esperava no fim da jornada, mas seria melhor do que morrer na estrada. Quando a estrada Maple virou a rua Principal, ele ficou tão aliviado quanto eu por estar de volta à cidade.

O sol já tinha nascido e, por incrível que pareça, ninguém me interpelou. Nem sequer tentaram me parar. Talvez pela obviedade da coisa toda. Quem sabe, se eu tivesse a intenção de ser discreto, alguém se metesse para ver se o pobre bruxo precisava de ajuda. Em vez disso, a cada passo brigávamos que nem irmãos. Eu o chutava na bunda, ele cuspia e me xingava, eu dava um pescotapa nele. Parecíamos dois artistas de rua envolvidos demais numa apresentação.

A delegacia ficava do outro lado da cidade, então fui direto para a prisão. Embrulhei Tippity na capa, prendi os braços dele junto às laterais do corpo e chutei a porta até que alguém viesse abrir.

Quem nos atendeu foi um menino anão, ainda sem barba, incapaz de disfarçar que estava dormindo em pé.

— Ahn... Qual é o... ahn...?

— Este é Rick Tippity, responsável pelo assassinato de Lance Niles e de um bruxo não identificado, e pela profanação de inúmeros corpos feéricos.

— Absurdo! — gritou Tippity. — Eu...

Dei um soco na cara dele. O policial reagiu como se ele próprio tivesse sido golpeado e voltou para dentro aos tropeços, gritando:

— Doris!

Um momento depois, uma ogra se juntou a ele.

— Ele diz que está prendendo esse cara por assassinato.

— Mentira! Esse homem me sequestrou! — gritou Tippity, tentando salvar a própria pele com uma performance convincente. — Não tenho ideia do que ele está falando! Por favor, libertem-me deste louco e prendam-no!

Doris não era melhor em tomar decisões do que o parceiro sonolento, mas eu estava cansado, com frio e só queria que aquilo acabasse.

— Podem prender nós dois — falei. — Em celas separadas. Depois liguem para a detetive Simms e avisem que Fetch Phillips achou o assassino.

— Empurrei Tippity porta adentro e os policiais deram passagem educadamente. — E digam a ela para me trazer um café.

Uma hora depois, Simms ainda não tinha chegado. Típico. Mesmo quando faço o trabalho deles, esses policiais se recusam a acordar cedo para me ajudar.

Tippity berrara ser inocente por quinze minutos, depois se calara em um estoicismo indignado. Nós dois ficamos sentados em silêncio, em celas vizinhas, batendo cabeça. Devo ter apagado por um tempo porque, quando abri os olhos, Simms estava parada na minha frente. Richie Kites também. A porta da minha cela estava destrancada e me entregaram um copo de café quente.

— É o farmacêutico? — perguntou.

— Ele mesmo. Eu o flagrei abrindo cadáveres na antiga igreja feérica. Tentou me acertar com fogo e gelo de novo, os mesmos feitiços que mataram as vítimas. Não tenho muito mais que a minha palavra e minhas sobrancelhas queimadas. Ah, e isso. — Tirei o globo vermelho e brilhante do bolso. Estava tão quente quanto na primeira vez que o peguei. — Era isso que Tippity tirava dos feéricos. Acho que é evidência, mas... tomem cuidado com isso, tá? Não sei o que é, na verdade. Mas talvez ainda tenha alguma coisa aí dentro...

— Tudo bem — disse Simms, pegando o orbe das minhas mãos com todo o cuidado que eu esperava que ela tivesse. — Nós investigamos a farmácia e encontramos o laboratório dele. Tinha várias dessas, junto com diversas outras evidências que corroboram o que você disse. Vamos tomar conta disso aqui, prometo. Agora, vamos te levar para a delegacia para que possamos documentar tudo isso.

Eles tinham uma carruagem à espera. Uma das boas. Simms até segurou meu café e abriu a porta enquanto eu me sentava. Era um tratamento melhor que o usual: chutes na bunda, listas telefônicas e luzes na minha cara.

Na delegacia, a hospitalidade continuou. Trouxeram um café da manhã completo para mim. Enquanto eu prestava depoimento para o cara responsável, ele só dizia coisas tipo "não tenha pressa" e "isso ajuda muito". Foi assustador para cacete e, quando terminou, fiquei feliz de dar o fora dali.

Chamaram a carruagem para me levar para casa, e Simms foi comigo.

— Você trabalhou muito bem, Fetch. Sei que não foi fácil.

— Se alguém entregar umas sobrancelhas castanhas e peludas, precisando aparar, você deixa na minha caixa de correio?

— Haverá uma recompensa. Oficial, da cidade. Mas só depois do julgamento. Enquanto isso...

Simms estendeu um rolo de notas de bronze e, instintivamente, eu o afastei.

— Embora eu ache que a cidade te paga bem demais, não vou aceitar dinheiro tirado do seu próprio salário.

Ela me olhou como se eu tivesse acabado de cuspir na cara dela.

— Não torne isso mais difícil do que já é, Fetch. Esse dinheiro é para você ficar longe das ruas, ir a um médico e comer uma refeição quente. Você é nossa principal testemunha contra Tippity, e não quero que morra antes do julgamento. Quando receber a recompensa, você me devolve o dinheiro. Combinado?

Peguei as notas.

— Combinado.

A carruagem parou em frente ao meu prédio e afastei Simms quando ela tentou me ajudar a descer.

— Chame um médico — repetiu ela. — Essa cidade é suja demais para andar por aí com feridas assim.

— Pode deixar, Simms. Só me deixa beber uns galões de uísque e dormir por um ano, aí vou procurar alguém para me dar uns pontos.

Ela me encarou de novo, mas havia uma preocupação genuína em seus olhos. Eu assenti com toda a sinceridade de que fui capaz sem que minha cabeça rolasse pela calçada. Então, ela fechou a porta da carruagem e foi embora.

Ergui os olhos para o número 108 da rua Principal de Sunder City: uma fachada de tijolos cinzentos, pontilhada com janelas e portas de anjo protegidas com barras. Havia uma porta giratória enferrujada e um penico bem à vista na frente do prédio. Peguei o penico, dei uma limpada e observei o amassado na lateral. Não seria difícil desamassá-lo com um martelo.

Empurrei a porta para entrar e cada degrau era como uma montanha. Cinco andares eram uma eternidade, e se não fosse pelo corrimão, acho que nunca teria conseguido chegar. Meus dedos mal seguravam as chaves. Devo ter ficado parado em frente à porta por um bom minuto, tentando enfiar a chave na fechadura, até perceber que o escritório já estava destrancado. Havia arranhões no batente, onde a porta fora forçada.

Chutei a porta e gritei:

— Tem alguém aí? É bom responder agora, porque estou cansado demais para fazer mais perguntas antes de começar a distribuir socos.

Mas não tinha ninguém. Nem as formigas. Estava tudo como eu havia deixado, com uma exceção.

Um pacote do tamanho de um tijolo fora deixado na minha mesa. Estava embrulhado em tecido preto e amarrado com um barbante verde grosso. O formato era curvo e incomum.

Havia um envelopinho preso a ele. Dentro, tudo que dizia era: "Um presente de um amigo."

Cortei o barbante, tirei o tecido e encontrei algo que nunca tinha visto.

Era feito de metal frio e madeira polida escura, presos com parafusos de aço. A parte de metal era um cilindro de meio centímetro de diâmetro. Era soldada a um tipo de engrenagem que não se mexia quando eu empurrava, mas parecia capaz de girar se eu fizesse o esforço correto. Da engrenagem saía um espigão. Não, era uma alavanca pequena. Parecida com os interruptores que eu já vira em automóveis e tochas mágicas pré-Coda. Mexi no interruptor com cuidado para não ligar o aparelho antes de saber qual era seu propósito. A parte de madeira se encaixava direitinho na palma da minha mão, me dizendo exatamente como queria ser segurada.

Era pesado, mas calibrado como uma espada bem-feita. A madeira na minha mão era grossa, para equilibrar o comprimento do tubo. Olhei pela extremidade oca, me perguntando eu deveria colocar alguma coisa ali dentro. Talvez houvesse outra parte daquilo em algum lugar; um objeto que se encaixasse no tubo e ficasse preso ali. Revirei a embalagem em busca de instruções, mas não havia mais nada ali.

Quando ergui a ferramenta e a segurei da forma que parecia mais natural, meu dedo indicador se apoiou no interruptor.

Então eu liguei.

BANG!

Uma explosão aconteceu na minha mão e eu gritei, largando a máquina no chão. Meu pulso doía e meus tímpanos martelavam o cérebro. Provavelmente tinha dado para ouvir aquele estrondo até lá no início da rua Principal. Eu estava com medo de nunca mais ouvir direito.

A máquina estava caída no chão, imóvel e aparentemente inofensiva, como se não tivesse causado o maior barulho que eu já ouvira na vida. Um fiozinho de fumaça saía do tubo e tinha cheiro de... algo familiar, que eu não conseguia bem nomear. Uma lembrança de algum lugar distante.

Eu não queria tocar a máquina, mas de jeito nenhum a deixaria ali no chão, me observando e esperando para explodir de novo.

Abri a gaveta de baixo da escrivaninha, tirei as garrafas vazias, embrulhei a máquina de volta no tecido, guardei na gaveta e tranquei.

Tinha algumas pessoas na rua. Dava para ouvi-las gritando, se perguntando o que havia acontecido. Eu queria olhar, mas se enfiasse a cabeça pela janela, poderia me tornar alvo da curiosidade delas.

Esperei meu coração se acalmar ou meus ouvidos pararem de zumbir. Depois de um minuto, nada mudara, então abri a cama e deitei.

Estava tremendo. Não só do choque, mas por causa da centena de pensamentos que se debatiam na minha cabeça: ideias e revelações que chegavam tarde demais.

Quando puxei o interruptor da máquina, logo antes que o estrondo me forçasse a fechar os olhos, uma explosão saíra do tubo com tanta força que minha mão havia sido empurrada para trás.

Era brilhante. Fora só um clarão, mas cheio de tons de amarelo, laranja, azul e vermelho.

Não havia dúvida.

Eu tinha produzido fogo.

16

Havia muitos amassados no piso sob a escrivaninha e ainda mais buracos no tapete carcomido por insetos. Era de se pensar que seria impossível perceber mais um, mas eu tinha passado tantos dias encarando o espaço entre meus pés que o ponto diferente se destacava como um buraco negro no meio da rua Principal.

O buraco atravessava o tapete e entrava mais de dois centímetros no chão. Quando iluminei o lugar com o isqueiro, percebi algo brilhando ao fundo. Peguei meu canivete e me deitei de lado embaixo da escrivaninha. Foi aí que percebi um par de sapatos junto à porta.

Eram elegantes, de bico fino, no fim de pernas magras em meias-calças cinza-escuras. Encarei aquelas pernas por um tempo, me perguntando há quanto tempo estavam ali e a que tipo de pessoa pertenciam. Elas não se moveram. Talvez não tivesse pessoa alguma. Talvez fosse só um par de pernas, indo dar uma voltinha sozinho.

— Eu vim ver o *faz-tudo*.

A voz era educada, mas ligeiramente cansada, como um livro clássico precisando de uma capa nova. Ergui a cabeça por cima da mesa.

— Sou eu. Desculpa. Procurando cupins.

— Tem cupim aqui?

— Tem. Dá só uma olhada no meu sofá.

— Não vejo sofá nenhum.

— Exatamente.

Esperei uma risada. Pelo menos um sorrisinho. Não recebi nada.

— Por favor, me perdoe, sr. Phillips, mas perdi meu marido recentemente e cortesias sociais, como rir de piadas sem graça, ainda são difíceis para mim.

Ela era elfa. Era impossível saber sua idade considerando o fato de que a Coda destruiu a tensão na pele dos elfos. O processo de envelhecimento que eles evitaram por tanto tempo finalmente chegou. O corpo pequeno da mulher estava envolvido por um casacão preto de pelos, e o cabelo dela estava preso em uma echarpe da mesma cor. Ela usava óculos de sol, brincos de pérola e uma aliança dourada.

Fiquei de pé, limpei os joelhos e pus a cadeira de volta no lugar, junto à escrivaninha.

— Por favor — falei. — Pode se sentar.

É possível descobrir muito sobre uma mulher pela forma como ela anda. Claro, as articulações não eram tão flexíveis quanto antes, e os ossos, sem a magia, rangiam, mas depois de passar um século refinando a maneira como se move pelo mundo, não seria um pouco de artrite que a derrotaria.

Nós nos sentamos e ela sorriu como se eu fosse um amigo antigo e não um zé-ninguém imundo com um pano ensanguentado amarrado na cabeça. Tentei disfarçar meu estado pegando um bloco de anotações e uma caneta na gaveta e posicionando-os à minha frente, todo profissional.

— Como posso te ajudar?

Ela mordeu o lábio, parecendo preocupada. O cabelo embaixo da echarpe era de um branco puro.

— Meu nome é Carissa Steeme e meu marido, Harold, está desaparecido há três meses.

— Sinto muito, sra. Steeme.

— Eu e Harold fomos casados por quase cem anos. Morávamos na Gaila, mas mudamos para Sunder depois da Coda. Foi ideia dele.

Ela tirou uma fotografia do bolso e a pôs na mesa. Eram Harold e Carissa, mais jovens e cheios de vida. Mais uma vez, era impossível dizer que idade tinham, porque o corpo deles transbordava magia. Ambos usavam roupas chiques, como se estivessem em algum evento formal, mas com mais estilo do que os casais de elfos típicos.

Tradicionalmente, os altos elfos usavam mantos esvoaçantes de seda e cetim. A roupa de Carissa era de um desses tecidos, mas parecia ter passado por um campo de papoulas e mergulhado em um arco-íris. Também era mais reveladora do que vestidos élficos tradicionais.

— Sr. Phillips?

Ergui os olhos.

— Sim?

— Meu marido está à direita nessa foto.

— Ah, sim.

Ele tinha roupas mais conservadoras que as de Carissa, mas ainda com alguns toques extravagantes. Seus cabelos eram castanho-escuros, os olhos, verdes, a pele, bronzeada e os traços eram mais rechonchudos do que os da maioria dos elfos. Carissa era bem pálida, o que fazia deles um casal atraente.

— Por que a foto antiga?

— É a mais recente que tenho. Depois da Coda, não tínhamos muita vontade de posar para fotografias.

Pousei a foto na mesa.

— Faz três meses que seu marido sumiu? Por que esperou tanto para tentar encontrá-lo?

Uma onda de frustração tomou conta de Carissa, mas ela engoliu o sentimento. Gostei disso. A maioria dos clientes que aparecem no meu escritório tem vergonha de pedir minha ajuda. Para compensar, eles sempre se esforçam muito para demonstrar como sou idiota antes de me dar a honra de oferecer o trabalho, ignorando o fato de que sabem por que vieram falar comigo e eu, não. Foi bom, para variar, encontrar alguém que sabia se controlar.

— Só esperei quatro horas antes de ligar para a polícia. Harold sempre foi responsável e sabia que eu estava esperando por ele. Saiu do trabalho na sexta e não voltou para casa.

— O que a polícia disse?

— Me disseram para esperar alguns dias, então foi o que fiz. Liguei para o escritório, para os amigos e colegas dele, mas ninguém sabia de nada. Depois de uma semana, a polícia resolveu ajudar, mas não fizeram nada que eu já não tivesse feito. Depois de um mês, entrei em luto. Depois de dois meses, fizemos um memorial. Eu sei como essa cidade é, e sei o que o mundo se tornou. Harold nunca abandonou o hábito de usar suas joias antigas. Dava para vê-lo a um quilômetro de distância, com suas roupas elegantes e orelhas brilhantes, se arrastando sem um músculo no corpo. Ele era um alvo fácil e reluzente, e não é surpresa que alguém tenha tirado vantagem dele.

— Então por que a senhora está aqui?

Ela se recostou na cadeira, cruzou as mãos no colo e soltou um suspiro longo e lento, como se suspirasse por uma vida inteira. Seus olhos se fecharam, e ela poderia muito bem ter esquecido que eu estava ali. O tempo passou devagar. A sensação era de que eu era um intruso no meu próprio escritório. Até o prédio parou de ranger, em respeito. O mundo ficou silencioso, observando aquela senhora atravessar um século de memórias com os olhos fechados.

— Um estranho apareceu na minha casa — disse ela, por fim. — Três dias atrás. Era um homem grande, careca, de óculos escuros e barba loira. Meio-ogro, acho. Ele estava de terno, um terno barato. Do tipo que alguém usaria se quisesse se apresentar bem, mas também precisasse estar pronta para confusão. Era um mafioso, sr. Phillips, e ele veio procurar meu marido em busca de pagamento por uma dívida de jogo.

— O que foi que você disse a ele?

— A verdade. Que meu marido não apostava. Que meu marido está morto. Que ele não tinha nada que vir à minha casa e deveria se retirar.

Tive que engolir um sorriso ao imaginar aquela doce senhora expulsando um mafioso profissional como se fosse um pombo na varanda.

— E como ele respondeu?

Ela deu outro longo suspiro triste.

— Ele *sorriu*, sr. Phillips. E naquele sorriso eu vi que minhas palavras não eram a verdade. Que meu marido apostava, *sim*, que ele devia dinheiro, *sim*, a pessoas horríveis que fariam coisas horríveis se ele não pagasse suas dívidas. De repente, todos os detalhes começaram a fazer sentido. As conversas confusas com o chefe dele sobre seu paradeiro. Os olhares cheios de significado entre os policiais quando perguntaram sobre os passatempos e amigos dele. A pessoas passaram os últimos três meses me olhando com pena. Não pela morte do meu marido, mas por saberem de algo que eu sequer suspeitava.

Ela franziu o rosto, como se aquilo a deixasse mais frustrada do que o restante da história.

— Quanto ele devia?

— Dez notas de bronze. Não era uma fortuna, mas era mais do que eu tinha à mão.

— E o que o meio-ogro fez?

— Nada. Essa foi a parte mais estranha. Ele me disse para esquecer aquilo e foi embora.

— Você teme que ele volte? Quer me contratar como segurança?

Ela riu, e tentei não parecer ofendido.

— Não, acho que não. Não é nada assim. — Carissa Steeme enfiou a mão na bolsa e tirou um rolo de notas de bronze presas por uma fita preta.

— Dez notas de bronze. Essa era a quantia que meu marido devia. É isso que estou oferecendo a você.

Seus olhos eram claros como cristal polido. Essa é a diferença entre os elfos muito velhos e os mais novos, que perderam sua juventude cedo demais. A pele é igual, mas os olhos ainda mantêm uma eternidade de vida.

— Para fazer o quê?

— Para descobrir quem matou meu marido e fazê-lo pagar. Se ele tinha dívidas, duvido que essa fosse a única. Acredito que outro capanga em um terno barato tenha achado Harold primeiro e oferecido mais do que um sorriso maldoso. Você vai descobrir quem matou Harold e acertar as contas.

Olhei para o bolo de notas, todas tão bonitinhas e tentando me impressionar. Estavam conseguindo.

— Se você tem razão e alguma casa de apostas apagou seu marido por causa de um empréstimo, então não vai ter nada para achar. Operações assim não se mantêm deixando evidências. Pelo menos não o tipo de evidência que sirva para um tribunal.

— Não esqueça que eu já tentei o caminho da lei.

Ela era fria como uma dose de vodca gelada. Não sabia se ficava apavorado ou com tesão. Baixei os olhos para as notas, depois encarei os olhos verdes dela.

— Sra. Steeme, não sou matador. Mesmo que fosse, não tenho esperanças de conseguir encontrar qualquer prova de um assassinato de três meses atrás. Caras assim não deixam adagas ensanguentadas na mesinha de cabeceira esperando que alguém entre escondido e as encontre. Se eu começar a bater nas casas de aposta, nós dois vamos acabar com muitos problemas. E para quê? Não imagino que eu vá voltar com mais do que suposições. Ninguém vai confessar nada, e você não vai encontrar o corpo dele em um porão qualquer. Ele morreu. Você está viva. Gaste esse dinheiro em algo para você.

Essa, em geral, era a parte em que as pessoas ficavam putas. Mas não ela. Carissa assentiu, como se compreendesse, pegou o dinheiro, tirou duas notas e as pousou na mesa. Não havia tantas delas agora, mas estavam nuas e piscando para mim.

— Vá atrás dessas suposições — disse ela. — Veja o que sua intuição lhe diz. Então me conte o que descobrir, e decidirei o que fazer depois.

Tentei encará-la até que ela desistisse, mas era impossível vencer aqueles olhos. Eles não retrocediam, e ainda puxavam você para dentro. Ela sabia que eu concordaria antes mesmo que eu aceitasse.

Peguei as notas, pus na gaveta de cima e assenti.

— Agora — continuou. — O que foi que você aprontou?

— Como?

Carissa empurrou a cadeira e deu a volta na escrivaninha até parar atrás de mim.

— Ah, meu último caso ficou meio violento.

Ela tirou o curativo improvisado e sujo da minha cabeça e prendeu o fôlego.

— Sr. Phillips, você está com um buraco na cabeça.

— Acredite se quiser, você não é a primeira pessoa a me dizer isso.

Ela fungou.

— O que você andou passando nisso?

— Álcool.

— Uísque?

— É.

— Você é um completo idiota?

— Essa hipótese já foi levantada.

Seus dedos afastaram meu cabelo da ferida.

— Você precisa ver um médico.

— Está na minha lista de afazeres.

— Logo depois de procurar cupins, não é?

— E de tomar café.

Ela estava achando ainda menos graça do que antes. Carissa jogou o curativo na mesa, foi até a pia, abriu a torneira e depois apontou para a toalha de mão com uma cara de nojo.

— Este lugar já foi limpo alguma vez?

— Talvez. Você vai ter que perguntar para o cara que morava aqui antes.

Ela balançou a cabeça de novo, mais séria do que quando tentava me contratar para matar alguém.

— Fique exatamente onde está. Não se mova nem um centímetro, sr. Phillips, ou vai se arrepender quando eu voltar.

Eu nem assenti.

— Sim, senhora.

Ela saiu pela porta e ouvi o ritmo de seus passos descendo as escadas. Fiz exatamente o que ela mandou e não movi um músculo. A única exceção foi esticar o braço para a gaveta, ignorando as duas notas de bronze dobradas, e pegar um Clayfield do meu estoque bem abastecido.

Eu não queria aquele trabalho. Não porque era inútil. Não porque Simms me falou para ficar em casa. Mas porque ele me faria ir a um lugar desagradável.

O canto mais sombrio de Sunder era o distrito de apostas conhecido como Foice. A última vez em que estivera lá foi antes da Coda, e mal saíra vivo.

Decidi que devolveria o dinheiro a ela. Esse caso não nos traria nada de bom. Se o marido dela tivesse aprontado com uma casa de apostas, então não ia querer me juntar a ele onde quer que tivesse ido parar. Eu havia acabado de chegar a essa conclusão quando Carissa voltou com uma garrafinha de vidro e uma panela de água soltando vapor.

— Minha nossa, mas ele é um amor, não é? — perguntou ela animadamente.

— Ah. Você conheceu o Georgio?

— Que camarada incrível. — Ela pousou a panela na escrivaninha e procurou algo na bolsinha que deixara na cadeira. — Tão imundo quanto você, mas bem mais divertido.

Ela tirou um lenço branco e engomado da bolsa e voltou para trás de mim para limpar o ferimento. Mergulhou o lenço na água fervida, e então senti o toque gentil do tecido no topo da minha cabeça. Não falamos nada enquanto ela trabalhava. Só fiquei ouvindo enquanto ela mergulhava a mão na água, torcia o lenço, depois o passava pelo meu couro cabeludo para limpar o sangue seco, a terra e qualquer ideia que eu pudesse ter de recusar aquele trabalho. Eu estava quase relaxando quando ela falou:

— Não se mexa.

… E passou o lenço no ferimento de novo.

— Cacete! — Eu puxei a cabeça para a frente. Ela havia trocado a água pelo álcool bem quando eu estava quase caindo no sono.

— Falei para você não se mexer.

— Desculpa.

A próxima parte não foi nada relaxante. Ela passou álcool em tudo e tirou os cabelos do corte. Quando pegou o curativo velho, achei que ia passá-lo de volta pela minha cabeça, mas Carissa só jogou aquilo na lixeira e lavou as mãos na pia.

— Fique bem aí, sentado, e não saia de casa hoje.

— Achei que eu tivesse que ir ao médico.

— Liguei para uma enquanto estava lá embaixo. Ela vai chegar em uma hora. Não ouse se deitar e encher esse ferimento de sujeira antes disso.

Eu havia passado toda a minha juventude com generais e líderes políticos, mas aquela moça deixava todos eles no chinelo.

— Ah… tá bom. Obrigado.

— Quando a médica for embora, deite-se e descanse. Você pode procurar o assassino do meu marido de manhã.

Observei enquanto seu corpo sem idade saía pelo corredor e esperei trinta segundos antes de voltar a cutucar o chão. Cortei um buraco em torno do objeto brilhante, enfiei a lâmina do canivete por baixo e, com um movimento do pulso, catapultei-o no tapete.

Era de metal. Cinza e queimado. A bola de fogo que disparara aquela bolinha de metal da máquina teve a força para fazê-la penetrar no piso.

Rolei a bolinha amassada entre os dedos. Era tão *pequena*. Parecia insignificante. De jeito nenhum algo tão pequeno poderia causar um dano real. Não como a magia de antigamente, ou mesmo o tipo de coisa com que Tippity andara envolvido.

Abri a gaveta de baixo e observei a máquina. Era só um tubo com um cabo de madeira. Nada especial. Nada com que se preocupar.

Pus o projétil ao lado da máquina e fechei a gaveta com cuidado para que não disparasse de novo. Então bloqueei a mente para todas as questões desconfortáveis que insistiam em aparecer. Perguntas sobre Lance Niles, o Bluebird Lounge e o presente misterioso.

Eu não queria pensar naquilo. Não tinha que pensar naquilo. Porque já tinha um novo caso na fila.

Descobrir quem matou Harold Steeme.

Simples. Melhor.

Embora eu tivesse prometido a mim mesmo que nunca mais voltaria à Foice.

17

A médica veio e cuidou do ferimento. Faltava pele para os pontos, mas ela raspou parte do meu cabelo e aplicou um curativo no buraco. Então, fez recomendações: comprar um chapéu para cobrir a ferida, tirar alguns dias de folga, maneirar nos Clayfields, cortar bebidas alcoólicas e comer alguma coisa além da gororoba gordurosa do restaurante no térreo de vez em quando.

Ignorei todas as recomendações, exceto a do chapéu.

A rua Nove Leste era luxuriosamente larga e pavimentada com pedras vermelhas grandes em vez de asfalto. Armarinhos e alfaiates ocupavam os dois lados da rua, com alguns cafés, bares e lojas de sapatos aqui e ali. Muitos ainda estavam abertos. Não era tão vibrante quanto costumava ser, mas ainda parecia estar bem.

Havia uma loja de artigos em couro com a vitrine cheia de bainhas, jaquetas, cintos e um manequim de madeira com um coldre de peito feito para ocultar uma adaga. Era um trabalho impressionante, e se algum dia eu começasse a levar meu trabalho a sério, seria o lugar perfeito para fazer umas compras.

A Chapeleiros Wren ficava do outro lado da rua. Na vitrine havia itens feitos à mão com maestria, mas assim que entrei ficou evidente que a maior parte das vendas era de gorros de lã, boinas e protetores de orelha baratos. Nessa época do ano, naquele mundo novo e frio, a maioria das pessoas dava preferência a quanto ficavam aquecidas e ao preço, não ao estilo.

Era só isso que eu precisava, afinal; só alguma coisa para cobrir o topo ferido da minha cabeça e me proteger do frio. O que eu não precisava nem um pouco, nem de longe, era do chapéu surrado de abas largas azul e marrom que estava na prateleira de cima.

O bruxo de óculos, camisa branca e colete verde viu meus olhos pousarem no chapéu e não hesitou.

— É de pele de coelho — disse ele.

— Parece durável.

— É vintage, tem décadas de existência, mas ainda está em ótimo estado.

— Não preciso dele.

— É claro que não. Ninguém *precisa* dele.

Olhei para a pilha de gorros sem graça feitos no fundo do quintal em um barril.

— Quanto?

— Por...?

— Pelo de coelho.

Ele usou uma escadinha para pegar o chapéu que me provocava. Mudei de ideia.

— Na verdade, só preciso de algo simples para...

O bruxo pôs o chapéu na minha cabeça, onde ele se assentou com gentileza, parando logo acima das orelhas.

— O que o senhor acha?

Ergui as mãos, sentindo a dobra firme do topo, e baixei o chapéu para a testa. Quando ergui os olhos, um espelho se materializara nas mãos do chapeleiro.

Lá estava eu.

Um dos motivos pelos quais eu nunca tinha sido um cara que usa chapéus era porque sempre parecia que eu tinha "me arrumado" para a ocasião. Graham, meu primeiro pai adotivo, usava chapéu. Tatterman, meu primeiro chefe em Sunder, usava chapéu. Eu era só o menino que eles mandavam para lá e para cá.

Mas agora? Os olhos no espelho eram frios e circundados por dobras de pele escura. Minha barba por fazer era pontilhada de pelos grisalhos. Cicatrizes, novas e velhas, corriam pelo meu rosto. Minha aparência não era mais a de um menino, e de alguma forma o chapéu combinava comigo.

O chapeleiro passou a ponta do dedo entre o chapéu e a minha testa.

— Quase do seu tamanho. Posso colocar um pouco de enchimento. Você tem preferência por algum tipo de pelo?

— Eu não...

— O que é isso? — Ele esticou a mão na gola do casaco e esfregou o material entre os dedos, tentando adivinhar sua origem. — É raposa?

— Leão — falei. — Dos grandes.

Um fio de travessura costurou sua expressão.

— Venha comigo.

O velho me levou até sua oficina. Uma mesa de trabalho entulhada de coisas ficava apertada entre prateleiras, estantes e caixotes de madeira, todos cheios de tiras de couro e resmas de fitas coloridas. Retalhos e restos de linha cobriam o chão empoeirado e sujo.

O chapeleiro se abaixou e remexeu em uma caixa e depois em outra, lendo as etiquetas para si mesmo. Abriu armários, revirou o material dobrado lá dentro, então bateu as portas. Enfim, em um saco de camurça no fundo de um armário, ele achou o que procurava.

— Dê uma olhada nisso.

Ele trouxe o saco para a mesa e o abriu. Dentro havia o couro de uma cor conhecida. O chapeleiro puxou a pele e a desenrolou, revelando uma cara aterrorizante envolta por uma juba castanha.

O leão não tinha olhos. Nem presas. Provavelmente tinham sido usadas para abotoaduras e botões. A cabeça desossada estava toda disforme por ficar enrolada por tanto tempo. O focinho estava amassado e os lábios, do avesso. A juba estava ressecada, embolada e embaraçada. O animal ainda tinha as patas dianteiras, mas o tronco já tinha sido feito em pedaços, desaparecendo em faixas onde o pelo fora usado para acessórios e forros. O bruxo olhou do leão para o pelo de quimera na minha gola e assentiu.

— Me parece uma combinação perfeita.

Mantive os olhos no felino. Ele tinha razão. Era igual à quimera que eu matara quando jovem. Um décimo do tamanho, mas parecido. Os olhos ocos eram mais fáceis de encarar do que os da besta maior, cujos olhos eram cheios de dor. Aquele ali estava totalmente vazio.

— O que me diz? — perguntou o chapeleiro. — Vamos completar o par?

Dando de ombros, o chapeleiro, decepcionado, me passou a boina vagabunda pelo balcão. Quando a vesti, a copa frouxa cobriu minhas orelhas. Estava meio grande, mas pelo menos a aba curta não atrapalhava minha visão. Ele foi pegar o espelho.

— Pode deixar — falei.

Puxei a boina para baixo e saí para cometer alguns erros.

18

Não é inteligente sair de casa com um buraco na cabeça. Não é inteligente aceitar um caso quando os policiais te mandaram não inventar moda. Não é inteligente perguntar a um agiota o que ele faz quando um pobre coitado não paga suas dívidas. E nunca é inteligente andar pela rua Foice.

No extremo sudeste da cidade, a Foice era uma faixa na barriga de Sunder que se misturava às favelas. Quando cheguei à cidade, aceitei todos os trabalhos que me ofereciam, inclusive ser mandado para a curva da lâmina para buscar pacotes curiosos, entregar mensagens seladas ou procurar pessoas desaparecidas especialmente difíceis. Mas nunca mandado por Hendricks: sua fascinação pelo lado sombrio de Sunder não chegava tão longe nas sombras.

Minha primeira viagem à Foice foi para a tarefa mundana de fazer uma pergunta a alguém e voltar ao Fosso com a resposta. Um gnomo de capuz com um sorriso pouco convincente me pediu para encontrar seu amigo e perguntar se ele ainda viria jantar, agora que a terceira pessoa não estava mais envolvida. Parecia um jeito fácil de ganhar alguns trocados até o gnomo me entregar uma soqueira. Muito sério, ele me falou para mantê-la a postos assim que eu pisasse na rua Foice.

Apesar das instruções assustadoras do gnomo, o trabalho não foi difícil e voltei para o Fosso sem precisar usar minha nova arma em ninguém. Quando cheguei, o gnomo tinha sumido, e o soco-inglês virou meu pagamento.

O sucesso daquela viagem me deixou confiante demais. Fui mais vezes ao lado mais perigoso da cidade, sem perceber por que as pessoas estavam me mandando para lá. Não era porque eu era mais corajoso ou mais durão que os capangas de sempre. Eu era dispensável. Se fosse esfaqueado, amarrado e jogado no canal Kirra, talvez meus clientes perdessem um produto, mas não perderiam o serviço de um de seus funcionários mais confiáveis e capazes. Para entregas arriscadas, Fetch Phillips estava no topo da lista de todo mundo.

Até que comecei a me gabar. Uma noite, tirando copos sujos das mesas do Fosso, ouvi dois caras esquisitos conversando sobre um fulano chamado Hank, que estava sendo difícil de encontrar.

— Eu conheço o Hank — falei.

— Sério, moleque?

— Aham, encontrei com ele algumas vezes.

— Ora, mas que coisa. Você sabe onde ele está?

— Claro. Normalmente ele fica no Afterlife Lounge. Se não estiver lá, não devo levar muito tempo para encontrá-lo para vocês.

— Caramba, mas esse deve ser o nosso dia de sorte.

Quando saí do trabalho, fui com os caras até a Foice e entrei no beco que nos levaria até o Afterlife. Houve um rápido segundo de fria compreensão quando dei um passo à frente e eles não vieram comigo. Sequer consegui me virar a tempo. O golpe veio da direita e, quando tropecei, o cara da esquerda me empurrou para o chão. Desmaiei depois de alguns chutes e, quando despertei, não conseguia me mexer.

Acontece que eu tinha ouvido errado a conversa. Os dois cavalheiros trabalhavam para Hank, que não ficou nada contente de saber que eu estava falando dele pela cidade como se fôssemos amiguinhos. Eu precisava aprender minha lição, e Hank precisava me fazer de exemplo para quem pensasse em usar seu nome em vão.

Eu já tinha apanhado antes. E já apanhei muitas vezes depois. Mas aquela vez foi diferente.

Fui pendurado de cabeça para baixo em uma corrente nos fundos do cassino de Hank. Primeiro, só estava ali para manter Hank entretido. Ele usava meu corpo como saco de pancadas, ou minha boca de cinzeiro. Mas quando ele ficava entediado ou precisava se ausentar, meus serviços eram oferecidos a quem mais se interessasse.

O cassino de Hank funcionava vinte e quatro horas, o que significava que sempre tinha alguém por ali para me sacanear de algum jeito diferente e horrível. A falta de sono logo virou a pior parte. É isso que enlouquece você. Isso, e o sangue se acumulando na cabeça, o que me dava a sensação de que meus olhos explodiriam com a pressão.

Talvez, com o tempo, isso acabasse mesmo acontecendo. Porém, uns capangas de Hank se animaram demais vendo quem conseguia me balançar mais longe. Não sei se bati a cabeça na parede ou se a corrente arrebentou, mas fui largado na rua Principal com o cérebro saindo pelo nariz e o crânio parecendo mole demais.

Quando alguém parou para me ajudar, eu só tinha vida suficiente dentro de mim para pedir que me levassem a Amari.

Não tenho memórias de ser carregado pela cidade, mas me lembro de chegar ao portão da mansão do governador e o porteiro me impedir de entrar. Ele dizia que Amari não estava, mas eu não aceitava. Depois de um tempo, Hendricks apareceu.

Amari era a enfermeira de verdade, mas Hendricks sabia alguma coisa de medicina. Ele estancou o sangramento e usou algum tipo de magia para selar as rachaduras no meu crânio.

Ele não fez muita coisa para melhorar a dor além de me encher de álcool. Acabei num meio-termo entre bêbado, em coma e ferido com uma concussão, minha cabeça no colo dele enquanto Hendricks recitava antigas histórias de guerra para tentar me manter acordado. Em algum momento, enfim, caí no sono, dormi por dias, e ele não estava mais lá quando acordei. O governador me expulsou assim que consegui andar, e tive que esperar por meses antes de poder agradecer a Hendricks por salvar minha vida.

Tenho lesões que nunca se curaram, como meu joelho esquerdo, que ainda estala, e meu peito, que ainda dói. São irritantes, mas fazem sentido, e sei como lidar com elas. Hank quebrou alguma coisa na minha cabeça e talvez Hendricks não soubesse o suficiente do que estava fazendo para colocar tudo no lugar. Não é uma parte de mim que dê para alongar ou botar um curativo. Não consigo nem vê-la. Mas tudo que me restou foi essa sensação de que alguma coisa dentro de mim não se curou como devia.

Eu não tinha voltado à Foice desde então. Era o coração sombrio de Sunder City, terrível e perigoso, mas, de certa forma, vital. Achei que nunca mais precisaria ver aquele lugar. Acontece que só foi preciso uma viúva de coração bom e atitude interessante para me fazer mergulhar naquela doideira de novo.

19

Desci a rua Tar, de olhos baixos e ouvidos atentos, até chegar ao cruzamento da Foice com a Quinta. Tinha música tocando em algum lugar depois da esquina. Poucas pessoas andavam por ali e todas tinham aquele mesmo passo de quando você não quer parar, mas também não pode demonstrar que está com medo.

Três humanos arrastaram um bruxo de um bar e o jogaram em um muro de tijolos. Fiquei me perguntando se era só atividade normal da Foice ou se a notícia dos assassinatos de Rick Tippity já tinha se espalhado e deixado o pessoal nervoso. Eu me afastei para não precisar pensar nisso.

O lugar mais famoso da Foice era um bloco feioso de pedra chamado Rushcutter, feito de pedregulhos cinzentos e lama. Começou como um alojamento, depois evoluiu para um bar sofisticado, então virou um bordel e, enfim, tornou-se um cassino. A fachada era a única parte que restava do prédio original: indiferente e intimidadora como um velho cão de guarda.

Não tinha movimento de entrada e saída, mas as expressões eram todas iguais: esperançosas ao chegar e envergonhadas e suadas ao partir.

O leão de chácara era alto e magro, com dentes de metal e um bigode triste com pelos esparsos que cresciam cada um para um lado. Eu não queria me demorar na rua, então baixei a boina, enfiei as mãos nos bolsos e me aproximei da entrada como quem não quer nada.

O altão agarrou a aba da minha boina quando tentei passar. Tive um vislumbre de uma adaga fina no cinto dele antes de voltar meus olhos até seu rosto.

— O que você quer, amigão? — perguntou, com a voz de um valentão de escola.

— Quinze minutos, dois drinques e uma bolada.

Ele abriu meu casaco em busca de bainhas ou armas no cinto. Mal se esforçou. Chegava a ser ofensivo. Então me mandou entrar com um aceno desinteressado do pulso.

Fedia a refluxo de cinzeiro. Cachimbo, cerveja velha, sovaco suado e falta de ventilação. Pelo menos era aquecido. Passei por um corredor acortinado que dava no salão principal. Sete mesas de dados, garçonetes e apostadores em silêncio. A decoração era baseada em tons de marrom fingindo ser vermelho e muitas manchas fingindo ser parte da estampa. Um pianista solitário estava encolhido junto a um piano vertical, batendo nas teclas sem paciência, como se uma delas fosse capaz de morder seus dedos.

Havia um bar comprido na parede sul, com dois bartenders: um ogro de um braço só e uma lobisomem tatuada. Quando o ogro se afastou com uma bandeja de bebidas, eu me sentei.

— Uísque, puro — falei, jogando uma moeda de bronze e me virando para observar o lugar.

Apostar sempre me pareceu uma idiotice. Se ganhar uma bolada é algo que pode mudar sua vida, então você não está podendo perder dinheiro com isso. Se você pode perder dinheiro, ganhar também não vai fazer diferença, então pra quê? Todo mundo sabe disso, lá no fundo, mas duas coisas nos fazem ignorar a lógica: álcool e superstição.

Elfos, em geral, não bebem. Hendricks era uma anomalia nesse sentido (e em muitos outros). Foi só depois da Coda que outros membros da alta raça recorreram ao álcool. Se Harold Steeme tivesse seguido por aí, Carissa perceberia. Era bem mais provável que ele tivesse tentado embolsar uma grana em alguns anos de má sorte.

Bons apostadores conseguem separar a matemática da emoção. Apostadores ruins procuram formas de alinhá-las. Depois da Coda, quando tanto foi arrancado de tantas pessoas, aquelas que acreditavam em carma argumentavam que alguma coisa muito boa tinha que voltar para elas. Todas as merdas que aconteceram só as tinham deixado um passo mais perto do momento em que a mesa ia virar.

Um homem como Harold poderia ter seguido essa esperança até o fim da linha.

Eu não sabia o suficiente sobre ele para supor o que o atrairia. Os jogos de dados dali eram todos baseados em sorte. Nada de estratégia, só ansiedade. O dinheiro era contado desesperadamente, escondido em mãos trêmulas. Bebidas eram pedidas para acalmar nervos, não erguidas em comemoração. Uma porta ao lado do bar me deu calafrios: era uma daquelas salas das quais ou você sai andando de um jeito engraçado ou não sai nunca mais.

— Você é novo aqui — disse a bartender. É sempre melhor deixar os outros falarem primeiro.

— Aham. Um amigo me recomendou.

— Sério?

Ela estava certa de desconfiar. No canto, uma mulher chorava com o rosto enfiado na bolsa.

— Aham, o nome dele é Harold Steeme. Você já o viu por aqui?

O rosto dela continuou igual, mas as pupilas se contraíram e as unhas afiadas arranharam o bar. Eu já tinha feito besteira. Seria melhor se eu já chegasse falando que ia dar trabalho. O mundo ficou em silêncio, e nenhum de nós piscou.

— Não — respondeu ela finalmente.

Eu assenti, com os olhos fixos nela.

— Bom, enfim. — Ergui o copo e logo antes que ele cobrisse meus olhos, vi a atendente olhando por cima do meu ombro. Merda. O copo voltou sem que eu encostasse na bebida. — Valeu.

O ogro de um braço só já estava vindo; uma concussão ambulante de terno bem-cortado e punho fechado. Fiquei de pé com uma mesa entre nós, para cortar a aproximação.

— Senhor — rosnou ele.

— Só estava procurando um amigo.

Nem adiantava pegar o soco-inglês. Ele mal causaria dano àquela cabeça de concreto, e eu tinha a sensação de que haveria outros a caminho.

— Senhor! — Ele tentou agarrar meu ombro, mas eu girei e saí. De jeito nenhum deixaria que me arrastassem para os fundos e quebrassem todos os meus ossos, um por um. Podia arriscar minha vida dez vezes por dia, mas ainda me importo com o *jeito* que vou morrer, e tem lugares melhores para isso do que uma câmara de tortura improvisada nos fundos de um cassino de merda.

Dei o fora de lá e cheguei à rua antes que o leão de chácara percebesse o porquê da comoção. Meu coração e meu estômago estavam apertados, mas me forcei a ignorar a dor. Disparei por dois quarteirões, depois corri por mais dois, e depois de um tempo achei um beco escuro e calmo para vomitar, cuspir e chorar.

Mas que completo amador. Consegui mostrar minha cara, revelar meu objetivo, fazer uma cena e provar que sou um covarde em menos de cinco minutos.

A Foice. Em qualquer outro lugar eu estaria bem, mas a sensação do meu crânio sendo rachado ao meio não parava de me voltar à mente.

Se aquilo acontecesse de novo, eu não teria Hendricks por perto para dar um jeito.

Disse a mim mesmo que aquilo acontecera havia muito tempo, que na época eu ainda cheirava a leite e estava aprendendo a viver fora das muralhas. Eu não era mais um garoto de recados. Tinha matado monstros, liderado exércitos, viajado pelo mundo e o destruído. Sou um *faz-tudo* agora. Levo chutes nos dentes no café da manhã e estou com o nariz quebrado na hora do almoço. Não me cago nas calças só porque uma ruazinha de nada me traz lembranças ruins.

Eu não podia voltar para o Rushcutter. Nunca mais. Mas sabia que todos os lugares na Foice teriam o mesmo efeito.

Eu tinha que virar o jogo a meu favor. Precisava de algo na manga para fortalecer os nervos e me deixar de boa de novo. Então, voltei para o escritório e abri a última gaveta da escrivaninha. Enfiei a máquina no cinto e abotoei a camisa.

Na mesma hora me senti melhor.

Mas estava óbvio demais. Se um segurança verificasse meu cinto, eu teria que me explicar. Então, voltei à rua Nove Leste, entrei na loja de artigos em couro e perguntei sobre o coldre de peito na vitrine, para esconder adagas. Poderia ser adaptado? Claro que sim. Mostrei ao artesão a máquina e paguei a ele o suficiente para que não fizesse perguntas. Modificamos o coldre até que ficasse bem justo na lateral esquerda do peito. Dei uma olhada no espelho e a máquina ficava invisível debaixo do casaco.

Eu me senti muito, muito melhor.

O cano me cutucava nas costelas se eu me encolhesse demais, então estiquei a coluna e me senti alto e poderoso, pronto para dominar o mundo.

Aí atravessei a rua e comprei a bosta do chapéu de coelho.

20

Dei uma boa volta pela cidade para chegar à Foice pela lâmina, em vez de pelo cabo. Não é uma rota que eu recomendaria, a não ser que você tenha um milagre preso ao peito que o faça se sentir invencível. Com o enchimento macio de pelo de leão na testa, esqueci totalmente o ferimento. Masquei um Clayfield ao virar a esquina, sem medo de fazer contato visual.

Meio-ogro. Careca. Barba loira. Essa era a descrição que a sra. Steeme me dera.

Eu me aproximei de uma mulher malvestida já com uma moeda à vista e repeti a descrição. Ela falou que talvez eu o encontrasse no Sampson's, então fiz uma saudação com meu chapéu novo e segui.

Eu encarava os outros caras com superioridade. Andava de queixo erguido e sem pressa. Passava os olhos pelos becos e pelas portas, e as pessoas evitavam me olhar nos olhos. Era tudo fingimento, mas e daí? Todo mundo entrava na brincadeira.

O Sampson's era um bar comprido e alto com a fachada feita de placas de metal enferrujadas. Encarei o homem na entrada e ele me deixou entrar sem nem me revistar.

Estava tão frio lá dentro quanto do lado de fora. O pé-direito era alto, e o metal não ajudava em nada a isolar o calor. Havia cinco mesas de cartas, cada uma para um jogo diferente, e os crupiês e atendentes estavam envoltos em pelo (alguns em casacos, outros com sua pelagem natural).

Nos fundos, sob uma luz propositalmente baixa, uma mesa redonda de veludo vermelho ficava em destaque. De um lado, mordiscando um palito de dente, estava um meio-elfo de terno caro. O processo de envelhecimento não estragara por completo sua boa aparência, como teria acontecido se fosse de sangue puro. O cabelo era grisalho e a testa tão vincada que parecia ter sido guardada no fundo do bolso do homem. Do outro lado da mesa havia um meio-ogro careca cuja barba loira tinha sido modelada em formato de tridente. Todos os músculos eram inchados como balões de festa e o terno parecia prestes a arrebentar.

Fui direto para a mesa deles. Não tão rápido que as pessoas ficassem desconfiadas. Como se fossem meus conhecidos. Como se eu tivesse sido convidado. Os dois não perceberam minha chegada até que eu puxasse uma cadeira vazia da mesa e me sentasse.

— Cavalheiros — falei, dirigindo-me ao meio-elfo bem-vestido, que imaginei ser o responsável. — Meu amigo está desaparecido. Ouvi um boato de que ele cruzou o caminho dos senhores. Que tal me contarem o que aconteceu antes que eu tenha que atrapalhar esses joguinhos tão agradáveis?

Os olhos do meio-elfo foram de mim para o capanga, e o meio-ogro soltou a taça.

— Mantenha as mãos na mesa, grandão — avisei. — Ou você vai usá-las para se arrastar para fora.

Os dois ergueram as sobrancelhas e abriram um sorriso falsamente impressionado. O ogro não baixou a mão de imediato, mas a virou, de palma aberta para cima, e fez um gesto para o companheiro.

— Por favor, me perdoe, Thomas — disse, em uma voz mais polida do que eu esperava. — Essa questão parece urgente. Aqui está a sua chave. Alguém vai bater no seu quarto em breve para se certificar de que está tudo em ordem.

— Claro — respondeu Thomas, pegando a chave na mesa, ficando de pé e ajeitando o terno. — Obrigado pela atenção, Sampson. Você me salvou de verdade.

Quando o meio-elfo foi embora, olhei para o ogro e senti minha confiança desaparecer.

— Você é o Sampson — falei.

— E você é muito rude.

Ele pegou a taça de vinho para tomar um gole, mas parou a meio caminho da boca. Então fez um gesto questionador, como se quisesse minha permissão para mover as mãos de novo. Isso me irritou e me fez recuperar um pouco da confiança.

— Harold Steeme — falei.

Ele bebeu o vinho e baixou a taça.

— O que tem ele?

— Ele te devia dinheiro.

— Ele devia dinheiro a muita gente.

Ouvi passos se aproximando de mim por trás. Sampson olhou por cima do meu ombro e eu girei, me levantando da mesa e esticando a mão para a máquina embaixo do meu casaco — só que me vi cara a cara com uma mocinha de bochechas rosadas segurando uma bandeja. Ela deu um pulo para trás, assustada, e às minhas costas o ogro soltou um palavrão no seu sotaque metido.

Olhei para trás e percebi que tinha batido na mesa e feito a taça de Sampson cair no seu colo. As pessoas estavam me encarando e funcionários do lugar começaram a se aproximar, mas o chefe os dispensou com um aceno.

— Phara, me passe seu pano.

A garçonete nervosa entregou o pano de prato para Sampson, que começou a se limpar.

— Uma pessoa normal iria embora depois de uma situação assim — disse ele.

— Eu só quero…

— Se vai ficar, por favor, peça uma bebida.

Não havia mais nada a fazer. Eu me virei para a moça.

— Seiva queimada.

— Claro. E o senhor, chefe?

— O mesmo para mim, por favor. E traga mais panos.

Ela se afastou e fiquei ali, de pé, parado, ao lado do cada vez menos impressionado dono do lugar.

— Sente-se e pare de agir de forma tão agitada. Você está me deixando nervoso.

Antes avaliei o salão. Os seguranças não puxavam os cassetetes nem trocavam olhares violentos. Os jogos de cartas tinham voltado ao ritmo e ninguém parecia estar à espera para me dar um socão. Então, eu me sentei.

— Qual é o seu nome?

— Fetch Phillips.

— E Harold é seu amigo?

Pelo tom da voz, ele já sabia que aquilo era mentira.

— Fui contratado pela esposa de Harold para descobrir o que aconteceu com ele.

— Que estranho. Foi a própria sra. Steeme que me disse que ele havia falecido.

— E você acreditou? Com dívidas a pagar? Você voltaria no dia seguinte para quebrar a porta dela se não tivesse encontrado alguma prova de que ele estava mesmo morto.

Passos atrás de mim de novo. Dessa vez não pulei, mas me virei. Phara pôs os dois drinques na mesa. Então todos esperamos.

— Qual o problema? — perguntou Sampson.

— As pessoas têm o hábito de colocar coisas na minha bebida. E como você não chamou os rapazes para me arrastar para os fundos...

— Mas que dificuldade. — Sampson esfregou o rosto até puxar a barba. — Só pague a menina para podermos conversar logo.

— Três moedas de bronze — disse Phara, desconfiada.

Peguei o dinheiro e entreguei a ela.

— Não foi tão difícil, foi? — disse Sampson, enquanto Phara se afastava às pressas. — Então, quer trocar os copos ou vai confiar em mim quando digo que não há nada aí além de seiva, álcool e especiarias?

Peguei meu copo e tomei um gole. Estava incrível. Falei isso ao dono do lugar.

— Viu? Oras, por que eu perderia meu tempo arrastando você para os fundos, te fazendo em pedacinhos e te jogando no rio, quando você é um cliente pagante? Olhe em volta, sr. Phillips.

Ele fez um gesto gracioso e eu me virei para observar o que me mostrava. Cinco mesas. Quatro clientes, cada um bebericando suas bebidas quentes e fazendo apostas baixas. Nada de música. Nada de aquecimento.

— Você acha que posso me dar ao luxo de tratar mal meus clientes? Ou pagar capangas para dar surras em meu nome? Somos um *negócio*, sr. Phillips, e estamos com dificuldades. Chegamos ao ponto de alugar quartos para manter a casa aberta. Então, por favor, não esfaqueie nenhum dos meus funcionários, eles são todos muito valiosos para mim.

Suspirei e larguei meu chapéu idiota na mesa.

— Sinto muito. Essa parte da cidade era... diferente da última vez que vim aqui.

— Eu estava aqui nessa época também. Já quebrei muitos braços, não se preocupe. Mas um cassino exige dois tipos de clientes: aqueles que consideram suas apostas um luxo, e aqueles que ficam presos nelas. — Observei um dos clientes, sozinho, pousar ficha após ficha sobre um deque frio. — Ainda conseguimos os que não têm escolha, e eles nos mantêm funcionando, mas precisamos dos dois para realmente crescer.

— Harold era de que tipo?

Sampson tomou um longo gole.

— Ele era um apostador cheio de planos, no início. Sabia aonde queria chegar e esperava que as cartas o levassem até lá. É assim que todos começam: com uma cifra mágica em mente e regras rígidas para se manter na linha. É claro que, quando não chegam a essa quantia, continuam tentando. E se conseguem, a sensação é de que ganharam dinheiro de graça, então se sentem tentados a arriscar de novo. No fim, todos acabam aqui.

Havia algo de familiar no jeito que Sampson falava. Ele tentava me distrair da minha pergunta específica com uma resposta poética e vaga.

— E quem acabou com Harold?

Ele limpou a barba e estalou os lábios.

— A sra. Steeme parece uma mulher forte. Ela já aceitou que o marido faleceu. Por que você quer tornar o luto dela ainda mais difícil?

— Porque ela me pagou. Só faço o que me mandam.

— Entendi. — Ele virou o restante da bebida. — Isso está doce demais para o meu gosto. Vou falar com Phara sobre a receita.

— Sério? Para mim está ótimo.

Sampson limpou o bigode com a toalha.

— Bom, demonstre boas maneiras da próxima vez e vou te servir um coquetel de verdade. Algo para cavalheiros educados como nós.

Ele ficou de pé e me dei conta do quão imenso o meio-ogro era, de fato. Fiquei feliz por não ter tentado derrubá-lo na porrada. O cara poderia ter me dobrado que nem um pretzel e me servido como aperitivo.

— O Cornucópia — disse ele. — No fim do Rose. No último andar ficam os apostadores top de linha que gostam de temperar os jogos com mulheres. Você encontrará suas respostas lá, sr. Phillips, mas, no seu lugar, eu as guardaria para mim. Não cause ainda mais sofrimento àquela pobre mulher.

Ele se foi e, com um grande gole, terminei minha bebida. Gostei do cara. Talvez eu voltasse ali. Mas primeiro eu precisava tirar as pétalas daquela rosa.

21

O canal estava congelado e o pôr do sol pintava o gelo de rosa, escondendo a realidade sob uma camada de cor, como tantos daqueles que chamavam o Rose Quarter de lar. A luz cálida do Rose atraía mariposas, moedas e corações solitários, oferecendo companhia a quem podia pagar por ela. Eu conhecia todos os truques e já tinha caído nas armadilhas da hospitalidade da região mais de uma vez, mas estaria mentindo se não dissesse que ouvia seu chamado enquanto dormia.

É fácil torcer o nariz para a ideia de pagar por alguém para você tocar, mas toque é toque, e beijos são beijos. O amor verdadeiro pode ser igualmente passageiro, mas vem com o risco da dor. No Rose, você paga e recebe, e sabe que vai acabar. Para algumas pessoas, é um alívio.

Os mafiosos que tomavam conta da Foice antigamente nunca apareceriam jogando em outra parte da cidade. Parecia que essas regras estavam mais maleáveis, como Sampson. O Cornucópia era um prédio de tijolos de dois andares ao lado de uma das pontes que cruzavam o canal. Tinha um visual mais "moderno". Em vez das faixas e pétalas dos prostíbulos antigos, a decoração do Cornucópia era simples e elegante. Em vez de um leão de chácara, fui recebido por uma garota de cabelos curtos, vestidinho preto, jaqueta branca e lábios vermelhos.

— Boa noite, senhor. Veio jogar hoje?

— Só assistir, se não tiver problema.

— Imagina. Não há cobrança de entrada, desde que o senhor peça uma bebida e uma garota.

— Combinado.

Ela abriu a porta preta e entrei em um cômodo circular envolvido por cortinas de veludo vermelho. Lindas crupiês sem blusa distribuíam as cartas para trios de apostadores divididos em seis mesas. Nos fundos da sala havia duas portas para funcionários e uma escada para o segundo andar.

Havia até uma garota responsável por fazer troco. Dez cobres por uma moeda de bronze. Dez moedas de bronze por uma nota de bronze. Vinte notas de bronze por uma moeda de prata, e se você tivesse a sorte de possuir vinte delas, a garota tinha até folhas de prata. Eu nunca tinha visto uma dessas de perto. Havia versões de ouro, aparentemente, mas até parece que eu saberia onde estavam.

As coisas aqui estavam mais prósperas do que na Foice. Risadas misturavam-se ao sofrimento, e quando o dinheiro era passado de mão em mão, havia um sorriso presenciando a troca. Eu não me surpreenderia se toda a indústria de apostas se mudasse para o Rose em alguns anos.

Atravessei o salão até a escada em caracol e cheguei ao andar de cima. O ambiente era menor, com uma única mesa no centro. Cinco dos oito lugares estavam ocupados, e cada jogador tinha uma mulher ao lado. Um cara tinha duas. A crupiê era uma mulher de seios fartos que parecia ser meio-ogra, meio-elfa. Já tinha ouvido gente chamá-los de "altos e baixos", mas eles preferiam o termo "amálgama".

Ela tinha o corpo de uma guerreira envolto em um vestido preto glamoroso que sugeria que não sentia frio que nem nós, pobres mortais. Seu delineador era uma linha grossa e nenhum escultor seria capaz de moldar lábios mais perfeitos que os dela. Ela entregava as cartas e sorria e fazia todos comerem na palma da sua mão.

Havia três cadeiras vazias à mesa e mais cinco encostadas às paredes. Eu me sentei em um dos lugares mais distantes e a amálgama piscou os cílios postiços para mim.

— Quer jogar, querido?

— Só dando uma olhada.

— Sabe as regras?

— Claro. Quero uma cerveja e uma loura gelada.

Isso fez a sala inteira soltar risinhos de aprovação.

Eu tinha feito uma entrada melhor que no Sampson's, mas ainda não sabia o que procurava. Provavelmente seria a mesma sequência da última vez: falar com a atendente, depois com o patrão, e torcer para as respostas virem em palavras, não socos.

Eu não via mais ninguém no comando ali além da amálgama, mas alguém devia estar observando, porque alguns minutos depois uma humana baixinha subiu as escadas com uma tulipa gelada.

— Uma nota de bronze, bonitão. Posso guardar seu chapéu?

Entreguei a nota. Era quase a última.

— Não, melhor eu ficar com ele. Mantém o cérebro no lugar.

A risada dela era ensaiada e falsa, e teria soado igual não importava o que eu dissesse. Então ela empurrou minhas pernas e se sentou na minha coxa esquerda.

— E aí — ela falou, passando a unha pintada em volta do meu queixo —, você é só um admirador do jogo?

— Depende. Que jogo que é?

Outra risada. Dessa vez, um pouco mais verdadeira.

— Então veio pela vista.

— Na verdade, estou procurando um amigo. — Uma sombra de preocupação cobriu seus olhos. — Não se preocupe, não vim dar escândalo. Só quero algumas informações, se possível.

— Essa não é minha especialidade, senhor.

— Por favor, gatinha. — Não sei se era o lugar ou o calor, mas ouvi o exagero na minha voz. — Não deve ser o pedido mais louco que você já recebeu. E prometo não te arrumar problemas.

Ela estava com medo, mas isso não era surpresa. A maioria das garotas com esse tipo de emprego tem um chefe malvadão por trás dos panos.

— Que tal só curtir o jogo, senhor? A gente vai se divertir.

Ela fez carinho na minha outra coxa. Era um truque óbvio e barato, mas já fui comprado por menos e não vou dizer que não funcionava. Eu assenti. Ela relaxou. Não havia necessidade de assustar a menina tão cedo.

— Quanto tempo tenho com você? — perguntei.

— Quinze minutos. Mas tudo que você precisa fazer é comprar outra bebida e aí eu continuo por aqui.

Dei um gole na cerveja e desejei ter pedido algo quente, em vez de aproveitar o trocadilho. Era reflexo dos meus dias com Hendricks. Ele não só me ensinou coisas sobre combate e cultura, mas se esforçou ao máximo para me mostrar a beleza da arte das palavras também.

Comparados ao meu antigo mentor, os clientes eram uma desgraça. O tipo de ricaço que faz dinheiro parecer barato. As roupas eram novas e sem estilo, e eles riam das próprias piadas sem ouvir uns aos outros. A crupiê mantinha o sorriso no lugar conforme conduzia o jogo em uma velocidade saudável, que drenava lentamente a pilha de fichas dos caras.

O camarada torrando com duas garotas era um elfo. O rosto estava escondido no pescoço de uma das moças, sussurrando bobagens, enquanto a outra fazia as apostas por ele. Um humano com um moicano e prognatismo estava nervoso por perder dinheiro demais, então pediu para trocar de garota, para ver se dava mais sorte.

A loira passou o braço por cima dos meus ombros e se aproximou. Ela cheirava a baunilha e tristeza.

— Se isso não for divertido para você — sussurrou —, pode ficar me olhando. Eu sou muito divertida.

Não tinha dúvida disso. Virei o rosto para a orelha dela. Era minha vez de sussurrar.

— Harold Steeme.

Ela pareceu confusa.

— O que tem ele?

— O que você pode me contar sobre ele?

Ela olhou para a mesa. Fiquei com medo de que a garota estivesse tentando chamar a atenção da crupiê, mas então ela abriu um sorriso brincalhão.

— Ah, você quer saber como ele arrumou as duas garotas? É só dar outra nota de bronze, senhor. Tenho uma amiga lá embaixo que adoraria se juntar a nós. O que acha?

Não entendi do que ela estava falando até ver o elfo com as duas garotas virar o rosto de volta para a mesa.

Era Harold Steeme. Sem dúvida alguma. Ele estava igualzinho à foto.

Não como Carissa, que estava *parecida* com a foto, mas com rugas. Não. Harold estava *exatamente* igual à foto. Pele lisa. Jovem.

Eu mal conseguia acreditar. Harold Steeme encontrara uma maneira de voltar no tempo e ficar jovem de novo. De encher seu corpo com magia. Ele tinha feito o que eu passava meus dias dizendo às pessoas que era impossível.

Fiquei de pé num pulo e a menina quase caiu no chão. Eu a segurei e ela deu uma risadinha, se agarrando ao meu casaco para se manter de pé. Ela aproximou a boca da minha orelha de novo.

— Os cirurgiões fizeram um bom trabalho, mas ele ficou com uma cara idiota, né?

Cirurgiões?

Ah.

Eu me sentei de novo e dei uma boa olhada no homem que teoricamente tinha sido morto por suas dívidas de jogo.

O cabelo tinha sido pintado. O trabalho não estava malfeito, mas bastava prestar atenção para perceber. Era castanho-escuro, como na foto, mas a cor era uniforme demais. As bochechas estavam lisas, e os lábios, carnudos. Ele parecia jovem, acho. Mas agora que olhava com atenção, tinha algo de estranho na imagem geral.

— Harold ganhou um montão de dinheiro na Foice alguns meses atrás. Aí comprou uma cara nova. Mas você não precisa disso, né, bonitão? Pode gastar tudo comigo.

Ela tentou passar a mão por baixo da minha camisa. Eu me lembrei da máquina e agarrei seu pulso antes que ela me tocasse.

— Ei, cuidado, senhor.

— Desculpa. — Soltei a mão dela. — Estou meio tenso. Vi coisas impossíveis demais essa semana. O que aconteceu com ele?

— Ele foi a um médico que sabe como fazer a pele velha ficar lisa. — Ela se inclinou e beijou meu pescoço. — Mas a sua pele é perfeita, senhor. A minha também. Não é bom ser humano? Que tal a gente sair daqui e você dar uma olhada?

Peguei a cerveja e virei num gole só.

— Não, vamos jogar.

A menina me olhou desconfiada.

— Achei que você não sabia jogar.

— Eu não sei. Qual é o seu nome, hein?

— Cylandia.

— Parece nome de princesa.

— Talvez eu seja.

— Certo, Vossa Alteza, leve-me até a mesa de apostas.

— Quanto você quer apostar?

Tirei a última nota de bronze do bolso e entreguei a ela.

— É o suficiente?

— Não por muito tempo.

— A não ser que eu ganhe, né?

Nem a atitude positiva automática da garota conseguiu engolir essa. A gente se aproximou para sentar à mesa.

— Você entra na próxima rodada — disse a amálgama.

Ótimo. Última chance de prestar atenção.

— Se chama *Stracken o' Heros* — disse Cylandia. — É gnomês.

— O que significa?

— Alguma coisa tipo *Foda-se a lenda*. Cada jogador recebe quatro cartas viradas. A cada rodada eles pegam uma carta da pilha, olham e escolhem ou trocar por uma da mão ou descartar. Quando alguém acha que tem a melhor mão na mesa, diz "I Heros", que significa "Eu sou uma lenda". Aí os outros jogadores podem trocar a posição de duas cartas da mesa. Isso te dá a oportunidade de, se você souber onde as cartas estão, colocar uma carta ruim na mão da lenda. Por isso "Foda-se a lenda".

Observei o jogo enquanto ela me explicava as regras. Os jogadores tiravam cartas da pilha e trocavam com as da mão. Enquanto o moicano pedia mais drinques, percebi qual era a verdadeira natureza do jogo: distração. A cada rodada, mais cartas se moviam pela mesa, saindo da sua mão e entrando na dos outros. Era um jogo de mudança constante, memória, dedução, estatística, blefe e sorte. Você tinha que acompanhar onde as cartas que você conhecia estavam e deduzir das ações dos outros o que eles tinham na mão. Toda a conversa era uma forma de mexer com a cabeça dos demais jogadores. Diferente de outros jogos, em que era falta de educação conversar, a energia elétrica da mesa era parte da estratégia e do apelo ali.

Eu provavelmente aparentei estar com dificuldade para entender tudo, porque Harold Steeme abriu um sorriso caloroso cheio de dentes recém-trocados.

— Não se preocupe. A gente vai devagar nas primeiras rodadas.

O rosto dele estava quase jovem, mas não exatamente. Era difícil de se olhar, como se ele usasse uma máscara de pele arrancada do crânio de um homem mais novo.

— I Heros — disse uma lobisomem esbelta de lábios rachados. Ela era a única mulher na mesa. A acompanhante desabotoara quase toda a camisa dela e não parava de beijar seu pescoço desde que eu chegara. Se era para distrair os jogadores, estava funcionando.

Os outros quatro fizeram suas últimas jogadas. Todos podiam trocar qualquer carta virada na mesa por qualquer outra. O objetivo era ter o menor número de pontos na mão no final. Se a "lenda" ganhasse, levava tudo. Se outra pessoa ganhasse, levava metade, a mesa levava um quarto e o restante permanecia na mesa para aumentar o prêmio da próxima rodada.

— Existem duas estratégias na troca final — explicou Cylandia. — Você pode tentar diminuir os pontos na sua mão para ganhar ou pode encher a lenda com cartas altas para aumentar a pontuação. O melhor é quando consegue fazer as duas coisas.

Cada jogador fez seu movimento sem hesitação, como se a jogada necessária fosse evidente. Apesar das bebidas e das garotas, todos tinham uma boa ideia de onde as cartas boas estavam. O grandalhão roubou uma carta da lobisomem e Harold a roubou dele. Um gnomo, cuja mão obviamente não valia salvar, passou uma carta para a lobisomem que a fez gemer. Um orc de fala arrastada tirou uma carta do moicano. Então todos viraram as cartas.

A mão da lobisomem foi estragada por duas cartas de figura que tinha recebido. O moicano e o gnomo não se deram muito melhor. No final, Harold tinha a menor pontuação.

— Número três desafia — disse a crupiê, e então virou uma carta para si.

— A crupiê joga por último. Quatro cartas seguidas. Se ganhar, o prêmio fica para a casa. É muito raro, porque não tem nenhuma estratégia, mas ajuda a manter a casa.

A crupiê tirou uma série de cartas médias.

— Número três leva.

A amálgama dividiu o bolo em quatro pilhas iguais. Duas foram empurradas para a pilha de Harold, uma ficou para a crupiê e a última permaneceu no centro da mesa, para esquentar a próxima rodada.

— Quais as regras sobre falar durante o jogo? — perguntei à crupiê.

— Pode falar o quanto quiser.

— Minha amiga pode me ajudar durante o jogo?

— Claro, mas não se esqueça de que os outros jogadores também têm ouvidos.

— E talvez você ainda não tenha comprado a lealdade dela — disse a lobisomem com uma piscadela. — É ou não é, Cylandia?

Todos riram. Dava para ver o brilho nos olhos dos outros jogadores, animados para tirar um trocado do novato. Mas não o gnomo. Ele sabia, como eu, que um jogador novo é imprevisível. A estratégia normal sai pela janela, porque nem você nem ele sabem o que vai acontecer.

— As cartas valem o quanto diz — explicou minha (pelo menos eu esperava que fosse) confiável companheira. — Cartas de figura valem dez, exceto o valete, que vale um, e o coringa, que vale zero.

Aproximei a boca da orelha de Cylandia.

— Quando estiver mentindo, aperte meu joelho.

Um sorriso travesso surgiu na face perfeita dela. Cylandia apertou meu joelho duas vezes para mostrar que estava pronta. A amálgama distribuiu quatro cartas para cada jogador. Elas eram colocadas separadamente, lado a lado, todas viradas.

— Primeiro — disse minha companheira — você pode escolher duas cartas para olhar. É o *visto*. Depois disso, você só pode ver a carta quando tirar da pilha.

A lobisomem e o moicano já estavam discutindo, voltando ao jogo da distração. O gnomo mantinha a expressão estoica e Harold Steeme bebericava champanhe. O orc à minha direita contava o dinheiro como se se perguntasse onde ele fora parar. A crupiê pousou as mãos na mesa e disse:

— Visto.

Os jogadores ergueram a primeira carta.

— Eu conheço sua esposa — falei.

Todas as mãos se paralisaram, menos a minha. Peguei a carta à esquerda. Era uma figura. Tinha que me livrar dela em algum momento.

— Ótimo — disse a voz ao meu ouvido, enquanto meu joelho era apertado. Baixei a carta e peguei a do lado.

— Esposa de quem? — perguntou o orc. Percebi que minha isca fora mais eficaz do que a intenção. Harold não era o único naquela mesa escondendo coisas da parceira.

— Relaxa, eu estava falando com o elfo guloso.

Harold mal olhou para a carta antes de baixá-la para a mesa. Minha segunda era mais baixa.

— Não sei gnomês — falei para Cylandia. — É bom?

— Não é ótimo. — Apertão para mostrar que estava mentindo.

As garotas de Harold me olharam de cara feia. Acho que mencionar esposas não era educado no Cornucópia. Provavelmente dificultava os negócios.

— Ah, é? — disse Harold. — E eu conheço sua mãe. — Ele devia estar torcendo para que eu estivesse só tentando provocá-lo. Uma ou outra pessoa riu. — Como ela está, rapaz?

— Morta.

A lobisomem bufou. Parecia que eu não estava participando direito das distrações.

Saber que carta jogar era fácil. Cada um pegava uma carta da pilha por vez, olhava, devolvia ao centro ou trocava por uma das suas. Quando uma carta era devolvida, ela ficava virada para cima, para que o próximo jogador pudesse escolher pegá-la e não uma da pilha. A questão é que nem sempre você sabe do que está se livrando. Se por acaso devolver uma carta boa, o próximo pode pegá-la, mas aí todo mundo descobre o que é na rodada final.

— Você também está morto, né, Harold? — Tirei um valete de um ponto da pilha e ergui a carta para Cylandia admirar.

— Guarda essa aí, querido — falou ela, sem me apertar. O gnomo pareceu confuso quando obedeci e troquei pela carta de figura do visto. Ele achou que a gente só estava falando o contrário da verdade o tempo todo.

— Estou o quê? — perguntou Harold, depois de um tempo.

— Morto. Feito em pedacinhos porque arrumou problemas com uns malvadões lá no centro. Bom, essa é a história que corre, pelo menos. Não acho que você tenha planejado isso, foi só um acidente… Mas é o que ela acha que aconteceu. — O jogo continuou. Os outros jogadores estavam acostumados a virar cartas enquanto conversavam, mas minha história tinha capturado mais a atenção deles do que seria bom. — Sabe o que é engraçado? Fui contratado para dar cabo do homem que matou Harold Steeme. Agora, cá estou eu, sem corpo, sem arma do crime, sem confissão de vilão. Tudo que tenho é uma pergunta que não sei como responder.

O orc jogou fora uma das cartas que não tinha visto. Um ás. Eu a peguei antes que os outros percebessem. O moicano xingou quando a guardei na minha mão sem que ele soubesse o que era.

— Talvez você possa me ajudar, Harold. Talvez possa iluminar algumas partes da minha situação. — As cartas não paravam de cair de dedos nervosos. — Harold Steeme está vivo? Ou você o matou?

Fizemos outra rodada. O orc jogou uma carta fora. Peguei uma da pilha e nem olhei para ela. Meus olhos se demoraram em Harold, mas inclinei a carta o suficiente para Cylandia poder dar uma olhada. Ela apertou minha perna que nem uma jiboia.

— Você é o quê? Algum tipo de policial à paisana? — perguntou Harold.

— Só um cara que tenta ajudar quando pode.

— Bom, sinto muito que minha esposa tenha te arrastado para isso, mas não é problema seu. Você provavelmente acha que está fazendo um favor para uma coitadinha indefesa. Pode acreditar, é bem mais complicado do que você imagina. O que acha de terminarmos isso aqui, eu te pago uma bebida e a gente resolve essa situação? Você vai ser recompensado pelo seu tempo e até te dou um extra pelo silêncio. De acordo?

Todos os olhos estavam em mim quando troquei a carta misteriosa na minha mão pela que estava virada à minha frente. Bati na pilha de descarte e falei "I Heros!" como se já tivesse ganhado o jogo.

Todo mundo riu. Baixei os olhos e vi um ás que tinha jogado fora à toa.

— Merda.

Cylandia suspirou.

— Por que você não me obedeceu?

— Achei que tinha obedecido!

Risadas explodiram de todos, exceto Harold, cuja pele artificialmente lisa estava pálida e doentia.

— Em geral, fazemos mais algumas rodadas antes de alguém gritar "I Heros" — comentou o moicano. — A gente ainda estava no aquecimento.

A lobisomem pegou meu ás descartado. Era a jogada certa, a não ser que você achasse que eu tinha mão para vencer. E ninguém achava isso. Na verdade, ninguém estava pensando em nada. Todo mundo ficara de olho no bate-bola entre Harold e eu, e perdido a maior parte das cartas correndo pela mesa.

Por isso, todo mundo pegou o ás. A carta foi passada de um jogador para o outro até chegar a vez do orc. Ele olhava para a minha mão, resmungando baixinho, tentando se lembrar de onde eu tinha posto o valete que ele descartara duas rodadas antes. Mas estava bêbado demais e atento demais à minha história.

— Porcaria — soltou por fim, se contentando em roubar o ás como todo mundo.

O nervosismo dele deixou os outros jogadores tensos ao perceberem que tinham perdido alguma coisa. O orc foi o primeiro a virar as cartas.

Minha parceira quicava na minha perna.

— Faça as honras — falei para ela.

A loirinha virou as cartas da esquerda para a direita. Primeiro, o valete roubado do orc. Depois, um três. E um ás.

Cylandia olhou para a mesa. Muitas mãos ruins. Um coringa desperdiçado na lobisomem, que terminou com vinte pontos. Harold tinha a melhor mão: dois ás, um valete e um três. Seis pontos. Todos os olhos pousaram na minha última carta. Cylandia segurou com a ponta dos dedos e respirou fundo. Então virou.

Coringa.

Ela gritou e agarrou minha cabeça, plantando uma bitoca na minha bochecha. A amálgama virou suas cartas, mas estava fora desde a primeira delas, um seis. A pilha de dinheiro foi empurrada para mim: sete notas de bronze. O gnomo era o único sorrindo. Todos os outros estavam de cara amarrada.

— Muito bem — disse a lobisomem. — Mas isso não vai acontecer de novo.

— Pode deixar.

Tirei uma nota do maço e entreguei para Cylandia. Dei outra à crupiê e dobrei o resto no bolso da jaqueta.

— Que isso? — disse o moicano. — É falta de educação sair assim. Fica pra mais uma rodada.

— Obrigado, mas para mim chega. Tenho notícias a dar.

A boca de Harold abriu e fechou várias vezes enquanto ele tentava encontrar a coisa certa para me dizer. Dei as costas antes que ele encontrasse.

— Tem certeza de que não quer ficar? — perguntou a loira. — Consigo pensar em algumas maneiras bem divertidas de gastar esse dinheiro.

— Sinto muito, gatinha. Tenho trabalho a fazer.

Desci as escadas e saí para a noite. O público noturno estava chegando ao Rose Quarter. Nem o ar gelado vindo do Kirra era suficiente para manter os corações solitários longe dali.

Atravessei a ponte e segui. Talvez Sampson e a Foice tivessem parado de quebrar pernas, mas isso não significava que o negócio estivesse totalmente ultrapassado. Meu bolso estava cheio de bronze e eu solucionara o mistério em um único dia, mas, mesmo assim, não conseguia deixar de sentir que havia algo de errado.

Enquanto atravessava as ruas escuras da cidade, senti que alguém me seguia.

22

A alguns quarteirões de distância do Cornucópia, já nas ruas sinuosas do centro, encontrei uma barbearia que ficava aberta até tarde e tinha uma cabine telefônica que funcionava. Liguei para Carissa, que parecia estar dormindo.

— Tenho notícias. Não é o que a senhora esperava. Prefiro contar pessoalmente.

— Certo. Passo no seu escritório amanhã de manhã.

Pela vitrine da barbearia, do outro lado da rua, avistei um beco estreito. Algo se moveu na escuridão. Um vira-lata? Não. Vi um brilho repentino de alguém acendendo um cachimbo.

— Não quero assustá-la, sra. Steeme, mas certos elementos já estão em movimento. A senhora se importaria se eu fosse até a sua casa?

— Agora?

— Acho que é melhor.

Ela levou um bom tempo pensando. Do lado de fora, o brilho alaranjado no beco aumentava quando a pessoa inspirava. Eu me afastei da vitrine e me escondi atrás da parede da cabine.

— Tudo bem, então. Você vai demorar muito?

Ela me disse o endereço. Era uma caminhada curta cidade acima, na rua Treze Leste.

— Chego em quinze minutos.

Eu poderia levar menos de dez, mas queria fazer um desvio. Quando saí da barbearia, o brilho sumiu, pois a pessoa que me seguia cobriu o cachimbo com mão. Peguei o caminho para oeste.

Alguém estava me seguindo. Mas quem? Eu ando rápido. A pele de Harold podia ter sido cirurgicamente esticada, mas os ossos dele ainda eram velhos. De jeito nenhum ele conseguiria me acompanhar. Talvez tivesse pagado algum capanga para esperar lá embaixo. Não é má ideia quando você joga na mesa das apostas mais altas e quer se certificar de que ainda terá seu dinheiro ao chegar em casa.

Virei à direita, depois à esquerda e peguei um beco que dava em um cantinho escondido atrás de uma padaria. Esperei sem sequer pegar um Clayfield. Fiquei imóvel e silencioso até ouvir meu perseguidor chegar pelos paralelepípedos.

Toc. Toc, toc. Toc. Toc, toc.

Ele virou a esquina. Devagar. Não parecia nem um pouco um homem perseguindo alguém.

Toc. Toc, toc.

Uma das mãos segurava uma bengala. A outra, um cachimbo.

Toc. Toc, toc.

Usava terno preto e camisa branca, e o rosto estava escondido embaixo de um chapéu-coco.

Toc.

Ele parou bem na entrada do beco em que eu me escondia, olhou para um lado, depois para o outro. Suspirou, com um quê de ironia.

A luz da rua mal o tocava. Ele era só uma silhueta. O perfil de um personagem que pareceria à vontade estampando uma garrafa de bebida ou um saco de amendoins. Então, ele enfiou a mão dentro do paletó, tirou um fósforo e acendeu o cachimbo.

Quando puxou o ar, o fogo me deu um vislumbre repentino do seu rosto.

Aparentemente era humano. De meia-idade, com um bigode fino. As sobrancelhas, retas e severas, pareciam ter sido cortadas em seu rosto por um esgrimista talentoso. Tinha curativos em volta dos dedos e, sempre que o fogo aumentava, exibia sua boca em um sorriso.

Depois de dar algumas tragadas, o estranho jogou o fósforo no chão e se afastou, cantarolando com uma voz rouca.

Eu não devia ter deixado o cara escapar. Mesmo naquele instante, eu já sabia disso. Mas havia dois mundos que, naquele momento, tentavam caber na minha mente ao mesmo tempo.

O mundo em que eu queria viver era aquele em que Rick Tippity se disfarçava para explodir uma bola de fogo a um centímetro do nariz de Lance Niles. Era esse o mundo em que Simms queria viver também. O mundo pelo qual ela pagara caro.

Mas eu havia tropeçado em outro mundo. Um em que um homem de terno preto e chapéu-coco andava pela cidade. Um homem que se encaixava perfeitamente na descrição do assassino de Lance, mas não tinha nada a ver com Rick Tippity.

Deixei que ele voltasse para as sombras, murmurando uma musiquinha perturbadoramente familiar no ritmo dos seus passos.

Toc. Toc, toc.

23

Durante todo o caminho até a parte mais alta da cidade, passei por becos à procura de homens de bigode fino em ternos formais. Cada estalar nos paralelepípedos soava como sua bengala. Quando cheguei à casa de Carissa, bati à porta com mais urgência do que tinha previsto.

Ela me recebeu com um robe de veludo preto com gola de estampa de onça.

— Sr. Phillips, você está bem? Parece pálido.

— Ando me assustando com as sombras, sra. Steeme. Posso entrar?

— É claro. Pode seguir direto pelo corredor. A lareira está acesa. Eu poderia jurar que esses invernos pós-Coda ficam piores a cada ano.

Entramos na sala de estar e me sentei no sofá enquanto ela virava um pedaço de lenha em brasas na lareira.

— Peço desculpas pela minha aparência — disse. — O frio se infiltra nos meus ossos e me deixa cansada, então geralmente vou deitar quando o sol se põe.

— Eu é que peço desculpas pelo incômodo, sra. Steeme, mas as notícias que trago são um tanto estranhas. Não achei que fosse uma boa ideia a senhora estar sozinha quando as ouvisse.

— Muito gentil de sua parte. — Ela se sentou no sofá de frente para mim e tentou não parecer nervosa.

— Eu fui até a Foice, como você pediu. Falei com o ogro que você mencionou, e as informações que ele me deu me levaram até o Rose. A senhora está familiarizada com essa parte da cidade?

— Só conheço a reputação. Mas esse mesmo tipo de lugar existe em qualquer cidade, sob um apelido ou outro. Sei como as coisas funcionam por lá.

Apesar das linhas envelhecidas em seu rosto, Carissa Steeme sabia das coisas. Eu esperava que isso facilitasse.

— Acabei encontrando um novo tipo de casa de cartas, em que é possível fazer apostas e conseguir garotas no mesmo lugar. Um lugar para se divertir ao qual você só vai se estiver contente em deixar o dinheiro se esvair pelos dedos. Você e Harold tinham muito dinheiro guardado, sra. Steeme?

Ela inspirou fundo.

— Sim. Tínhamos.

— Você verificou suas finanças nas últimas semanas?

Ela baixou os olhos, triste e envergonhada.

— Só hoje, depois de sair do seu escritório. Deveria ter feito isso assim que descobri sobre as apostas, mas acho que não queria aceitar o que ele havia feito.

O fogo cuspiu uma fagulha no tapete. Ela estendeu o pé e a matou com a sapatilha.

— Você já suspeitou de que ele possa estar mentindo? — perguntei.

Seus olhos se ergueram de repente.

— Harold tinha seus vícios. Como todos nós. Eu não pensei que um homem como você julgaria os outros assim tão facilmente.

Baixei a cabeça, apologético, e ergui a mão.

— Não foi minha intenção. Só espero que tenha tomado precauções. Separado algum dinheiro em um lugar que ele não soubesse. Não precisa me dizer onde, só espero que tenha se precavido.

Ela tomou um gole de água para engolir a raiva que subia.

— Sim, fiz isso. Não que eu não confiasse nele ou suspeitasse de que faria algo contra mim, mas Harold era um homem complicado. Ele tinha seus problemas.

— Tem — tossi, como se a palavra fosse um pouco de catarro preso na garganta.

— Perdão?

— Ele *tem* problemas, sra. Steeme. Seu marido ainda está vivo.

Ela retrocedeu todos os estágios do luto. Depois de dez segundos, parecia capaz de quebrar o pescoço de qualquer homem que cruzasse seu caminho, o que me fez questionar se eu deveria correr para a porta.

— Tem certeza disso?

— Sim. Eu o vi.

— Nesse… prostíbulo?

— Aham.

O copo dela explodiu na parede. Baixei os olhos para o chão.

— Perdão — disse ela. — Só preciso de um momento.

Ela se levantou e saiu da sala. Dez minutos depois, voltou com dois copos e uma garrafa de uísque, e nos serviu uma dose cada.

— Ele sabe que você o viu?

— Sim, sinto muito. Eu meio que acabei falando demais.

— Não tem problema.

Eu nunca tinha visto alguém se recompor tão rápido quanto ela. Ela se recostou e bebericou o uísque como se tudo tivesse acontecido um século atrás. A bebida era a melhor que eu tomava em muito tempo, e falei isso para ela.

— Era do Harold. Ele estava guardando para uma ocasião especial.

— Bom, acho que vou beber um pouco mais, então.

Ela riu, e sua risada era balanceada perfeitamente, como o uísque: o exato equilíbrio de luz e sombras.

— Tem mais uma coisa — acrescentei.

— Por favor, não quero ouvir sobre outras mulheres. Já é o bastante para uma noite só.

— Não. Não é isso. Mas é algo meio estranho.

Contei então sobre o rosto de Harold. Como algum médico tinha costurado sua pele como uma jaqueta velha. Alisado as rugas para criar uma estranha nova versão do seu antigo eu. Quando terminei, Carissa não se mexeu. Seu rosto estava impassível. Ela baixou o copo, se recostou e ficou em silêncio por algum tempo. Talvez por quinze minutos.

— Acho que é melhor eu deixar a senhora em paz — falei, enfim.

Carissa se deitou no sofá e descansou os pés no apoio de braço.

— Não precisa ter pressa. Acho que não vou conseguir dormir. Fique, se quiser. Aproveite o uísque.

Foi o que fiz. Servi mais uma dose para ela, tirei as minhas botas e fiquei confortável enquanto ela me contava sobre sua vida, seu casamento condenado ao fracasso e como as coisas eram antes de o mundo se fazer em pedaços. A gente ficou bêbado, ela começou a me paquerar e rimos até chorar de coisas de que não me lembro. No fim, devo ter começado a cair no sono, porque em certo ponto abri os olhos e ela estava arrumando um cobertor em volta dos meus ombros.

— Eu dormi?

— Não tem problema. Você teve um dia e tanto, rapaz.

Quando ela se inclinou na minha direção, seu robe se abriu. Mantive meus olhos nos dela. Havia um mundo inteiro dentro deles, nadando em círculos; lembranças, séculos, raiva e vergonha e uma pessoa inteira que desaparecera do espelho do nada. Aqueles olhos me deixavam triste, então fechei os meus, e seus dedos acariciaram meu rosto antes que ela se fosse.

24

Acordei no sofá da casa de Carissa Steeme. Havia um gosto de uísque velho na minha boca e alguém de pé ao meu lado, resmungando raivosamente.

Abri os olhos. A máquina estava no chão, ao lado das minhas botas. Eu a tirara do coldre durante a noite para não explodir meu próprio peito enquanto estava bêbado.

— Seu merdinha desprezível. Ainda é a minha...

Era Harold, de volta ao lar pela primeira vez desde que arrumara a cara nova. Ele estava olhando para a mesinha de centro e balançando a cabeça. Procurei embaixo do cobertor, mas não consegui encontrar minha faca ou o soco-inglês. Ainda estavam no meu casaco, no chão. Harold continuou resmungando. Ainda estava bêbado, assim como eu.

— ... Isso aqui ainda é a minha casa.

Harold pegou o atiçador de lareira e quebrou a garrafa vazia de uísque, estilhaçando o vidro exatamente como a esposa fizera com o copo na noite anterior.

Eu me sentei no sofá e só então Harold percebeu que era eu ali. Ele ergueu o atiçador e concentrou os olhos no topo da minha cabeça.

— Eu te disse que isso não era da sua conta.

Ele baixou o atiçador e eu me defendi com os antebraços. Os músculos dele não tinham sido refeitos como a pele, então o baque não foi grande. Arranquei a arma das mãos dele e a joguei do outro lado da sala.

— Eu só estava fazendo meu trabalho, velhote. Sem ressentimentos.

Fiquei de pé. Harold deu um passo para trás.

— Saia da minha casa.

— Perdão, Harold. Só recebo ordens da dona da casa.

A parte de cima da garrafa ainda estava na mesa, e Harold a pegou, segurando pelo gargalo com as pontas afiadas viradas na minha direção. Eu não sabia se conseguiria arrancar aquilo dele sem abrir uma veia. Meus olhos baixaram para a máquina. Os dele também.

— O que é isso? — perguntou.

— Nada.

— Para trás.

Ele agitou a garrafa quebrada e eu obedeci. Então ele andou até que a máquina estivesse aos pés dele. Tentei me aproximar enquanto ele olhava para baixo, mas ele balançou a garrafa de novo.

— Eu falei *para trás*.

— Já estou atrás!

— Saia da minha casa!

Dei um passo grande para trás e senti o atiçador embaixo do meu pé.

Harold se abaixou e pegou a máquina. Foi exatamente como da primeira vez em que a vi. Não precisava de instruções. Seus dedos se dobraram em volta do cabo de madeira e ele considerou o peso da coisa. Perguntou-se qual seria seu propósito. Talvez até sentisse o poder.

Chega.

Encaixei o pé embaixo do atiçador e o chutei para cima, para a minha mão. Foi sem jeito, mas consegui pegar. Girei o ferro e acertei o braço de Harold. Ele largou a máquina no carpete e gritou quando acertei um chute em seu peito. Os joelhos fraquejaram e ele caiu no chão. Tive que me segurar para não socá-lo. Apesar do seu novo exterior, por baixo ele ainda era um saco de ossos frágil.

As mãos dele começaram a sangrar porque ele caíra em estilhaços da garrafa quebrada. Para um velhinho como ele, aquele ferimento era o suficiente para acabar com a briga.

— O que você quer?

Peguei a máquina.

— Quero que você vá embora.

— Essa casa é minha.

Apontei o tubo para a cara dele.

— No momento, não é, não. Quero que você se limpe, saia e volte quando estiver sóbrio.

Ele tentou fazer uma cara de escárnio, mas não foi muito bem-sucedido.

— Ou? Você vai fazer o que com isso daí?

Eu estava de ressaca, dolorido e de saco cheio daquela atitude de riquinho metido.

— Vou fazer sua cabeça explodir, Harold. O que acha disso? Vou apertar esse botão e sua carinha nova em folha vai pelos ares.

Ele bufou.

— Impossível.

Minha mão continuou firme. De repente, ele não tinha mais tanta certeza.

— Você tem razão. É impossível. A magia se foi. Para sempre. Então que tal eu te mostrar um milagrezinho?

— Chega.

Carissa estava na porta da sala, com o robe fechado. Em seu rosto, a exata expressão que homem nenhum quer ver quando volta para casa.

Guardei a máquina no coldre e tentei ficar invisível.

Harold se levantou, as mãos cobertas de sangue. Ele tentou falar alguma coisa, qualquer coisa que fizesse sentido, mas sabia que não havia como se explicar.

Em vez disso, ele abriu a carteira e tirou um maço de dinheiro. As marcas sangrentas de seus dedos mancharam as notas de bronze quando ele as estendeu para Carissa, amassadas e patéticas.

— O que você está fazendo? — perguntou ela.

Harold deu um passo para a frente, com o braço estendido, mas ela deixou claro que não aceitaria aquela oferta banal. Ele foi forçado a deixar o dinheiro manchado na mesinha.

— Eu só... queria te devolver.

— Me devolver?

— Sim. O que eu peguei.

Eu não sou dos mais espertos. Não sei nada sobre a vida e menos ainda sobre mulheres, mas nem eu teria vindo com uma palhaçada dessas. Dava para encher um balão com o vapor que saiu da cabeça de Carissa naquele momento.

— O que você tem aí no bolso, Harold? Cem anos? Está escondendo uma vida inteira de lembranças no cu? Você não roubou dinheiro, meu querido. Você roubou meu valor e minha dignidade e vendeu tudo isso por uma máscara de mau gosto.

Harold continuou abrindo e fechando a boca, esperando que as palavras certas brotassem em sua mente, mas isso não aconteceu. Então ele se sentou.

— Saia daí, Harold — disse ela. — Você não vai ficar.

— Não — respondeu ele. — Não vou.

E pronto. Parte dela esperava um pedido de desculpas. Esperava vê-lo de joelhos, confessando seus pecados e erros e pedindo perdão. Talvez ela até concordasse.

Mas não era para isso que ele viera. Ele viera para pagá-la. Para comprar seu perdão de modo que pudesse andar por aí com seu novo corpo sem sentir culpa.

Achei que Carissa cuspiria na cara dele. Mas ela só murmurou:

— Fora daqui. Vocês dois.

Harold baixou os olhos para as mãos. Carissa fechou os olhos. Eu quase conseguia ouvir a voz na sua cabeça, dizendo a si mesma para esperar até que ele tivesse ido embora para começar a chorar.

Pousei a mão no ombro de Harold.

— Vamos.

Ele assentiu. Eu o ajudei a se levantar, levei-o até a porta e fiz a gentileza à sra. Steeme de não olhar para trás.

※

Do lado de fora, o sol nascente acertou meus olhos que nem spray de pimenta. Harold cobriu o rosto, tão infeliz quanto eu.

— Quer beber alguma coisa? — perguntou.

Que maluco. Um minuto atrás a gente estava tentando se matar. Agora ele queria ser meu amigo. Harold Steeme tinha um problema sério se estava disposto a esquecer tudo aquilo para ter alguém com quem beber.

— Claro — respondi. — Você decide onde.

25

O único lugar aberto em que se podia beber era um bar vagabundo com carpete gasto e sem janelas. O balcão tinha cinco bancos, um barril de cerveja quente e uma única lâmpada elétrica zumbindo acima do cliente solitário: um ciclope centenário dormindo com a cabeça entre as mãos. A dona do bar era uma velha maga banguela e com dois dedos a menos. Harold pegou um punhado de guardanapos para colocar nos dedos, que ainda sangravam, e pediu uma caneca de cerveja para si como se eu não estivesse ali. Pedi outra para mim. A bebida parecia ter sido feita com aquela primeira água que sai dos canos depois de não terem sido usados por algum tempo.

Harold suspirava. O ciclope roncava. A maga soltava soluços e eu me perguntava se finalmente encontrara o pior bar de Sunder City.

Eu não queria conversar com Harold. Odiava o cara quase tanto quanto a mim mesmo, mas era melhor do que ouvir aquela sinfonia de roncos e arrotos.

Tomei um gole comprido da cerveja, o que me ajudou com a ressaca, apesar do gosto.

— Como você está, Harold?

Ele suspirou de novo, como se eu não tivesse ouvido da primeira vez.

— Confuso. Não quero voltar para ela, mas também não diria que estou feliz onde estou. Sei que só preciso esperar até me acostumar com as coisas do jeito que são agora, mas leva tempo. Mais tempo do que tenho.

— Então por que você fez isso?

Ele já tinha acabado a cerveja, então pediu outra. A maga entregou a caneca com uma piscadela. A cara nova de Harold parecia funcionar para alguém.

— Porque só conheci uma mulher a vida inteira. Eu estava feliz com isso porque achei que teria uma eternidade à minha frente. É fácil se comprometer quando você acha que terá mais de uma vida para aproveitar. Não sei como vocês, humanos, conseguem. Oitenta anos, com sorte. Trinta anos bons. Como você pode dar tudo isso para uma pessoa só?

Harold estava falando de coisas de que eu não tinha conhecimento. Tive poucas amantes. Nenhum relacionamento. Mas já me sentei em muitos bares ao lado de homens com problemas parecidos, então o que eu sabia dava para o gasto.

— Você não é o primeiro cara a querer transar por aí apesar de ter uma garota em casa, Harold. Mas tinha que gastar as economias dela numa cara nova?

— Talvez não. Com certeza não pelas garotas. Afinal, ainda pago para estar com elas. Mas isso me faz sentir melhor.

— Mas por que fazer isso escondido e deixar sua esposa achar que você tinha morrido? Se você não tivesse mentido, talvez ela ficasse feliz em te ver assim de novo.

Ele lambeu os lábios e uma emoção verdadeira transpareceu naquele rosto recauchutado.

— Porque isso não tem a ver com ela. Claro, estou péssimo e os dias são longos, mas pelo menos eles são *meus*. Se eu precisasse aguentar um ou dois séculos assim, aí seria motivo para preocupação. Mas tenho uma década pela frente, se tanto. É uma vida solitária, mas pelo menos não dura para sempre.

Não pude deixar de pensar em como seria envelhecer com Amari. Crescer em tudo com ela. Não conseguia imaginar que algum dia me cansaria da sua voz. Que me cansaria das coisas que antes achava tão incríveis. Ouvi-la contar uma história tantas vezes que me faria querer arrancar os cabelos. Conhecer seu mau hálito matinal e suas ondas de mau humor. Ver alguma parte do seu corpo que não achasse perfeita. Ficar decepcionado com ela. Sentir vergonha dela. Sentir nojo. Desejar um momento sozinho. Me perguntar como seria o toque de outra pessoa. Mentir para ela. Abandoná-la. Fiquei furioso com Harold de novo. Ele tinha tudo que eu queria e jogou fora.

— Esse é um jeito egoísta de se viver, Harold.

— Aham. E quem disse que não devemos ser egoístas? Quem determina o que devemos ser ou não? Só um idiota veria o que aconteceu com o mundo e acharia que existe algum tipo de plano. Ninguém vai se importar se eu passar meus últimos dias em uma cadeira de balanço com Carissa ou quicando em uma prostituta. — Aí ele se virou e olhou para mim como se só então tivesse percebido que eu estava ao lado dele. — Por que você se importa?

— Porque, apesar do que aconteceu com o mundo, ainda existe certo e errado.

Ele bufou.

— É por isso que você faz o que faz? Porque acredita em certo e errado? Acho que você está mentindo, amigão. Você só está se mantendo ocupado com as coisas pequenas porque as grandes são difíceis demais. Você é igual a todo mundo. — Ele pediu um uísque para acompanhar a cerveja.

Um café da manhã e tanto. — Além disso, para ela é melhor assim. Ela não tinha força suficiente para tomar essa atitude, mas depois que a tristeza passar, ela vai ver que isso é o melhor para nós dois.

Virei a cabeça, enojado. Ao meu lado havia uma edição vespertina do *Sunder Star* do dia anterior. A manchete dizia: "Químico bruxo acusado de assassinato."

Harold Steeme estava se enganando. Era óbvio vendo de fora. Inconfundível. Ele criara uma versão dos fatos e se agarrava a ela para não precisar admitir que havia cometido um erro.

Mas ele não era o único.

Eu tinha tentado me distrair com esse caso, mas agora que terminara, não podia mais me esconder da mentira que contava a mim mesmo.

Um homem estava atrás das grades por minha culpa. Na época, eu acreditava que era pelos motivos certos. Mas agora? Agora eu tinha uma máquina de matar presa ao peito. Agora um homem de terno preto e chapéu-coco caminhava pelas ruas de Sunder.

Nada mais fazia sentido, não importava o quanto eu quisesse.

Eu precisava falar com Rick Tippity.

26

Tippity não estava onde o deixei, na cela da cadeia. Também não estava na delegacia. Parei na mesa de Richie para descobrir o que estava havendo.

— Ele está na Goela.

— E o que é Goela?

— Uma prisão nova que o prefeito está construindo. Celas especiais para criminosos mais perigosos.

Era a primeira vez que eu ouvia falar disso. Em uma cidade sem comida, emprego ou serviços públicos, pagar por uma nova prisão não deveria ser prioridade.

— Por que diabos ele está construindo uma prisão nova?

— Porque merdinhas como você estão enchendo a cabeça das pessoas de monstros. Quando você e eu éramos pastores, mesmo que as pessoas não estivessem mais seguras, a Opus as fazia *se sentirem* seguras. Eu me lembro de dizer a você uma vez que a forma como as pessoas nos veem pode ser tão importante quanto o trabalho que realmente fazemos. Agora todo mundo acha que está sozinho, se escondendo de criaturas que ainda não têm nome. O prefeito quer que pareça que estamos no controle de novo.

É verdade que boatos assustam mais as pessoas do que a realidade. Se as pessoas nas ruas estavam ouvindo histórias sobre vampiros mortos-vivos voltando para Sunder para se alimentar de garotinhas, cobrariam da cidade algum plano em resposta.

Essa resposta era a Goela. Não passava de um buraco imundo em que os criminosos estranhos e imprevisíveis eram largados. Era um antigo silo de grãos no lado nordeste da cidade que passara por uma transformação desagradável. Abriram uma porta na lateral, reforçaram a estrutura com aço reciclado, arrancaram o chão, cavaram na terra e construíram algumas celas impenetráveis no fundo. Era um esforço apressado, uma jogada de marketing, concluído bem a tempo de um bruxo maluco atirar magia pelos dedos e um faz-tudo empolgado demais arrastá-lo pela porta principal da cadeia.

Quando cheguei, Simms estava do lado de fora conversando com alguns guardas. Ela me viu e não havia nada além de frustração no seu rosto. Pelo menos não precisamos fingir irritação um com o outro dessa vez.

— Eu te falei para ficar em casa. Você está horrível.

— Não diga isso. Estou passando hidratante e tudo.

— Você foi ao médico?

— Aham.

— E o que te mandaram fazer?

— Comprar um chapéu. Cadê o Tippity?

— No buraco.

— Quero falar com ele.

Ela deu uma risada de verdade.

— Tá de sacanagem, né?

— Não. A gente ficou amigo na estrada. Sei lá, estou com saudade dele.

Ela não estava engolindo minhas palhaçadas, mas nossa recente amizade a impediu de me ignorar totalmente. Em vez disso, Simms mandou seus subordinados se afastarem.

— Fetch, você não deveria estar aqui. Isso é uma investigação de assassinato. Vou te procurar antes do julgamento para conversamos sobre o seu depoimento, mas não quero que você faça nada idiota que possa estragar o caso.

— Tipo o quê?

— Com você é impossível prever. Você pode brigar com o prisioneiro. Dizer alguma coisa que não deve. Dar uns tapas nele. Ele está *preso*. As coisas estão se desenrolando como devem. Vá para casa. Durma um pouco. Espere eu te ligar. Foi para isso que te paguei.

Ergui os olhos para o silo. Era uma mistura de metal, pedra e madeira com a intenção de parecer impenetrável. Havia uma única porta pesada, e nenhuma janela. Algumas prisões eram criadas por necessidade. Algumas, por punição. Aquela era um aviso.

— Simms, e se não tiver sido ele?

Sua boca se abriu em choque, mas com as presas compridas e cuspe preto, a expressão só parecia assustadora.

— Foi você que entregou o Tippity!

— Eu sei.

— Você viu o bruxo congelado.

— Vi.

— E Tippity confessou aquele assassinato.

— Mais ou menos.

— Você viu o cara destruindo corpos de feéricos com seus próprios olhos!

— Aham.

— E ele usou a magia que havia neles para te queimar e se queimar. Não foi isso que você falou?

— Foi.

— Então qual é a porra do problema, Fetch?

— Nenhum. Desde que ele tenha matado Lance Niles.

Ela cuspiu na lama.

— Fetch, eu te contratei para encontrar o assassino de Niles. Um assassino que usava magia. Você apresentou um bruxo cheio de bolas de fogo no bolso: os primeiros feitiços que vemos em seis anos. Agora você está querendo questionar se pegamos o cara certo?

— Não quero questionar nada, só quero confirmar. Eu dormiria melhor.

Ela era uma policial melhor do que queria ser. Um policial ruim teria me mandado para casa. Um policial ruim se agarraria à história redondinha que tinha em mãos. Mas um bom policial se importa com a verdade.

— Que merda, Fetch. Você tem cinco minutos.

O interior da Goela não era tão escuro quanto eu esperava. Isso porque não havia um telhado. A parte de cima era aberta, tornando o projeto ainda mais frio, úmido e cruel.

As escadas eram de pedra bruta, descendo sem corrimão até as oito celas no centro. Seis delas estavam vazias. Uma ainda estava sendo construída. Na última estava Rick Tippity.

Ele estava sentado no chão, na lama, e seu cabelo, antes tão bem arrumado, estava escorrido e marrom. Os óculos estavam tão sujos que eram inúteis. A barba por fazer era grisalha, mas seus olhos continuavam iguais. Indignados. Superiores. Pacientes.

Um guarda esperava lá embaixo. Tinha um guarda-chuva e botas, mas, tirando isso, enfrentava a mesma punição que o prisioneiro.

— Não chegue muito perto — avisou, e me controlei para não revirar os olhos. Sem suas bolsinhas de couro, Tippity era inofensivo. Ele me encarou pelos óculos sujos com um ódio puro e constante.

— E aí, Rick? Gostei da casa nova. — Esperei que ele respondesse, mas o filho da mãe nem piscou. — Imagino que vão te manter aqui até o julgamento. O julgamento no qual você será acusado de vários crimes horríveis. Um julgamento no qual, além de uma quantidade imensa de evidências, devo ser a principal testemunha de acusação.

Sua bochecha esquerda se moveu involuntariamente. Eu continuei.

— Vi você abrir a cabeça daqueles feéricos, Rick. Eu...

— Eles já estavam mortos, seu merdinha.

Pelo menos ele estava falando.

— Me deixa terminar. Eu te vi abrir o corpo daqueles feéricos. Eu vi seu amigo congelado nos fundos da farmácia, preso em um grito. Perdi minhas sobrancelhas em uma daquelas suas bolsinhas de magia. Mas não te vi matar ninguém. Acho que você *tentou* me matar. Se tivesse me acertado com mais força na cabeça, talvez conseguisse. E se tivesse feito uma poção melhor, talvez tivesse arrancado a minha cabeça no início dessa confusão e poupado nós dois de muito trabalho. Mas não foi isso que aconteceu, foi? Quando a bomba explodiu no seu bolso, você nem perdeu as bolas. Então, ou as últimas duas bolas de fogo eram consideravelmente menos poderosas do que a que você usou para explodir a cabeça de Lance Niles, ou as coisas não fazem muito sentido.

Tippity não estava entendendo o que eu queria dizer. Deve ter achado que eu estava me preparando para o julgamento, descobrindo como atrapalhar sua defesa antes de sequer começar.

— O que você quer saber?

— Quero saber o quanto a sua magia é realmente poderosa.

Ele queria falar. Estávamos tocando no seu assunto preferido, mas ele sabia que precisava agir com cautela.

— Por que você quer saber?

— Qual é, Rick? Você falou muito enquanto a gente estava voltando para a cidade, mas nunca vi nada que confirmasse o seu falatório. Você está mesmo sentado nessa pocilga por causa de um punhado de pó de pirlimpimpim? Não venha me dizer que todos aqueles discursos eram só por um showzinho de luzes e cores. — Ele literalmente mordeu a língua. — Vai ser um dia triste para todos nós se eu tiver que ficar na frente do juiz e dizer que essa confusão toda foi por causa de um bruxo qualquer soltando faíscas.

— Depende da fonte, seu idiota.

Agora sim.

— Como?

— Existem centenas de espécies de feéricos, cada uma com história, talentos e conexões ao rio sagrado. Pedaços conscientes do fogo, da floresta e do ar que caminhavam pelo mundo. Cada um deles continha uma formulação química diferente. Portanto, faz sentido que cada essência reaja de forma diferente ao ser liberada, não faz?

Fazia sentido. Pensei nos rostos espalhados pela igreja e em como Tippity escolhera cada um cuidadosamente, extraindo almas específicas para seus experimentos. Fiquei enjoado de novo.

— Foi isso que aconteceu? Você usou um dos fodões no Lance Niles? Por isso ele explodiu e eu não?

Um esgar se espalhou pelo rosto dele como uma micose.

— Não. Eu não matei aquele cara, seu imbecil.

Fiquei observando Rick Tippity por um momento. Nenhum de nós tinha mais nada a dizer.

Merda.

Eu acreditava nele.

Eu estava exausto e dolorido, mas não conseguia dormir. Então, à noite, peguei uma lanterna e segui para o sul da cidade. De volta ao estádio.

As coisas tinham mudado desde aquela noite com Warren e Lina. Uma parte do campo fora fechada e havia equipamentos de construção espalhados por todos os lados, iluminados por luzes elétricas laranja. Talvez o prefeito quisesse recomeçar os jogos. Nada como um pouco de esporte para distrair a cabeça da miséria nas ruas.

Esperei um pouco, até ter certeza de que estava sozinho, então me escondi embaixo das arquibancadas. Sob uma delas encontrei um velho boneco de treinamento: um saco em formato de pessoa usado para treinar ataques. Eu o arrastei para o campo e o apoiei em um poste.

Tirei a máquina do coldre e a ergui a uns trinta centímetros da cabeça do boneco.

Então apertei o botão.

Um relâmpago emergiu das minhas mãos, ecoando até a cidade. Da ponta do tubo, uma espiral de fumaça surgia sob a luz da lanterna.

A cabeça do boneco tinha um buraco agora. Nuvenzinhas de algodão saíam dele, voando com o vento. Ergui a lanterna para analisar o dano com mais atenção.

O buraco era pequeno na frente. Como o espaço deixado pelos dentes incisivos ausentes na boca de Lance Niles. Puxei a cabeça do boneco para a frente e havia uma cratera atrás. Como o buraco que surgira na bochecha e no pescoço de Lance Niles. O estofo se espalhara para as duas direções, como o sangue de Niles. O tecido estava queimado nas beiradas, como a gola enegrecida de Niles.

Rick Tippity não estava no Bluebird Lounge. Lance Niles se encontrou com outro convidado. Alguém que segurava a mesma máquina de matar horrenda que eu tinha nas mãos agora.

Não havia magia ali. Só uma combinação terrível de parafusos e metal. Uma ferramenta feita de substâncias químicas e aço, cujo único propósito era causar morte. Eu odiava aquela coisa, e odiava ainda mais como ela me atraía. Era um veneno de ação rápida. Uma queda sem medo. Um afogamento enquanto se está inconsciente. Uma facada no coração. Era a morte, entregue em um instante.

Olhei para o tubo. Para aquela escuridão elegante.

Deixei o dedo descansar no botão.

Instantâneo.

Minha mão estava firme. Meus olhos enxergavam com clareza. O suficiente para, ao olhar o tubo, ver um pequeno escudo no metal. Letras minúsculas gravadas no guarda-mato.

V. Stricken.

A máquina da morte tinha um criador. Talvez fosse a mesma pessoa que matara Lance Niles. Talvez fosse a mesma pessoa que deixara aquilo na minha mesa.

No mínimo, era um caminho a seguir. Uma chance de esclarecer as coisas. Tirei o dedo do botão e voltei para casa.

No dia seguinte, copiei a marca do fabricante em um papel e saí pela cidade perguntando às pessoas se reconheciam aquilo. Fui primeiro a um ferreiro, depois a um armeiro, mas ninguém conhecia o fabricante. Levei a lojas de armas nos dois extremos da cidade, mas nada. Enfim consegui uma resposta na rua Nove Leste, de um goblin que vendia isqueiros, canivetes e tabaco em um armazém de esquina.

— Ah, sim, é o Victor. Que eu saiba, ele ainda está no Vale. É bom, mas é um babaca e muito careiro. Me diz o que você quer, que eu consigo te arrumar por menos de um quarto do preço.

Não ousei mostrar a máquina a ele. Exibi-la na casa dos Steeme já tinha sido uma grande idiotice. Agradeci a ajuda e anotei o nome.

Alguém pusera a arma nas minhas mãos, e eu só conseguia pensar em três motivos para isso: para me incriminar pelo assassinato de Lance Niles, para que eu cedesse à tentação e me matasse ou para me fazer seguir essa jornada misteriosa.

Qualquer que fosse o motivo, eu só tinha uma ideia de onde conseguir algumas respostas: fora de Sunder City, no Vale Aaron, com Victor Stricken.

27

Eu estava duro de novo. Sem dinheiro. Embora tivesse uma pequena fortuna embaixo da minha bunda, atravessando a neve.

O treinador me disse que eu receberia a maior parte do bronze de volta se devolvesse a égua inteira. Muito fácil falar com aquele tempo, mas recebi muitas dicas para me ajudar: não forçar a égua a correr demais, mantê-la seca, aquecê-la e resfriá-la devagar, verificar os cascos com frequência e não sair da estrada.

Tiramos as ferraduras dela para que os cascos não escorregassem no gelo. Comprei uma coberta para proteger o lombo dela enquanto estivesse montando e outra para acrescentar à noite. O treinador cortou sua franja, deu-lhe uma bela refeição e caminhamos com ela pelo pátio para alongar seus músculos. Perdi metade de um dia e todas as minhas economias, mas ela era, sem sombra de dúvidas, a coisa mais linda que eu já tive.

O treinador me deu tantos conselhos para meu próprio cuidado quanto para o dela: levar comida e uma garrafa térmica de chá quente, fazer pausas, me alongar e não dormir na sela, não importa o quão tentador fosse.

O nome da égua era Frankie. A crina dela era grossa e seu pelo era preto e marrom, mais comprido perto dos cascos, como se fossem calças boca de sino. Eu lhe dei um punhado de aveia e uma maçã, e partimos.

Havia cavalos em Weatherly, mas só eram usados para puxar carroças ou arados. Nunca para cavalgar. Esse treinamento veio quando entrei na Opus.

Na noite em que me alistei, eu, Hendricks e Amari comemoramos a ponto de quase nos intoxicarmos. Tive um dia para me recuperar antes de Hendricks me arrastar para fora da cama e me colocar em cima de um cavalo.

Saímos da cidade com alguns potros insolentes, e Hendricks se esforçou ao máximo para me ensinar a cavalgar. Não foi fácil. Na manhã seguinte, um grupo de pastores se juntou a nós e começamos nossa jornada para o oeste.

Hendricks era meu amigo e meu mentor, mas, acima de tudo, ele era um líder. Naquela longa viagem até a central da Opus, tive o primeiro gostinho do que nossa nova relação seria.

Ele sabia me instigar a continuar até que eu estivesse cansado, mas não exausto. Eu tentava não reclamar, mas quando minha bunda pegava fogo e as pernas tinham cãibras, escapavam uns protestos. Sempre que isso acontecia, ele seguia em frente, e fazia com que eu me forçasse um pouco mais. Me mostrava que eu era mais durão do que pensava. Quando eu voltava a ficar quieto e impassível, ele anunciava que estava na hora de descansar.

Com essas lições gentis e quase invisíveis, ele me transformou de um menino de recados em um guerreiro. Nós ainda ríamos. Ainda comíamos juntos diante da fogueira. Ainda éramos amigos, mas o tom mudara. Não tinha outro jeito. Ele era meu chefe. O que antes eram recomendações se tornaram ordens. Brincadeiras bobas viraram repreensões. Perguntas se tornaram testes, e eu não podia dormir até respondê-los corretamente.

Eu compreendia por que as coisas tinham que mudar. Ao permitir que eu entrasse na Opus, ele estava arriscando sua reputação. Tudo que eu fazia era um reflexo de seu discernimento. Minhas falhas agora eram *suas* falhas. Minha inocência expunha falta de conhecimento. Minha confusão atrasava as coisas. Meus erros minavam sua autoridade.

Eu sempre achara que não havia respostas erradas com Hendricks. A pergunta era sempre mais importante que a resposta. Mas isso não era mais verdade. No caminho de volta à central da Opus, aprendi quais fatos, datas e palavras estrangeiras usar em certas situações para não causar um incidente internacional.

Mas eu estava feliz. E como não estar? Nós estávamos juntos, na estrada, prontos para aventuras. Pela primeira vez na minha vida eu sentia que alguém me conhecia de verdade. Eu poderia viver naquela época para sempre.

Frankie sacudiu a cabeça, bagunçando sua crina e fazendo meus braços estremecerem. As nuvens haviam sumido e não restava nada à nossa frente além de flocos brancos e céu azul. O brilho da neve me deu dor de cabeça, então fiquei de olhos fechados e deixei que Frankie me levasse.

No início o avanço era lento, mas depois que Frankie se aqueceu ela mesma apressou o passo. Ela encontrou um ritmo de que gostava e eu não interferi. A estrada era nossa. A neve mal passava de quinze centímetros de altura e ela conseguia atravessá-la sem problemas.

Quando o sol se avermelhou no horizonte, Frankie reduziu a velocidade para me indicar que era hora de parar.

— Tem razão, garota. Não queremos ser pegos pela noite.

Eu a tirei da estrada até uma construção de tijolos vazia com apenas três paredes e fiz uma fogueira. Frankie encontrou um lugarzinho longe do vento, e eu a cobri com o outro cobertor.

Bebi chá fraco, fiz um pouco de arroz e me enrolei no saco de dormir para ouvir a noite, mas ela não tinha nada a dizer.

28

O segundo dia de cavalgada é sempre uma merda. Meus músculos estavam tensos e doloridos, e minha bunda era uma assadura só. Estávamos seguindo direto contra o vento frio, o que fazia lágrimas correrem dos meus olhos e gelarem minhas bochechas. Frankie começou devagar e eu não reclamei.

A garrafa térmica era bem-feita e provavelmente me mantinha vivo. Eu fervia o chá pela manhã, bebia um tanto e enchia a garrafa com o restante. Quando a bebida acabava ou começava a congelar, parávamos à beira da estrada, eu acendia outra fogueira, dava água aquecida a Frankie, enchia a garrafa térmica de novo e partia.

Rumava para o norte, em uma estrada de pedra que seguia ao lado de trilhos de trem. O expresso de Sunder City não funcionava mais, embora antigamente chegasse até os penhascos nortistas, passando pelas cavernas dos anões e o deserto.

Sunder não tinha fazendas, então a maior parte da comida era importada de outros lugares. Não havia fazendas nessa parte do continente. Só as memórias de cidades de mineração que surgiam em uma estação, desbastavam a terra por alguns anos, depois se desfaziam tão rápido quanto apareciam. Estalagens marcavam o caminho: lugares para comprar uma bebida ou comida quente, talvez alugar um quarto para dormir. Mas todas estavam vazias. Na segunda noite, eu e Frankie ocupamos um dos prédios abandonados. Acendemos a lareira e Frankie se deitou em frente ao fogo como um cão de caça.

No terceiro dia, nosso caminho cruzou a trilha Edgeware: uma passagem larga que circundava o rio June desde as montanhas até o mar do Oeste. Quando chegamos ao cruzamento, vi fumaça à frente.

Atravessamos a trilha, depois uma ponte de madeira, e continuamos por uma floresta escura de pinheiros pelados. No início, a trilha estava coberta com algumas agulhas de pinheiro caídas. Depois de quinze minutos, as plantas já tomavam o chão. Em uma hora, a trilha havia desaparecido e nós só conseguíamos continuar no curso seguindo o espaço entre as árvores nuas e o cheiro de fumaça. Era metálico e pouco natural, como o distrito do aço, quando funcionava.

— Parece nosso lar, hein?

Frankie bufou, expressando sua desaprovação, mas continuou em frente até chegar à beira de um penhasco que dava no Vale Aaron — a primeira aldeia goblin.

Os goblins antes da Coda eram criaturas noturnas, mortalmente alérgicas à luz do sol. Com o tempo, criaram tecnologias que permitiam que saíssem mais de suas cavernas. A história de suas invenções estava escrita na arquitetura das paredes dos vales.

No fundo do vale, em uma área que ficava à sombra durante a maior parte do ano, havia algumas cabanas arredondadas de argila. A camada de cima era feita de tijolos e pedra: arcos arredondados e fortificações de teto reto. O nível seguinte me lembrava da central da Opus ou uma imagem que vi certa vez do lar dos magos, Keats: todo feito de vidro liso e esconderijos prateados encaixados nas paredes rochosas. Cada camada era específica, linda e parecia totalmente abandonada. O único sinal de vida era uma cabana na base do vale, responsável por cuspir toda aquela fumaça preta.

Havia muitas formas de descer, mas todas envolviam trilhas estreitas e pontes de corda. Precário demais para um cavalo.

— Ainda está cedo — falei para Frankie. — Acho que dá tempo de eu descer pelo penhasco, fazer algumas perguntas e voltar para te buscar antes que o sol se ponha. Tudo bem por você?

Ela grunhiu, o que interpretei como uma concordância relutante.

Levei Frankie de volta para a floresta e a amarrei a uma das árvores, deixando um pouco de água e o restante da aveia. Ela não estava muito contente com sua situação, mas eu tinha a sensação de que a égua sabia desde o momento em que pôs os olhos em mim que eu era má notícia.

Eu não tinha trazido comida suficiente. Com sorte, quem quer que estivesse no fundo do vale teria algo para dividir conosco, ou pelo menos poderia me indicar onde havia vegetação verde.

Voltei para a beirada do penhasco e avaliei os possíveis caminhos para descer. Escolhi o que parecia estar com a manutenção mais ou menos em dia, que ficava à esquerda, e dei três passos nessa direção.

Então fui jogado no ar.

Meu primeiro pensamento foi que alguém me empurrara para o abismo, mas eu não estava caindo, na verdade. Estava pendurado de cabeça para baixo, com os braços balançando e tudo que tinha nos bolsos caindo no chão.

Amarrada no meu pé havia uma corda, que já estava machucando meu tornozelo enquanto meu corpo se balançava, inútil. Erguendo os olhos, vi que a corda estava suspensa entre dois pinheiros.

Oscilando entre as árvores, tentei achar uma forma de tirar a pressão da minha perna. Estava fora de forma demais para conseguir alcançar o nó, então fiquei fazendo força para os lados até conseguir agarrar um dos troncos.

A árvore tinha sido aparada e lixada. Não havia nenhum galho à mão. Nem mesmo nós na madeira, ou encaixes que eu pudesse usar para me erguer. Eu mal conseguia me segurar, e a ideia de tentar subir o corpo parecia arriscada, porque se eu soltasse o tronco, ficaria pendurado pelo pé de novo.

Agora que minhas mãos tiravam um pouco do peso do tornozelo, ele doía menos. Isso porque a dor era dividida irmanamente pelas minhas coxas, costas, ombros e mãos trêmulas.

Um sino tocava. Provavelmente fora tocado quando pisei na armadilha, mas só depois de um tempo consegui me acalmar o suficiente para ouvi-lo.

Olhei para baixo e percebi o contorno de mais armadilhas espalhadas pelo penhasco que circundava o vale. Buracos cobertos com redes e mais cordas penduradas entre árvores. Cada espaço estava ocupado por algum truque quase invisível que só ficava óbvio agora que eu estava no alto.

Dali, eu conseguia ver até o fundo do vale, onde a porta da cabana de onde a fumaça saía estava aberta e alguém estava parado na entrada.

Ele ficou me observando por um tempo, depois voltou para dentro. Um minuto depois, saiu e veio subindo na minha direção.

Não havia pressa. Eu não ia a lugar algum. Meu corpo estava esticado entre a árvore que segurava e a corda presa ao meu tornozelo, a barriga pendurada para fora da calça implorando para ser estripada que nem a de um peixe. Prendi o braço no tronco da árvore e usei a outra mão para procurar nos bolsos.

Meus Clayfields tinham sumido. O soco-inglês caíra, junto com minhas últimas moedas. A máquina ainda estava no coldre junto às minhas costelas, e a faca continuava no cinto. Peguei a faca.

De jeito nenhum eu conseguiria chegar perto do meu pé. Se quisesse me libertar, teria que alcançar a ponta da corda presa àquele tronco.

A madeira era dura, então não dava para simplesmente enfiar a ponta da lâmina na casca e ir escalando como se fosse um paredão de gelo. Em vez disso, serrei um buraquinho na madeira, fundo o suficiente para me erguer mais alguns centímetros quando tirasse a faca. Então repeti esse processo.

Estava no terceiro buraquinho quando o mundo cintilou em tons de laranja.

— Já chega disso.

Não foi fácil olhar para baixo. Eu estava todo torcido, que nem um rocambole. Quando enfiei a cabeça por entre os ombros, havia um goblin parado embaixo de mim. Ele tinha uma expressão cansada, um capacete de segurança com uma luz embutida e uma besta.

— Larga a faca.

Hesitei, na esperança de que um plano de fuga genial pudesse me ocorrer em um último momento.

O goblin não estava com paciência e cutucou minha barriga nua com a ponta da besta engatilhada. Larguei a faca.

— Eu falei pros seus amigos que não queria ver nenhum de vocês aqui nunca mais — disse ele.

— Eu... Eu não tenho amigos.

Ele ergueu a besta, e eu entrei em pânico. Minhas mãos se soltaram e comecei a balançar de novo. Bati no tronco da árvore do outro lado e comecei a girar loucamente. Quando o movimento diminuiu o suficiente a ponto de eu conseguir ver com clareza, o goblin estava com a besta apontada para a minha cara.

A pele dele era azul-esverdeada, com uma textura de borracha molhada. As orelhas parecidas com as de morcego eram adornadas por argolas de cobre, e seus óculos escuros escondiam tudo atrás deles.

Ele estava embrulhado em pelos — pareciam de lobo —, mas as calças só cobriam uma das pernas. A outra era de metal, uma máquina complexa cheia de engrenagens e pistões, com uma garra articulada no lugar do pé. As juntas deslizavam com facilidade quando ele moveu o peso do corpo.

— Eu sei para que você veio aqui, e não vai conseguir.

— Eu acho que não...

— Já avisei o que aconteceria se vocês voltassem e me orgulho de ser um homem de palavra, então...

Enquanto girava, eu havia enfiado a mão no coldre. Então, antes que o goblin enfiasse uma flecha no meu cérebro, eu puxei a máquina e apontei para ele.

Não foi como a vez que eu a apontara para Harold Steeme. A primeira reação do elfo havia sido de confusão porque, obviamente, ele não tinha ideia do que aquela arma podia fazer. O goblin, por outro lado, encarou a máquina nas minhas mãos com medo, descrença e familiaridade. Ele sabia exatamente o que eu estava apontando na sua direção.

— Já te falei, eu não sou de grupo nenhum — interrompi. — Não tenho ideia de que ameaças você fez ou quem ameaçou e não vim atrás da sua arma porque já tenho uma. — Ele olhou de mim para a máquina, e então baixou a besta ao lado do corpo. — Victor Stricken? Meu nome é Fetch Phillips e acredito que essa máquina da morte pertence a você.

29

Entreguei a máquina. Isso convenceu Victor, pelo menos por algum tempo, a me dar o benefício da dúvida. Ele cortou a corda e eu enfiei minhas coisas de volta nos bolsos, então fomos buscar Frankie para descermos o penhasco juntos.

A noite estava caindo, mas a lanterna no capacete de Victor iluminava o caminho. A gente teve que andar mais para o sul para chegar a um caminho maior, pelo qual a égua conseguiria passar, e perguntei a Victor se ele queria subir nela.

— Eu agradeço, mas não precisa. Não me dou muito bem com alturas. Para falar a verdade, vou ficar contente quando estivermos lá no fundo do vale, com um teto sobre a nossa cabeça.

— Cadê as outras pessoas?

— No lugar de onde aposto que você veio. Sunder está sugando todo mundo como se fosse areia movediça. Podíamos ter feito esse lugar funcionar à nossa maneira. Adaptado. Mas alguns da minha espécie ficaram animados, dizendo que podiam ganhar dinheiro na cidade grande. Todo mundo foi embora e agora sou o único que restou aqui.

A gente desceu pelo caminho mais longo até o fundo do vale, seguindo por trilhas de terra, evitando as pontes e escadas. Eu agradeci por Victor pegar o caminho mais longo para podermos trazer a égua, mas ele só deu de ombros.

— É melhor pra mim também. A perna não gosta de escadas. Nem de pontes instáveis. Então não me incomodo de... — Ele ergueu a mão e nós paramos. Adiante, na trilha, a lanterna iluminou uma lebre gorda.

Victor tirou a máquina do cinto e a ergueu. Fechou um olho, fez uma careta e apertou o botão.

Houve um clique, mas nada aconteceu.

Victor soltou um palavrão.

— Vejo que você andou ocupado.

A lebre fugiu, mas não foi longe. Victor me entregou a máquina, menos possessivo do que um minuto antes, e puxou a besta da lateral do corpo.

Foi andando à frente, atrás do animal, o que me deu a chance de observar a perna metálica em ação. Eu já vira pernas assim antes, mas aquilo era uma obra impressionante de engenharia. O movimento era tão natural que, se ele estivesse usando calças normais, eu não imaginaria que não era sua perna de verdade.

Tum.

O virote atingiu o alvo e Victor soltou um grunhido satisfeito.

— Parece que terei algo para te oferecer, afinal.

A cabana de barro tinha uma forja no canto, uma bigorna, uma banheira gigante cheia de água preta e uma bancada. Um canto era a área de descanso. Tinha uma cama baixa e uma lareira pequena, com uma panela preta pendurada.

Havia fios amarrados por todo lado e pedaços de metal pelo chão. Engrenagens de todos os tamanhos ficavam arrumadas em pilhas e guardadas em caixas de madeira. Dobradiças, parafusos e buchas lotavam recipientes ou transbordavam de gavetas abertas. Encostadas nas paredes estavam versões inacabadas de outras engenhocas: mais pernas, mais armas e mais ferramentas cuja finalidade eu não conseguia imaginar.

Victor explicou que fizera a própria perna, assim como a besta leve, as armadilhas e, é claro, a máquina de matar. Deixamos Frankie sozinha em outra cabana e colocamos a lebre na panela enquanto eu fazia um resumo rápido da minha história para o goblin: cresci em Weatherly, me mudei para Sunder, me integrei à Opus. Ele ouviu com pouca curiosidade e não fez perguntas. Então, enquanto o ensopado cozinhava, Victor largou a máquina de matar na bancada.

— Vou te contar, considerando o tanto de problemas que esse troço já causou, era de se imaginar que fosse mais complicado. Não é nada comparado às outras invenções que criei nos bons tempos.

— Então por que ninguém tinha feito uma dessas antes?

— Porque está todo mundo tentando substituir o que existia. Não dá pra enfiar material não mágico em um objeto mágico e achar que vai funcionar. Você tem que voltar para o início e olhar para ele como se a magia nunca tivesse existido.

Victor abriu a máquina, arqueando-a em uma dobradiça. Então, pôs a coisa de cabeça para baixo e bateu o metal na bancada até três cilindros de cobre saírem. Pareciam tampas de canetas chiques, mas cada um tinha um anel preto ao redor da ponta.

— É mais simples que as armas antigas. Mais instável, também. Mas pelo menos consigo fazer isso sozinho. Eu precisava da ajuda de um mago para as antigas. Depois um feérico tinha que lançar um encantamento. — Victor tirou os óculos e desligou a lâmpada acima de nós. — Você já usou?

— Uma arma de fogo mágica? Não. Mas já vi gente usando, na Opus.

— Sabe como funcionam?

— Não tenho ideia.

— Bom, magos conseguiam invocar energia de algum lugar distante para o espaço entre as suas mãos. Mas só por um momento. Nós, goblins, encontramos uma maneira de *mantê-la* ali. Um minúsculo portal que podia ser contido em um instrumento e aberto e fechado com o apertar de um botão. Era uma técnica cara, mas popular, por um tempo. Eles até usaram isso para melhorar os lampiões de Sunder. Puseram portais nos canos para trazer o fogo do subsolo. Muito mais seguro do que usar tubos mecânicos até lá embaixo.

Isso era novidade para mim. Eu sempre imaginara que o fogo ficava logo abaixo dos nossos pés. Faz sentido, imagino, manter todo o espaço e toda a tecnologia possível entre a cidade e os fossos de fogo.

— Enfim, essas armas mágicas conseguiam atirar fogo, ou gelo, ou o que você quisesse. Tinham uma data de validade e eram caras pra caramba, mas funcionavam. É claro que, quando veio a Coda, tudo isso foi para o espaço. Desde então, o meu povo e o seu e todo mundo está tentando inventar formas de fazer essas armas de novo. Mas é impossível. A única maneira de seguir em frente é voltar para o início e criar algo novo.

Ele foi até um canto e tirou a lona que cobria um baú prateado.

— Não faça nenhuma besteira enquanto eu estiver mexendo com isso, certo? Esse negócio é perigoso.

Ele abriu a tampa. Eu não sabia o que tinha lá dentro, mas devia ser delicado, porque as laterais do baú eram grossas e almofadadas. Victor pegou uma caneca de prata do chão, enfiou no baú e a encheu de uma areia fina e vermelha. Então fechou tudo e levou a caneca de volta para a bancada.

— O que você sabe das Planícies Bruto?

— Só que são um lugar inóspito.

— *Muito* inóspito. Eram, na verdade. Muita coisa piorou com a Coda, mas algumas ficaram mais fáceis de lidar, como essa areia do deserto do norte. Eu viajei para lá ano passado, fiz uns experimentos e voltei com essas belezinhas.

Ele despejou uma pequena quantidade de areia vermelha em cada uma das cápsulas de cobre. Seus movimentos eram lentos e deliberados, tomando cuidado para não derramar um grão sequer. Então ele abriu uma gaveta da bancada e tirou três bolinhas de metal do tamanho de ervilhas.

— Posso dar uma olhada? — perguntei.

Ele me entregou uma das bolinhas e pegou outra na gaveta. Eu a rolei na palma da mão. Era pesada para o tamanho. Cinza-escura. Era igual ao pedaço de metal que ficou enfiado no chão do meu escritório.

— Agora não me assuste nem nada enquanto faço isso. Estou chegando na parte complicada.

Ele pôs uma bolinha de metal em cada um dos cilindros, apoiadas na parte aberta. Então pegou um martelinho de ouro no cinto e bateu delicadamente na primeira bolinha até que ela ficasse presa na tampa. Quando fez isso com as três, guardou o martelo no lugar e voltou sua atenção para a máquina em si.

Ele abriu a dobradiça de novo e apontou para dois círculos de metal que se encostavam.

— Quando você aperta o gatilho, esses dois discos giram um contra o outro, criando fagulhas e muito calor. — Ele pegou os três cilindros cheios, inseriu-os na máquina e fechou. — Quando isso acontece na base de uma dessas cápsulas, a poeira do deserto explode e dispara a bolinha de metal pelo cano. Se algum pobre coitado estiver do outro lado… ele não vai ficar lá por muito tempo. Então, com isso em mente — ele apontou a parte oca do cano para o meu peito —, pode encostar lá naquela parede.

Eu achei que aquilo fazia parte do show, mas a expressão amarga de Victor Stricken estava ainda mais séria do que em qualquer momento daquela noite.

— Tem um par de algemas no final daquela corrente. Pode prendê-las nos pulsos.

Eu obedeci. As algemas eram conectadas a uma corrente grossa, e já havia algum sangue seco na beirada.

— Você poderia ter feito a mesma coisa com a besta — falei.

— Não poderia, não. Você talvez resolvesse se arriscar com a besta. Mas com isso? Isso é bem diferente. Não é estranho? Você já viu seu poder, assim como eu. Enquanto eu estiver segurando isso, nós dois sabemos que você vai fazer exatamente o que eu disser.

Ele tinha razão. De jeito nenhum eu ia fugir da máquina. O risco não valia a pena. Eu vira o estrago que causara na cabeça de Lance Niles, arrancando sua vida antes que ele fosse capaz de piscar. Fechei as algemas nos pulsos até elas estalarem.

— Bom garoto. Agora pode ficar confortável. Você vai me contar por que está aqui de verdade, e se eu não gostar ou não acreditar, então vou te dar uma demonstração de como minha máquina funciona, e vai sobrar bem mais ensopado para mim.

30

Encontrei uma forma de me encostar na parede que não era completamente desconfortável enquanto repassava com Victor Stricken meus últimos dias: o corpo no Bluebird Lounge, a prisão injusta de Rick Tippity e o pacote misterioso contendo a máquina.

Não havia sentido em mentir para ele. Se eu quisesse que ele me contasse as partes dessa história que ainda me eram desconhecidas, ele precisava saber onde ficavam os buracos. Além disso, ele falava de modo tão brutalmente honesto que não dava para não confiar nele. Victor tinha todas as cartas na manga, todos os ases do jogo. Tudo que eu tinha a oferecer era a verdade.

Ele continuava com o rosto tenso, agindo como se não acreditasse em nada do que eu dizia. Mas me ouviu. Não me interrompeu. Quando acabei, ele não falou nada. Só passou a máquina de uma das mãos para a outra e lambeu os lábios.

Enfim, tirou uma chave do cinto e jogou no meu colo.

— Vai abrir uma das algemas, mas não a outra. O ensopado está pronto.

Enquanto comíamos, ele me fez algumas perguntas. Minhas respostas devem tê-lo tranquilizado, porque depois de lamber o caldo do ensopado da cumbuca, ele decidiu dividir sua história comigo.

Bem como o goblin de Sunder me contou, Victor era um grande inventor e um pentelho ainda maior. Antes da Coda, era um prolífico criador de armas mágicas. Não de potencializadores de magia, como os cajados e varinhas, que só funcionavam com os poderes de um lançador de feitiços. Victor construía equipamentos que ofereciam poderes mágicos àqueles que, de outra forma, não poderiam utilizá-los.

A maioria dos goblins desistiu das invenções geniais depois da Coda. Tinham passado a vida toda criando maravilhas engenhosas que nunca mais funcionariam, então mudaram de profissão e tentaram esquecer o que fora perdido.

Victor tinha um ponto de vista diferente. O mundo recomeçara, e tudo podia ser redescoberto. Para um gênio da engenharia que já dominava tantas habilidades, ser capaz de escrever as regras desde o princípio era uma bênção, como esquecer o final do seu livro favorito de modo a poder lê-lo de novo como se fosse a primeira vez.

A máquina de matar não era para ser tão importante. Para Victor, era um brinquedo. A máquina o ajudou a caçar no caminho de volta das Planícies Bruto e deu a ele algo divertido para mostrar aos outros goblins quando chegou em casa. Não fora criada como um fim em si própria. Victor era apaixonado por novos meios de transporte, agricultura automatizada e equipamentos industriais capazes de reviver a força de trabalho. Aquela porcariazinha cuspidora de metal não era para ser nada especial.

Mas alguém discordava. Alguns meses depois do retorno de Victor ao Vale Aaron, um humano chegou. Um estranho que sabia da existência da máquina e queria pagar para Victor construir outra. *Muitas* outras, na verdade.

— O mundo inteiro está faminto agora. Faminto pelas coisas que perdemos e que não vão voltar. Mas aquele homem tinha um tipo insano de fome nos olhos. Uma fome de poder. Eu disse que nunca entregaria a arma a ele. E que se ele não me deixasse em paz, experimentaria na pele o poder dela.

O homem foi embora. Um mês depois, ele voltou com companhia.

— Por sorte, eu já tinha instalado várias dessas armadilhas. Você caiu em uma das melhores. Algumas não são tão simpáticas.

Eu não insisti para que Victor me desse mais detalhes. O sangue seco ao redor do meu pulso era prova de que ele não era um homem de promessas vãs.

— A próxima pessoa a aparecer foi uma velha amiga. Uma goblin que me disse que estava voltando de Sunder depois de perceber que eu estava certo o tempo todo. — Ele deu um sorriso triste. — Sou um cara esperto, vou te falar a verdade, mas não sou imune a elogios. Ela passou uma semana ao meu lado, me ajudando com tudo. Mostrei a ela onde ficavam as armadilhas, a gente até fez outras juntos. Ela me disse que mais goblins voltariam para casa em breve porque perceberiam que eu tinha razão. Como é fácil acreditar nas coisas que você mais quer que sejam verdade... Aí, um dia, quando acordei, ela havia sumido, e a arma com ela.

Ficamos em silêncio por um tempo, os dois pensando nas lacunas em nossas histórias. Como a máquina fora de uma goblin ladra para a minha mesa, embrulhada para presente?

— Eu deveria te matar — falou ele em um tom tão casual que levei um momento para processar as palavras.

— Ah... por quê?

— Eu te contei como criei essa arma. Quando fiz isso, já achava que a usaria para te matar, então não estava muito preocupado. Agora, acho que cometi um erro.

Ele deu de ombros, meio sem jeito, como se não fosse nada de mais. Como se tivesse esquecido de molhar minhas plantas ou comido o último pedaço de bolo.

— Agradeço por você estar na dúvida, Victor, mas tem alguma coisa que eu possa fazer para que mude de ideia?

Ele coçou a cabeça, pensando.

— Vou pensar nisso esta noite e te falo de manhã. Vou pegar um cobertor para você.

Ele pegou algumas cobertas e um saco cheio de palha para usar como travesseiro.

— Valeu, Vic. Tenho que confessar que, de todos que já quiseram me matar, você foi o mais bacana.

Dormi melhor do que em anos. Tranquilo. Engraçado o que uma sentença de morte faz por você.

Por volta de meia-noite, começou a gritaria.

31

Fui tirado de um sono sem sonhos pelos ecos de um homem berrando em algum lugar acima. Pelo som de seus gritos desesperados, ele encontrara uma das armadilhas mais perigosas. Seus gritos eram cheios de assombro, medo e descrença. O sino tocava para animá-lo.

A porta da cabana se abriu com força e Victor apontou a máquina de matar para a minha cara. Eu me encolhi. Acho que nunca vou me acostumar a encarar aquela coisa.

— Achei que você tinha dito que trabalhava sozinho.
— É verdade.
— Então não é um dos seus amigos lá em cima?
— Eu não tenho amigos, Victor.
— Você está de sacanagem comigo.

— Mas estive pensando. Quem quer que tenha roubado seu brinquedo provavelmente não quis deixar isso comigo. Outra pessoa deve ter roubado a arma dele.

— Você acha que o cara veio pra cá roubar a arma de volta?

— É mais provável que, depois de perder a original, ele tenha resolvido vir atrás do único cara capaz de construir outra.

Victor queria discutir, mas meu raciocínio fazia sentido demais.

— Fique aqui. Vou fazer algumas perguntinhas ao nosso visitante. Ele não parece estar no estado de espírito para mentir, então é bom você torcer para a história dele bater com a sua.

Ele guardou a máquina no cinto e pegou a besta.

— Quantos eram? — perguntei.

— Do que você está falando?

— Quantos homens eram? Da última vez que vieram?

Victor estalou a língua, já puto por eu estar pensando melhor do que ele.

— Meia dúzia. Por aí. Alguns fugiram.

Ele já tinha sacado o que eu queria dizer.

— Quais as chances de eles terem voltado com menos gente desta vez?

É claro que havia outras possibilidades. Talvez algum caçador infeliz tivesse tropeçado em uma armadilha. Talvez fosse um goblin voltando para casa sem saber que deveria prestar atenção aos lugares em que pisava. Não *necessariamente* era um exército raivoso atrás dos segredos de Victor. Claro que não. Mas nós dois sabíamos que provavelmente era o caso.

— Fica aí — disse ele. — Já volto.

Ele saiu para a noite. Os gritos continuaram. Então, outro som surgiu. Um ritmo ribombante e surdo. Primeiro, acima. Depois mais perto. E ainda mais.

BANG!

O som de vigas se rachando e madeira lascada.

— Filhos da puta! — gritou Victor. Frankie estava fazendo barulhos desesperados. Eu torcia para que ela estivesse bem. Mais trovões e explosões de todos os lados. Eu não tinha ideia do que estava acontecendo.

Então a cabana explodiu.

Um pedregulho rolou pela parede do outro lado da cabana, esmagando madeira e espalhando ferramentas. Ele atravessou a lareira e espalhou brasas quentes para todo lado. Uma das paredes desmoronou. O teto caiu em seguida, e eu fiquei sozinho, amarrado a meia casa, coberto de fragmentos de argila.

Não tinha como arrebentar a corrente. Nem quebrar a viga de madeira grossa a que ela estava presa. Mas a argila em torno da viga já estava rachada. Eu me afastei o máximo que as algemas permitiam. Então, pulei para a frente e bati com o ombro na madeira. Ela não se soltou, mas houve movimento suficiente para me encorajar a tentar de novo. Precisei de mais três tentativas para que a viga começasse a se inclinar.

Tentei suavizar a queda, mas a viga era pesada demais. Ela caiu no chão, me puxando com ela, e a minha têmpora bateu na madeira com tanta força que poderia ter martelado um prego.

Vi estrelas e balancei a cabeça para limpar a vista, espalhando gotas de sangue como um cachorro molhado, tentando identificar aquele som estranho.

Eram Victor e Frankie. Eles estavam gritando.

Arrastei a corrente por baixo da viga de madeira enquanto as brasas incendiavam os destroços sob meus pés. Os inimigos deviam estar ficando sem rochas, porque os petardos estavam vindo a cada dez segundos, e as pedras eram menores, embora ainda mortais. Fiquei de pé, com a corrente pendurada nos meus pulsos, e encontrei Victor preso sob um pedregulho, de costas, com sangue escorrendo da boca. Ele não se movia e seus olhos apontavam para direções diferentes.

A pedra não se movia, nem quando apoiei todo o meu peso nela.

Tum.

Uma flecha atingiu o chão de terra. Os homens estavam recorrendo a armas mais convencionais.

Puxei o corpo de Victor, mas não conseguia libertá-lo. Então vi a máquina, ainda presa ao seu cinto. Soltei Victor e agarrei a arma.

Suas mãozinhas se prenderam ao meu pulso. Ele estava acordado.

— Você fez isso?

Quando ele falou, gotinhas de sangue atingiram meu rosto.

— Não. Eu juro.

Ele agarrou a gola da minha camisa. Puxou meu rosto tão perto do seu que temi que ele usaria suas últimas forças para arrancar meu nariz a dentadas.

— Destrua isso. Não deixe que fiquem com ela. Não diga nada.

BLAM!

Outra cabana explodiu bem ao nosso lado.

— PROMETA! — Ele tossiu. — Ou eu mesmo vou atirar em você!

Eu assenti, e ele me soltou.

Olhei de volta para a rocha, que prendia a perna de verdade dele. Victor parecia a dez respirações da morte, e eu não via como ajudar.

Frankie gritou de novo, então deixei Vic no chão e fui atrás dela.

O fogo se espalhava, levantando fumaça. Frankie estava amarrada ao que restava de uma prateleira de armas quebrada, desesperada, mas sã e salva. Soltei suas rédeas e subi. Não havia tempo para a sela. Pus a máquina em seu lugar ao lado das minhas costelas, onde ela deveria ficar.

Tum. Tum.

Mais flechas. Todas distantes demais. Imprecisas demais. Atrapalhadas pelo vento e pela distância.

Esporeei Frankie e disparamos pelo sul, entre rochas e cabanas destruídas. Deixamos o goblin para morrer no chão sujo e não fiquei feliz por isso, mas não havia nada que eu pudesse fazer. Enquanto costurávamos entre as cabanas e as torres, flechas atingiam o chão inutilmente, e um orgulho amargo queimava no meu peito.

Eles não conseguiriam me atingir de lá. Não com aquelas armas. Eles precisariam da máquina.

Mas não a teriam.

Ela estava comigo.

Frankie me levou para longe do vale, e deixamos todos para trás.

32

A coisa não estava boa para o nosso lado. Tínhamos deixado os cobertores para trás, junto com a garrafa térmica que salvara nossas vidas na vinda. Tudo estava no Vale Aaron, sob pilhas de argila.

Eu tremia. Até mesmo Frankie tremia. Uma névoa pesada no ar deixava tudo úmido e indefinido. O mundo perdera a nitidez, como se tudo tivesse sido esfregado com terebentina.

Eu estava com dificuldade de me manter desperto, e não havia como saber que horas eram. Sons de animais selvagens vinham de todas as direções. Seguimos, machucados e sofrendo.

Aí Frankie parou.

O mundo ficou quieto. Sem pássaros. Sem vento. Só a respiração de Frankie. Ela farejou o ar e fez um som parecido com o rosnado de um cão.

— O que foi, menina?

Seus olhos estavam fixos à frente, e seu corpo, tenso sob minhas pernas. O medo passava dela para mim. Então eu ouvi.

Cascos. Ribombando na trilha. Cada vez mais perto.

Alguém vinha a cavalo, em meio à névoa, bem na nossa direção.

Eu não conseguia ver quem era. A pessoa não conseguiria nos ver. Cutuquei Frankie para sairmos da trilha, mas ela estava paralisada.

— Ei! — gritei para o vazio. — Ei, cuidado!

A sombra de um cavalo. Sem cavaleiro. Em disparada pela cerração.

Frankie se ergueu nas patas traseiras, e tive que me agarrar à sua crina para não cair. Ela pateou o ar, mas o espetáculo não fez o corcel diminuir a velocidade. Ele atacou Frankie, apesar dos seus golpes desesperados, e enfiou os dentes na carne abaixo do pescoço dela.

O cavalo selvagem mordeu com força e não soltou. Consegui ver a cara do agressor de perto. Seus olhos estavam nublados de insanidade, e a carne do focinho estava trespassada por fragmentos de pedra brilhante. Uma pedra afiada e partida atravessava sua testa como um terceiro olho de cristal.

Era um unicórnio.

Um cavalo com um chifre de pura magia, que se dizia ser um pedaço do próprio rio sagrado.

Bom, parecia que as histórias estavam certas.

O chifre de pura magia estava congelado, como o rio sagrado, criando um geodo de cristais afiados que atravessavam a pele do animal. Uma adaga de pedra roxo-escura atravessava o crânio dele logo abaixo do olho, e o ferimento estava cercado de cascas antigas e carne morta. Pela forma que o cavalo agia, imaginei que o cristal crescera para dentro do cérebro dele também.

A besta trincou os dentes, cheios de sangue e espuma. Apesar do horror, senti o desejo de estender a mão e reconfortá-la. A Coda criara tantos monstros. Causara tanta dor. Mas nunca nada a retratara tão perfeitamente quanto aquilo.

O unicórnio era uma das maravilhas sagradas do mundo. Um símbolo raramente visto de como a vida podia ser bela, e fora enlouquecido por um pedaço de magia corrompida que destruía sua mente. A Coda infectara o mundo todo, mas aquela era sua vítima mais lamentável e assustadora.

Frankie gritou e tropeçou para trás. Conseguiu dar alguns golpes com os cascos, mas o unicórnio era implacável. Enfiou a ponta afiada do chifre à frente e cortou a cara de Frankie.

Eu me afastei enquanto sangue e cascos enchiam o ar. O animal mordeu o flanco de Frankie. Ela ganiu, girou e escoiceou o unicórnio. Ele evitou o golpe, mas isso pelo menos abriu um espaço muito necessário entre os dois.

Sangue pingava da cara de ambos, embora eu temesse que a maior parte vinha da minha égua. Eles circulavam, arfando e mancando. Frankie estava exausta, fraca e já muito machucada.

O unicórnio atacou de novo e rolei para fora do caminho. Frankie tentou se manter distante, girando e dando coices, mas o unicórnio não tinha nenhum senso de autopreservação. Eles bateram cabeça. As bocas buscavam orelhas ou bocados de pele macia, os dois animais gritando de raiva e dor.

Eu lutei contra a máquina até tirá-la do coldre e a ergui com os dedos trêmulos e gelados. As cabeças dos dois animais estavam próximas demais, se alternando nas posições, úmidas de sangue e saliva.

Então Frankie se soltou. O unicórnio recuou, o que me deu a chance de um tiro livre. Meu dedo pousou no botão.

Era um unicórnio. O primeiro que eu já vira.

Frankie se ergueu para bater nele com os cascos dianteiros. Ouvi um estalo quando ela acertou, batendo direto no crânio do animal raivoso, mas a besta sacudiu a cabeça e ignorou o golpe como se não fosse nada.

Então minha égua baixou as patas para o chão e o unicórnio se atirou contra ela. Seus corpos se chocaram no ar, e o chifre partido e afiado da besta cravou-se profundamente no pescoço de Frankie.

O grito dela foi um gorgolejo úmido, incapaz de soltar sua garganta do chifre do unicórnio. Ela me encarou com os olhos arregalados. Implorando para que eu a salvasse.

Eu atirei.

Os dois animais caíram no chão.

O unicórnio morreu rápido. Frankie morreu devagar. Segurei sua crina e acariciei seu pelo até que ela ficasse tão gelada quanto tudo o mais neste mundo destruído e vazio.

33

Todas as melhores lembranças incluem música.

Em Sunder, o espaço custava caro. A classe alta tinha casarões e jardins, e quem estava na base da pirâmide se apertava como balinhas meladas no fundo da lata. Era por isso que a noite no Prim Hall parecia tão estranha: as pessoas mais importantes de Sunder City estavam espremidas, ombro com ombro, em assentos minúsculos em volta de um pequeno palco.

Por algum motivo, eu também estava lá.

Na ponta da fileira, Baxter Thatch estava com metade da bunda na cadeira e a outra metade para fora, pendurada no corredor. A mulher sentada na cadeira de trás estava visivelmente frustrada pelo tamanho do demônio, mas tentava não demonstrar.

À esquerda de Baxter havia dois lugares vazios, depois eu, depois Amari.

Eu usava uma gravata-borboleta e estava ridículo. Amari, de vestido longo, parecia uma rainha. Seu traje era feito de seda translúcida e folhas secas delicadas, e tive que me esforçar muito para não passar a noite olhando só para ela.

Do outro lado de Amari, o governador Lark reclamava de praticamente tudo, em especial do tamanho do assento e de como era desconfortável.

— Achei que você tinha trazido o cara aqui para agradá-lo — sussurrei para Amari.

— Espera só. — Seus lábios tocaram minha orelha quando ela sussurrou de volta. — Tudo vai mudar quando começarem a tocar.

Houve um movimento lá embaixo quando o palco foi tomado por músicos. Dezenas, todos usando ternos tão ridículos quanto o meu.

As cadeiras rangeram dolorosamente quando Baxter se inclinou na nossa direção e perguntou:

— Mas onde foi que o Hendricks se meteu?

Os únicos lugares vazios em todo o teatro eram os dois na nossa fileira. Antes que eu pudesse responder com um dar de ombros confuso, as portas nos fundos do auditório se abriram com força e o alto chanceler entrou aos tropeços. Ele estava suado, bêbado e rindo alto. Um lindo acadêmico bruxo o seguiu, em um estado similar de intoxicação. Eu e Hendricks tínhamos conhecido o rapaz em um bar, na noite anterior. Eu o achei bem chato, mas ele se aproximou de Hendricks cheio de elogios, e ficou impossível enxotá-lo.

Os atrasados desceram as escadas saltitando, e Baxter se levantou para deixá-los passar.

— Bem na hora — resmungou Baxter, que recebeu, em resposta, uma beijoca na bochecha. Handricks veio se sentar ao meu lado.

O burburinho no lugar diminuiu até se transformar em um silêncio poderoso.

— Fetch, você se lembra do Liam.

— Oi — disse ele, esticando a mão para mim por cima de Hendricks.

— Shh! — sussurrou Amari. — Vai começar.

Como não queria irritá-la, voltei minha atenção para o palco. Hendricks achou que eu estava só me recusando a cumprimentar seu amigo.

— *Não fique com ciúmes, rapaz.*

— *Não estou com ciúmes* — falei pelo canto da boca. — *Só estou tentando não fazer barulho.*

— *Aaaaah, claro.* — Dava para perceber seu sorriso mesmo sem olhar para ele. — *Por isso eu trouxe Liam. Você vai passar a noite toda caidinho pela...*

Com uma cotovelada nas costelas dele, fiz Hendricks ganir. Todos no recinto viraram para nós com expressões incomodadas, e tivemos que engolir o riso.

Amari estendeu o braço, pegou minha mão e a segurou no seu joelho. Isso me fez calar a boca na hora. Hendricks soltou uma risadinha debochada, mas eu já estava muito longe.

Eu e Amari ainda estávamos nos primeiros dias (para dizer a verdade, com a gente, até o fim, parecia que eram os primeiros dias). Isso foi logo que ela chegou à cidade, quando eu era só um guia turístico que às vezes era convidado para a mesa dos adultos. Aquele era o máximo de contato físico que tivéramos até então. Eu sabia que ela só segurara minha mão para me fazer calar a boca, mas, mesmo assim, aquele toque me aqueceu como o sol da tarde.

Aí veio a música.

Eu nunca tinha visto tantos instrumentos. Certamente não no mesmo lugar e jamais tocando a mesma música. Quantos seriam? Uma centena? Violinos, violoncelo, trompetes, baterias e peças retorcidas que eu nunca vira antes. Ao ouvi-los todos juntos, eu me dei conta do motivo pelo qual nunca tinha visto alguns daqueles instrumentos nas ruas — eles simplesmente não funcionariam sozinhos.

Em Weatherly, havia bandinhas que só tocavam hinos militares ou religiosos. Sunder era cheia de bardos viajantes e cantores de bar, mas já era difícil conseguir dinheiro sozinhos, que dirá dividindo os ganhos com outros músicos. Nunca imaginei que alguém se dedicaria a instrumentos que só poderiam participar de algum coletivo extravagante como aquele. Só ali, naquela reunião de músicos perfeitamente em sincronia, eles tinham lugar.

No final da primeira fileira de músicos havia uma mocinha com algum tipo de tubo no colo. Até onde eu conseguia identificar, ela era a única que ainda não fizera nada desde o início da música. Só estava lá, sentada, encarando o chão, sem fazer nada.

Eu me virei para Amari para perguntar por que a moça não estava tocando, mas os olhos dela estavam fechados e seus lábios formavam um sorriso distante.

Então as cordas pararam. Depois os pratos e os sinos, e um novo som se ergueu do centro do palco. Parecia a voz mais triste do mundo. Ela me fez pensar em uma mulher enlutada que eu ouvira certa vez à margem do rio, ajoelhada durante o funeral do filho morto pela praga.

Era a mocinha com a trompa. Tão lenta. Tão triste.

A plateia inteira ficou perfeitamente silenciosa. Todas aquelas pessoas, que passavam seus dias sendo tão importantes, não ousavam se mover nos assentos enquanto aquele lamento solitário e de partir o coração dominava o teatro.

Amari apertou minha mão. Eu a observei enquanto ela respirava fundo, como se estivesse sorvendo a música. Apertei sua mão de volta, e ela passou os dedos entre os meus, e ficamos assim até o final. Quando a música parou e a plateia ficou de pé para aplaudir, ela soltou minha mão para poder fazer o mesmo.

Na hora senti saudades da mão dela, como se fosse algo meu que ela levara embora. O sentimento de um dente recém-arrancado ou um corte de cabelo curto demais.

Aplaudi junto com os outros, mas tudo em que conseguia pensar era na sensação da pele dela na minha e em quando eu poderia tocá-la de novo.

34

Eu tinha que me levantar. Precisava continuar.

Mas por quê?

Por que eu não deveria simplesmente continuar deitado ao lado da minha égua e dormir? Eu não tinha amigos aguardando meu retorno. Ninguém que eu amasse, ou que me amasse. Nem mesmo um peixe que precisasse ser alimentado. Eu estava pronto para aceitar que o mundo ficaria bem melhor se eu ouvisse meu corpo dolorido e nunca mais me mexesse.

Mas revirei o cérebro uma última vez. Enfim, veio uma resposta. E ela me surpreendeu.

Rick Tippity.

Ele não tinha matado Niles, e eu tinha certeza disso agora. No entanto, eu o acusara do crime para Simms. Além disso, eu não podia mais ignorar o fato de que ele nunca confessara o assassinato de seu parceiro. Era mais provável que o homem do gelo tivesse se congelado durante um experimento que dera errado. Tippity tentara me explicar isso, mas eu estava determinado demais a fazê-lo se encaixar na minha história para me importar.

Por mais que, obviamente, eu odiasse Tippity, não queria ser responsável por mandá-lo para a forca.

Eu me concentrei na cara idiota dele e de alguma forma isso foi motivo suficiente para me fazer levantar. Motivo suficiente para enfim *tentar* sobreviver à jornada para casa.

Peguei os únicos suprimentos que tinham sobrado — fósforos, faca e um único cobertor — e depois fiz algo horrível.

Por favor, saiba que passei muito tempo parado no frio, considerando se deveria ou não fazer isso. Repassei o caminho para casa uma dezena de vezes na minha mente, fazendo as contas do tempo antes de, enfim, admitir para mim mesmo que era inevitável.

Cortei um naco de carne do ombro de Frankie.

Eu sei. Mas levaria dias para chegar a Sunder, e era improvável que eu encontrasse comida no caminho. Além disso, tinha gastado todo o meu dinheiro naquela égua e me parecia errado desperdiçar carne boa.

Aí, como eu já abandonara a decência havia muito tempo, também cortei fora o chifre do unicórnio. A parte principal extraí pisando com o salto da bota, depois tentei arrancar o máximo que podia do crânio do animal. As pontas afiadas cortaram meus dedos, e o sangue de todos nós se misturou: o meu, o de Frankie e o da criatura lendária.

Eu conseguira aquilo que Warren tanto queria, mas ele provavelmente não sabia o que os unicórnios se tornaram. Os cacos eram foscos e turvos. Não pareciam mágicos. Eram totalmente diferentes das esferas brilhantes que Tippity tirava dos corpos dos feéricos. Apesar disso, embrulhei os pedaços em um trapo de couro e guardei no bolso. Era tão idiota quanto guardar uma garrafa de uísque quebrada, e eu já via o momento em que tentaria pegar um Clayfield e me cortaria todo. Mas era tarde demais para me preocupar em ser idiota.

Depois de associar mais alguns feitos terríveis ao meu nome, comecei a longa volta para casa.

Naquela noite, encontrei um depósito com um porão em que pude descansar protegido do frio. A névoa continuava ali quando acordei na manhã seguinte. Permaneci na estrada, mas passei o tempo todo me sentindo perdido. Pensei em voltar ou esperar o céu clarear para poder saber em que direção o sol estava se pondo, mas temia que, se parasse de me mover, morreria na hora. Finalmente passei pela cabana em que eu e Frankie ficamos na ida, o que me confirmou que eu estava indo na direção certa. Se não fosse por isso, talvez eu tivesse enlouquecido.

À noite eu cozinhava as tiras de carne de cavalo no fogo. Foram as refeições mais tristes da minha vida, mas eu não teria sobrevivido muito tempo sem elas.

Durante os primeiros dias, eu ainda esperava que alguém estivesse me seguindo. Mantive uma orelha sempre de pé, e o tempo todo virava para observar o caminho de onde vinha. Depois de dias de silêncio, tive que supor que quem quer que tivesse atacado o goblin não tinha ido a cavalo, e por isso provavelmente não poderia me alcançar. Além do mais, se o objetivo daquelas pessoas fosse só capturar Victor e elas não soubessem da minha presença, não teriam ideia de que a máquina estava comigo. Para elas, eu era só um estranho que acabou envolvido na confusão.

Certo dia, ao nascer do sol, enquanto eu me enrolava sob um trapo velho tentando convencer meu sangue a voltar a correr, ouvi o barulho de um motor. De início, achei que talvez tivesse calculado errado a distância até Sunder e aqueles fossem os sons da cidade trazidos pelo vento. Mas o barulho foi ficando mais alto. Mais próximo. Dei uma olhada por debaixo da lona e tive um vislumbre brilhante do futuro.

Era um automóvel. Mas não uma das máquinas pré-Coda, que cuspiam fumaça preta e chocalhavam como um saco de britadeiras. Aquele era elegante e lustroso, com luzes alaranjadas na frente e janelas escuras que escondiam o motorista.

Aquele automóvel devia ser das mesmas pessoas que quase passaram por cima de mim e de Tippity na volta para a cidade. Se fossem as responsáveis pelos pedregulhos pelo vale, era melhor eu ficar atento. Depois disso, me mantive às margens da estrada, pronto para saltar nos arbustos caso outro carro viesse rugindo na minha direção.

Mais dias se passaram enquanto eu me arrastava pela trilha. Dormi dentro de uma árvore oca, em uma carroça velha e em uma pousada abandonada, mas nunca acordei me sentindo renovado ou descansado. Era uma caminhada longa. Um castigo pelos meus erros. Era doloroso. Parecia inútil. Mas o tempo todo eu tinha uma máquina ao meu lado que poderia acabar com tudo.

De alguma forma, isso facilitou. Porque eu tinha uma forma de fazer aquilo parar, se eu quisesse de verdade. Cada passo era uma escolha. Era decisão minha. Com esse pensamento estranho e destrutivo, levei seis dias para voltar para Sunder.

Subi a rua Principal me arrastando, pondo um pé na frente do outro, e vi que Georgio não estava no restaurante. Eu não tinha ideia de que horas eram. Nem do dia da semana em que estávamos. A porta giratória me atacou com meu reflexo. Havia sangue e terra no meu rosto, cortados por linhas de lágrimas. Eu parecia um cadáver reanimado por um necromante de habilidades questionáveis.

Alguém tinha entrado no prédio enquanto eu estava fora e mudado o tamanho das escadas. Parei de tentar ficar de pé e subi os últimos degraus de quatro.

Empurrei a porta do meu escritório com a cabeça, me arrastei para dentro e desabei no chão.

Ergui os olhos para a cama, sem conseguir me convencer de que valeria a pena o esforço de me jogar nela. Então, a cama se moveu.

Duas botas de polícia pararam no chão ao lado do meu rosto.

— Minha nossa! O senhor está bem?

Resmunguei, soltando cuspe pelos lábios. As botas foram até a minha escrivaninha e alguém pegou o telefone.

— Detetive? Ele voltou... Eu... Eu acho que não.

As botas voltaram para o meu lado e o dono delas se agachou e olhou para a minha cara como se fosse um pneu furado.

— Senhor. A detetive Simms quer que você me acompanhe até a delegacia. Precisamos prepará-lo para o julgamento.

— Hgadnatdsalizz...

Fechei os olhos. As botas dele guincharam nas tábuas quando voltou até a mesa.

— Detetive, é melhor você vir para cá.

Enquanto ele estava ocupado ao telefone, enfiei a mão no casaco, tirei a máquina do coldre e a enfiei debaixo da cama.

35

Agora, sim.

A versão *amigável* de Simms estava ficando esquisita. Depois de mais uma semana longe de casa, foi bom voltar para algo conhecido, como a ponta metálica das botas da detetive.

Ela me chutou algumas vezes, me xingou de um bando de coisas e tentou me fazer levantar, mas eu não parava de rir que nem um idiota porque não conseguia forçar meu corpo a fazer o que eu queria, nem quando me esforçava.

Uns brutamontes me arrastaram de lá. Já tinham feito isso antes, então estavam craques em lidar com as escadas e corrimões comigo em seus braços.

Na delegacia, cortaram as algemas dos meus pulsos machucados, me deram café à força e depois me lavaram com a mangueira de incêndio.

O susto da água me despertou um pouco. Alguém foi comprar um terno de segunda mão que ficou grande demais em mim, mas, mesmo assim, estava mais limpo do que qualquer outra coisa que havia no meu apartamento.

Alguém cortou meu cabelo, o que achei hilário. Uma enfermeira enfiou pela minha goela abaixo um remédio que tinha um efeito similar ao pó de despertar de Tippity. Embora não fosse tão potente, funcionou para abrir meus olhos.

Eu parecia um cachorrinho de madame sendo preparado por uma equipe de tosadores. Por mais que tentasse, não conseguia fazer os pensamentos na minha cabeça irem para os meus lábios. Pelo menos não na ordem certa, nem fazendo sentido. Simms puxou minhas pálpebras e as examinou.

— Me tragam uma dose de uísque e um maço de Clayfields.

— Brutamontes — murmurei.

Ela me deu um tapão. Alguém saiu correndo para pegar as coisas.

— Eu te falei para não fazer merda, Phillips. Eu te pedi pra não sair do apartamento, e você resolveu sumir da cidade. Por mais de *uma semana*. Você perdeu a data do depoimento, mas por sorte consegui convencer a juíza a te deixar falar antes de dar o veredito. Quero ser muito clara aqui: *você não vai me foder nessa*.

Ela não estava só irritada. Estava preocupada. Mais estressada do que eu jamais vira.

— Simms, acho que não posso...

Ela me deu outro tapa.

— Você vai entrar naquele tribunal e dizer à juíza exatamente o que falou para mim, e aí eu vou te deixar ir pra casa dormir, combinado?

Tentei balançar a cabeça, mas alguém tinha substituído meu crânio por um aquário transbordante.

Simms me deu mais um tapa.

— Combinado?

Meu olhar estava a dez quilômetros dali. Deve ter parecido que concordei, porque quando os Clayfields e o uísque apareceram, ela me passou as duas coisas. Vou dizer uma coisa sobre Simms, ela certamente sabe administrar o tipo certo de remédio. Aquilo me deu a força suficiente para ficar de pé.

Atravessamos a rua e fomos para o tribunal, em frente à delegacia, e eu disse a mim mesmo que seria melhor assim. Eu conseguiria me explicar para a juíza e para Simms ao mesmo tempo, esclarecer tudo de uma vez só. Simms não ia gostar, de qualquer forma, mas pelo menos eu só teria que falar uma vez.

Estávamos quase entrando no tribunal quando percebi que o prédio estava rugindo.

Perguntei a Simms que barulho era aquele.

— A plateia.

Merda.

36

Era pior do que eu imaginava. Bem pior.

Eu só estivera no tribunal para ajudar em casos pequenos e simples de propriedade perdida ou encontrada, ou para dar minha opinião em uma discussão de quem bateu em quem primeiro. Quando isso acontecia, nunca havia plateia. Todas as pessoas presentes tinham alguma ligação com o caso.

Era nisso que eu achava que estava me metendo. Mas aquilo? Aquilo era um espetáculo.

Havia uma centena de pessoas ali. Talvez mais. Quando perdi o dia marcado para o meu depoimento, acabei transformando a ocasião em um entretenimento duplo: a principal testemunha e a sentença na mesma manhã.

Parte da plateia estava sentada, mas havia muita gente de pé. Todos falavam por cima dos outros, cada vez mais alto.

A juíza era uma lobisomem magrinha sentada em uma cabine de madeira. A impaciência estava tão visível em sua cara quanto um anúncio.

Simms e sua equipe de rapazes de recados me conduziram pelo corredor até a frente do tribunal e, enfim, me encaminharam a uma cadeira projetada para o desconforto. Simms tirou o Clayfield dos meus lábios.

— Consegue falar direito? — perguntou.

— Sinto muito — respondi.

— Serve.

Ela foi até a juíza e negociou a ordem dos eventos.

A plateia era formada por gente de todo tipo. Vestindo todo tipo de roupa. De todas as espécies, raças e idades. Várias delas estavam ali a trabalho, com blocos e lápis a postos. Alguém estava me desenhando, o que era estranho. Peguei outro Clayfield e masquei, me preparando para estragar a festinha de Simms.

Tippity foi trazido dos fundos. A aparência dele combinava perfeitamente com como eu me sentia: destruído, faminto e cansado, mas bem-vestido, com um terno de segunda mão e gravata. A juba grisalha dele fora cortada, o que o deixava patético. Eu não me sentia muito mal por isso. Ele podia não ter feito as coisas de que era acusado, mas isso não significava que o cara não fosse um babaca.

Simms se aproximou e pôs a mão no meu ombro, como se estivéssemos no mesmo time. Então a juíza pediu silêncio.

— É só você me dizer o que falou na primeira vez — disse Simms.

— Você vai fazer as perguntas para mim?

— Claro.

Ótimo.

O barulho diminuiu até se tornar um murmúrio alto. Tippity tentava me matar com os olhos. Simms olhava fixamente para o chão. A juíza deu uma tossida seca, e eu estava pronto para tornar o dia de todo mundo bem mais interessante.

Primeiro repassaram as declarações oficiais e questões cerimoniais básicas a que não prestei atenção. Fiquei de pé quando todo mundo fez isso. Quando todos se sentaram, eu imitei. Repeti algumas palavras, assenti e concordei com coisas que mal ouvi. Enfim, Simms subiu na tribuna.

— A testemunha, sr. Fetch Phillips, é um *faz-tudo*. Não vou mentir para a corte e dizer que sempre estive de acordo com seus métodos ou seus modos ou muitas das coisas que ele já fez, mas digo o seguinte: Fetch Phillips é um homem simples. Ele fala de forma direta. Ele fala de forma verdadeira. E acredito que ele vai contar a verdade hoje.

Simms parou ao meu lado e encarou a multidão, dando a impressão de que falávamos em uma só voz.

— Sr. Phillips, quando você descobriu que Lance Niles havia sido assassinado?

— Quando o conheci. Alguma coisa no buraco na cabeça dele me fez desconfiar.

Isso arrancou algumas risadas. Simms não se importou. Ela ainda achava que estávamos na mesma página.

— O sr. Phillips às vezes é contratado por civis para investigar rumores sobre o retorno da magia. — Eu quase a interrompi para corrigi-la, mas Simms estava animada e eu não queria atrapalhá-la. — Por isso, eu o convidei para a cena do crime, para ver se algum de seus casos poderia lançar uma luz sobre o assassinato. Não foi o caso. Mas o sr. Phillips começou a investigar por conta própria, porque acreditava que solucionar o crime traria uma recompensa. Estou correta?

Eu estava curtindo esse lado da Simms. Ela fazia um showzinho interessante. Naquele momento, eu até desejei não estar prestes a estragar tudo.

— Claro.

— E para onde sua investigação te levou?

— Bom, eu comecei a pesquisar diferentes feitiços que faziam fogo antigamente. Eu me perguntei se havia algum tipo de magia que, embora não fosse *igual*, pudesse ter alguma energia residual dormente. O poder dos bruxos e bruxas parecia ser o mais provável, então comecei a fazer algumas perguntas sobre quem poderia ter esse tipo de conhecimento. Quando fiquei sabendo da farmácia de Tippity, foi lá bater um papo com ele.

— E o que o sr. Tippity te contou?

— Nada. Ele atirou uma bola de fogo na minha cara.

Alguns arquejos. Simms sorria. Ela perguntou sobre o restante da história, e contei como tudo aconteceu. O corpo congelado, a viagem até a igreja, ver Tippity destruindo a cabeça dos feéricos mortos. Era tudo que Simms queria que eu falasse, e a multidão engolia vorazmente as palavras.

— Então, é isso. Esse homem, Rick Tippity, maculou os corpos sagrados dos feéricos para extrair a essência mágica deles. Ele utilizou essa essência para criar armas terríveis, então usou essas armas para congelar seu parceiro, Jerome Lees, atacar Fetch Phillips e assassinar Lance Niles.

— Bom... talvez não.

Todas as cabeças se viraram para me encarar. Todas, menos a de Simms.

Ela não queria mesmo, mesmo, mesmo me perguntar mais nada, mas minhas palavras estavam flutuando ali, no meio do tribunal, brilhando para todos verem. Ela não tinha opção.

Simms, muito a contragosto, forçou as palavras a saírem de sua língua bifurcada.

— O que... o que você quer dizer?

— Quero dizer que estou vivo. Tippity está vivo. Levei uma dessas bolsinhas de presente na cara. Outra explodiu bem nos bagos dele. Mas ainda tenho as minhas belas feições, e ele ainda está de pé. O que isso significa?

— Significa que a poção que ele usou em Lance Niles era mais forte do que a que usou em você.

— Qual é... Tudo que Tippity pode fazer é um foguinho. Você viu o corpo, detetive. O que matou Lance Niles arrancou dois dentes, mas deixou todo o resto no lugar. Atravessou a bochecha, mas não queimou os lábios dele. — Eu não conseguia mais olhar para Simms. Estava me sentindo mal por envergonhá-la na frente de todos os seus amigos. Então olhei para Rick. — O que Tippity fez? Não foi nada. Uma sombra de coisas que antigamente eram grandiosas, mas todos sabemos que desapareceram faz anos. Um último suspiro de algo melhor e mais brilhante do que todos nós. Ele ainda deveria ser preso por ser um miserável desprezível, mas não é assassino. Olha a cara desse idiota. Bem que ele gostaria de ser tão interessante assim.

Simms estava tremendo.

— Mas Jerome... O parceiro dele...

— Congelou a si mesmo em algum experimento que deu errado, pelo que imagino. Estou começando a achar que, se eu não tivesse dado um susto em Tippity e o acusado do assassinato de Niles, ele teria cometido o mesmo erro, posto fogo na farmácia com ele dentro e evitado muita dor de cabeça para todos nós.

As coisas ficaram meio doidas depois disso. Simms pediu para falar com a juíza por um segundo e as duas começaram a discutir. Tippity se levantou e tentou discursar, mas foi confuso porque ele queria que todo mundo soubesse que, apesar de não ter matado Niles, poderia ter feito isso, se quisesse. A plateia ria, vaiava e conversava entre si.

Exceto um homem.

Ele estava a algumas fileiras da primeira, usando um chapéu de abas largas e um casaco preto pesado. Havia algo de errado com o rosto dele. Era como se tivesse sofrido um ferimento, mas o médico que o atendeu tivesse voltado de uma bebedeira épica de três dias.

Ele estava me observando. Somente a mim. E havia algo de conhecido nele. O sorriso era afiado como uma rachadura no asfalto. Talvez ele só me fizesse lembrar do unicórnio: um rosto majestoso transformado em algo antinatural. Então ele se levantou, espanou o casaco e pegou a bengala.

Então eu soube onde o vira antes.

Foi no beco, depois de sair do jogo de cartas. Achei que era Harold Steeme me seguindo, mas era aquele cara, com um chapéu-coco e um cachimbo. Ele mudara o chapéu, mas o rosto, a bengala e o casaco eram os mesmos.

Ele se afastou da multidão, seguindo para a saída. Eu queria gritar: É ele! Ele é o verdadeiro assassino! Mas o lugar já estava uma bagunça completa, e eu pareceria ridículo.

Fiquei ali parado, desnorteado, enquanto ele costurava entre as pessoas e saía do tribunal.

Um minuto depois, Simms se aproximou de mim com os punhos cerrados. Ela nem conseguia me encarar.

— Sai daqui, Phillips. Sai da porra da minha frente.

Foi o que eu fiz, sabendo que não demoraria muito para que seus lacaios me pegassem e eu tivesse que me explicar.

Do lado de fora do tribunal, procurei na multidão por chapéus e bengalas, mas não havia sinal do homem bem-vestido com cicatrizes no rosto. Deixei a confusão para trás, mas encontrei outra ao chegar à rua Principal. Alguma coisa chamara a atenção das pessoas, apesar do frio. A alguns quarteirões de casa, vi os primeiros trabalhadores. Eles usavam macacões com *CN* escrito nas costas. Tinham aberto um dos antigos postes de fogo e estavam mexendo nos mecanismos lá dentro. Mais adiante, um dos postes fora derrubado.

Os pedestres se perguntavam o que estava acontecendo e não obtinham resposta. Os homens de macacão diziam coisas como "só estou fazendo meu trabalho", ou obviedades como "tirando os postes".

Então dois chifres vermelhos se ergueram em meio à turba. Baxter Thatch ficou de pé em um banco e falou para a multidão com uma voz que parecia um abraço quentinho.

— Senhoras e senhores, sentimos muito pela inconveniência enquanto fazemos algumas mudanças na iluminação pública da cidade. Durante as próximas semanas, vamos instalar novos postes nas ruas. Eles serão adequados a um tipo de energia que, em breve, a Usina Energética Companhia Niles oferecerá a Sunder. É isso mesmo, pessoal. Até o final do inverno, as luzes da rua Principal se acenderão novamente!

Baxter disse isso como se esperasse que comemorássemos, mas era cedo demais. Precisávamos de um tempo para digerir aquela novidade. Para decidir se acreditávamos. Fomos lançados para um lugar dentro de nós mesmos — devolvidos a um ponto que era parte passado glorioso, parte presente difícil e parte futuro desconhecido e iluminado.

A rua Principal teria luzes de novo. A cidade receberia energia de verdade. Isso era uma boa notícia. Talvez a primeira desde que o mundo se apagara.

Conforme Baxter distribuía apertos de mão e tapinhas nas costas, as pessoas ao meu redor se permitiam sorrir e abraçar umas às outras.

Uma migalha de esperança. Um pouco de mudança. Progresso.

De repente, o dia não parecia tão ruim. Era um bom dia para ser melhor. Um bom dia para tirar a máquina da cidade e destruí-la, como Victor me pedira para fazer. Um bom motivo para acabar com aquela minha brincadeirinha boba e começar a fazer algo real, que não exigisse meu nome na porta. Talvez vestir um dos macacões da Companhia Niles, me juntar aos trabalhadores e construir algo. Algo real. Algo que pudesse, de fato, ajudar.

Mas não foi o que eu fiz. Claro que não. Eu voltei para o meu escritório e me enfiei na cama. Dormi e, quando voltei a sair de casa, ainda levava a máquina presa ao peito.

Não fui até a Companhia Niles pedir um emprego. Nem precisei.

Em pouco tempo, a Companhia Niles me procurou.

37

— Mas que merda é essa que você está falando?
— Dragões! — disse ele.
Eu queria socá-lo.
— Sei que você disse dragões. Eu só não entendo *por que* disse dragões.
Eu tentava manter a calma, mas o vento estava especialmente frio, eu não comia direito havia semanas, e agora um anão desdentado tinha me arrastado até um fim de mundo para um trabalho que não fazia sentido.
— Eu ouvi um dragão.
— Claro que não ouviu.
— Ouvi, sim!
— Onde?
— Aqui!

Ele apontou para os silos ao nosso redor. Essa parte da cidade era cheia de armazéns em que as empresas guardavam estoque e materiais no atacado. Não se via muitas casas ou lojas aqui, e certamente não havia dragão nenhum.

— Eu estava bem aqui — continuou ele, apontando para o chão — e ouvi o rugido. Duas vezes!

— E o que você quer que eu faça sobre isso?

— Bom, achei que você poderia gostar dessa informação.

Soltei todo o ar dos meus pulmões e esfreguei o rosto.

— E por que você acharia isso?

— Porque é isso que você faz, não é? Foi isso que falaram no tribunal. Você investiga restinhos de magia que ainda não viraram pó.

Ele não era o primeiro cliente a me procurar com essa impressão. Embora em geral as pessoas tentassem ser mais discretas. Nas duas semanas desde o julgamento, tive que me livrar de todo tipo de almas desesperadas e sem esperanças.

— Você só achou que eu veria alguma utilidade nisso, é?

— Bom, achei que poderia valer alguma coisa.

Ele esfregou os dedos e ergueu as sobrancelhas em um gesto que não poderia ser mais insultante.

— Você tá de sacanagem. Resolveu me mostrar um dragão imaginário e quer que *eu* pague pra *você* pelo privilégio de ser arrastado até aqui nesse frio?

Ele resmungou um pouco, depois retrucou:

— Tá bom. Vou vender a informação pra outra, então.

— Pra outra o quê?

— Pra outra investigadora. A moça.

— Meu senhor, alguma coisa que você diz faz qualquer sentido?

— Olha só.

Ele tirou um recorte de jornal do bolso e enfiou na minha mão como se me enterrasse um canivete na barriga.

Eu não podia acreditar no que estava escrito.

Linda Rosemary, Investigadora Mágica
Trago de volta o que foi perdido

Então esse era o novo golpe dela: arrancar dinheiro dos cidadãos mais desesperados vendendo a esperança que desaparecera. Guardei o recorte no meu bolso.

— Ei, eu preciso disso!

— Não precisa, não. Você já pensa merda suficiente sozinho, não precisa comprar mais. Vou pra casa.

Eu o deixei com seu dragão invisível e voltei para o centro. Estava congelando. Simms ainda não tinha devolvido meu casaco, então eu estava me virando com um sobretudo carcomido de segunda mão por cima de um blazer velho de lã.

A rua Principal parecia estranha sem os postes de luz. Aparentemente eles tinham sido recolhidos para que a Companhia Niles os convertesse para a nova fonte de energia. Os trabalhadores de macacão eram vistos por toda parte da cidade, reformando edifícios e estradas. Passei por um grupo deles empurrando carrinhos de mão cheios de entulho, e outros na rua Principal saindo dos esgotos.

Quando me aproximei do número 108, senti um arrepio na nuca. Do outro lado da rua, um ogro de terno escuro se encolhia sobre um telefone público. A cabeleira comprida e a barba que batia no peito estavam penteados com uma precisão geométrica.

Ele me encarava enquanto falava ao telefone, sem nem se dar o trabalho de disfarçar que me observava. Quando você é do tamanho de uma carroça, talvez tentar ser sutil seja uma perda de tempo.

Minha atenção foi roubada por um som gorgolejante. Eu me virei e vi um grande automóvel preto se aproximando pela rua. Era aquele que eu vira na estrada ao voltar do Vale Aaron, todo fechado, lustroso e com janelas escuras, com as rodas de bordas brancas. Era ainda mais impressionante de perto. Bem melhor do que as primeiras latas-velhas que baforavam pela cidade uma década antes.

Eu queria sair correndo. Tinha a terrível sensação de que aquele carro estivera me seguindo desde o vale, mas acabei paralisado, rezando para que passasse direto.

Não foi o que aconteceu. O carro elegante parou junto ao meio-fio bem na minha frente, e uma meio-elfa baixinha, com olhos verdes estreitos, me encarou do banco do motorista.

— Entre, sr. Phillips. Alguém quer ter uma conversinha com o senhor.

A voz dela tinha o tom de tédio de alguém que com frequência se vê na posição de ser a pessoa mais inteligente de qualquer lugar.

— Diga a esse *alguém* que pode vir ao meu escritório sempre que quiser. Tenho uma nova regra: no inverno, não vou a lugar nenhum sem ser pago antes.

O ogro já estava ao meu lado. Ele não precisou me ameaçar, nem mesmo colocar a mão no meu ombro. Quando você é desse tamanho, cada respiração é um aviso. Na lapela do blazer havia um pequeno broche dourado com as letras "CN" gravadas em baixo-relevo.

Minha curiosidade com a Companhia Niles era maior do que a vontade de ter os intestinos arrancados pelo nariz por aquele ogro, então entrei no carro.

38

Posso não conhecer cada centímetro de Sunder, mas conheço a maior parte. Quando viramos à esquerda na rua Dezesseis e eu vi aquele casarão pela primeira vez, eu tinha certeza de que ela não estava lá no início do ano. Ela deixava tanto a casa do prefeito quanto a mansão do governador no chinelo: imensa, luxuosa e inacreditavelmente agitada.

Havia mais dois ogros na entrada, da metade do tamanho do grandalhão apertado ao meu lado, mas usando o mesmo terno cinza-chumbo. Eles abriram os portões de cobre e o automóvel passou, seguindo as curvas da longa entrada para carros. Os jardins dos dois lados estavam cheios de trabalhadores em macacões cavando e plantando árvores.

A casa em si era toda de madeira, o que só a distinguia ainda mais do restante da arquitetura de Sunder City. Já tinha três andares e parecia que um quarto estava sendo construído. Havia uma varanda no segundo andar que circundava toda a construção, e as maiores janelas que eu já tinha visto naquela cidade.

Paramos na frente da casa e mais serviçais de macacão saíram para abrir minha porta. Aquele era um espetáculo, mas eu ainda entendia quem era a plateia. Não era eu, isso com certeza. Eu só estava sendo entregue. Deixado na soleira como o jornal matutino.

Um mordomo abriu as portas principais e entrei em um cômodo maior do que grande parte dos prédios de Sunder. O piso era de lajotas pretas e brancas alternadas, e havia duas escadarias idênticas que levavam a um patamar com um guarda-corpo de pedra branca esculpida. Atrás do guarda-corpo estava um homem que eu nunca vira antes.

Era humano. Tinha uns cinquenta anos. Um daqueles caras para quem a idade era um presente, não um fardo. Alguns fios brancos nas têmporas e as linhas de expressão em torno da boca só o deixavam mais interessante. Ele usava um terno marrom-claro e tinha o ar másculo de quem sabe como tudo funciona.

— O famoso Fetch Phillips — disse ele com uma voz profunda e ressonante que faria um poema escrachado parecer uma ode religiosa. — Meu nome é Thurston Niles. Obrigado por aceitar meu convite.

— Parecia uma escolha melhor do que vir arrastado. Não queria arranhar o assoalho.

Ele deu um sorriso educado. Nada a provar. Nenhum motivo para fazer nada além do absolutamente necessário.

— Cyran é um doce de pessoa, de verdade. Ele não tem culpa de ter a aparência que tem, mas tê-lo por perto certamente faz as coisas correrem de forma mais eficiente. Por favor, suba.

Dei uma olhada para as escadas gêmeas idiotas.

— Por qual delas? Isso é algum tipo de teste?

O segundo sorriso foi mais real do que o primeiro.

— Meu arquiteto tem uma fixação por simetria, mas você tem razão, é supérfluo. Por mim, você pode até escalar as cortinas. Vou te preparar um drinque.

Ele passou por uma porta às suas costas e subi a escada da esquerda até chegar a um longo corredor que se dividia em infinitos cômodos.

— Terceira porta à direita — disse a voz confiante.

Segui a instrução até chegar ao único cômodo ali que parecia terminado: carpete preto e vermelho grosso, várias poltronas de couro, mesinhas laterais de madeira e um bar comprido que ocupava uma parede inteira. A lareira rugia e as janelas estavam cobertas por cortinas grossas de veludo.

— Ouvi dizer que você não é muito exigente com bebidas — disse meu anfitrião, me entregando um copo baixo com dois dedos de um líquido cor de âmbar. — Mas eu sou. Esse é um uísque anão de cem anos. Se abríssemos as cortinas, seria a primeira vez que essa garrafa veria a luz do sol. Tem um toque de musgo, mas acho que você vai gostar. Pode se sentar.

Nós nos sentamos nas poltronas mais próximas à lareira, e ele me deu um momento para degustar a bebida.

Puta merda. Era como beber água da chuva das raízes de uma árvore ancestral, mas suave e até um pouco salgado.

— Você certamente sabe como começar uma reunião, sr. Niles.

Ele ergueu o copo.

— Pode me chamar de Thurston. Esse uísque foi descoberto pelo meu irmão, Lance, em uma de suas expedições pelo continente. Lance era um cara popular, com uma mente questionadora e um espírito generoso. Ele conseguia chegar a qualquer cidade do mundo, encontrar a pessoa mais importante, ser convidado para almoçar na casa dela e se tornar seu melhor amigo antes do jantar. O meu trabalho era chegar depois, quando todo mundo já estava contente, e lidar com a parte de *negócios*, de fato, fosse qual fosse o acordo que meu irmão tivesse fechado. Às vezes eram bons investimentos, embora muitas vezes não fossem, mas nos últimos cinco anos fizemos mudanças em todo o continente de Archetellos que melhoraram a vida de muita gente.

— Vocês também ganharam muito dinheiro.

— Claro. Pelo que ouvi falar, você é adepto da ideia romântica da pobreza. Bem, por mim, tudo certo, mas, se vamos ser amigos, você deve saber que jamais pedirei desculpas por ganhar dinheiro.

— É por isso que estou aqui? Você precisa de um amigo?

— Eu preciso que você encontre o homem que matou meu irmão. — Ele voltou para o bar e serviu mais duas doses para nós. — Cheguei à cidade depois do julgamento. Lance, como de costume, tinha tomado a dianteira nesse projeto. Depois de falar com a polícia e visitar o necrotério, de imediato percebi que você estava muito errado, e depois, muito correto sobre o que aconteceu. Se não tivesse se corrigido no tribunal, talvez nossa conversa fosse bem diferente agora.

Se eu não estivesse prestando atenção, poderia ter deixado de perceber a ameaça escondida sob o tom hospitaleiro.

— Então fico feliz por ter corrigido minha história.

— Eu também. Isso significa que, juntos, podemos trabalhar para levar o verdadeiro assassino à justiça. Você pode começar me contando tudo que sabe.

Fiz um resumo dos acontecimentos parecido com o que contara no tribunal. Do Bluebird Lounge para a farmácia, depois para a floresta. Expliquei que, depois de levar Tippity de volta à cidade, tive tempo para digerir tudo que acontecera e percebi que as coisas não estavam batendo.

— Aí você saiu da cidade, correto?

Ele tinha perguntado por aí sobre mim.

— Um caso não relacionado a esse. Teoricamente seria uma viagem curta, mas acabou saindo do controle. Acontece com frequência no meu trabalho.

Ele me observou por trás do copo. Sabia que eu estava mentindo. Eu havia sido reprovado no seu teste. Ele ia usar aquele ogro imenso para quebrar meus ossos um por um. Estava prestes a levantar e sair correndo quando ele falou:

— Quero contratar você.

Respire.

— Você tem um exército de pessoas à sua disposição. Para que precisa de mim?

— Você conhece essa cidade melhor do que qualquer um dos meus funcionários e já provou valorizar a verdade.

— Já fui atrás do assassino do seu irmão e não adiantou muita coisa.

— Verdade. Mas agora você terá a minha ajuda.

Nossos copos estavam vazios, mas ele não serviu mais uma dose.

— Estamos aqui para construir uma usina energética e reviver as indústrias da cidade. Vamos acender as luzes e encher as fábricas. Para isso, estamos contratando os engenheiros mais inovadores que podemos encontrar. Quando Lance chegou a Sunder, ele falou muito sobre as oportunidades que nossa empresa ofereceria e passava as noites entrevistando candidatos com experiência em invenções e tecnologia. Um desses candidatos se chamava sr. Deamar.

Thurston pegou um livrinho de couro e o abriu na mesa entre nós. Era uma agenda. No dia do assassinato, as seguintes palavras estavam anotadas na página: "Deamar, Bluebird Lounge, 20h." Thurston tirou outro pedaço de papel do bolso.

— Encontrei isso na mesa de Lance. Veja só.

Sr. Niles,

Fui informado de seus planos para Sunder City e venho por meio desta humildemente oferecer meus serviços. Desde a Coda, dedico meu tempo a buscar maneiras não só de restaurar este mundo à sua antiga glória, mas também de ir além do que foi possível na era mágica. Fico felicíssimo em saber que outro empreendedor pensa de forma semelhante e acredito que nós deveríamos nos encontrar pessoalmente assim que lhe for possível.

Para lhe dar um gostinho, conto que passei o último ano viajando para a universidade Keats, em Mizunrum, e obtive informações sobre magos que certamente serão de seu interesse.
Parabéns pelos sucessos recentes. Aguardo ansiosamente nossa reunião.
Seu amigo,
Sr. Deamar

Examinei a palavra "amigo" várias vezes. Não podia ter certeza, mas parecia combinar com o cartão que viera com a máquina. *Um presente de um amigo.*

Agora eu tinha um nome para o estranho com cicatrizes no rosto. Deamar matara Lance Niles com a máquina e a deixara na minha casa. Agora me seguia pelas ruas. Mas por quê?

Deixei a carta na mesinha.

— O endereço para resposta à carta era o Hotel Larone — disse Thurston. — O sr. Deamar se hospedou lá por cinco noites. Depois do assassinato, voltou para pegar suas coisas e não foi mais visto.

— Se você sabia disso, então por que deixou toda a palhaçada com Tippity continuar?

— Já falei, só cheguei à cidade depois do julgamento. Meus funcionários sabem como o trabalho que a companhia faz é delicado. Fingiram prestar toda a assistência à polícia, mas por trás dos panos se esforçaram para atrasar a verdadeira investigação até minha chegada. Nesse sentido, sua aventura com Tippity nos ajudou imensamente. É claro que assim que cheguei à cidade e vi o corpo do meu irmão, soube que aquela explicação era ridícula.

— E como você sabia disso?

— Porque eu sei o que matou meu irmão.

Inspirei com força e senti o metal da máquina apertar minhas costelas.

Por isso eu vira aquele mesmo automóvel elegante na estrada. Os homens de Thurston foram atrás de Victor, jogaram pedregulhos e atiraram virotes enquanto eu fugia. Em vez de destruir a máquina, como prometi que faria, eu a trouxera direto à toca do homem que fazia de tudo para encontrá-la.

— Sabe? — perguntei, torcendo para Thurston não perceber que eu estava suando um tanto.

— Sei.

Ele está me sacaneando. Ele sabe que a máquina está bem na frente dele. Por que eu não destruí esse troço? Por que insisti em ficar andando com isso por aí?

Tentei me fazer de burro.

— Que tipo de magia era?

Ele bufou, irônico.

— Não era magia. Só ciência. Um protótipo de ferramenta que Lance adquiriu no caminho para Sunder. Até onde sei, Lance mostrou o protótipo a esse tal de Deamar, que usou a arma para matá-lo e fugiu com ela.

E aí a deixou comigo.

— Você tem alguma ideia do motivo? — perguntei.

— Nenhuma. Talvez esse Deamar trabalhe para um concorrente. Talvez seja doido. Talvez a morte tenha sido um acidente e ele entrou em pânico. Não sei. Mas sei que ele é impossível de encontrar. Ninguém ouviu falar dele, exceto as poucas pessoas que o viram no hotel. Todas o descrevem da mesma forma que as testemunhas do Bluebird Lounge: humano, magro, terno preto, chapéu-coco, bengala.

Eu não precisava da descrição. Já vira Deamar duas vezes. Mas não podia dizer isso a Niles. Não podia dizer muitas coisas a Niles.

— Olha, Thurston, sinto muito pelo que aconteceu com seu irmão, mas quanto a continuar a investigação por conta própria, não acho que seja uma boa ideia. Já irritei os policiais que estão trabalhando no caso quando risquei o Tippity da lista de suspeitos.

— O que foi o correto.

— É, acho que sim. Além disso, tenho umas regras, sabe. Não trabalho para humanos. Não é nada pessoal, só uma das minhas palhaçadinhas. Vou te dar toda a informação que tiver, mas acho que é melhor você encontrar outro detetive.

Thurston se inclinou para a frente. O cara era uma parede. Impossível ler o que se passava naquela mente.

Na mesa ao lado dele havia um sininho. Ele o pegou e tocou, e enfim serviu mais duas doses nos nossos copos. Momentos depois, o ogro grandão entrou na sala, o terno sob medida esgarçando as costuras.

Tentei me preparar mentalmente para a surra. Não era fácil. Um único soco poderia me mandar para o cemitério.

— Cyran — disse Niles —, por favor, dê dez notas de bronze ao sr. Phillips.

Cyran enfiou a mão no bolso e tirou um rolo de notas. Ele contou dez e as estendeu para mim. Eu não as peguei.

— Sr. Niles, acabei de falar que…

— Cyran, repita o que eu vou dizer: sr. Phillips, eu gostaria de contratar seus serviços como *faz-tudo*. Aqui tem dez notas de bronze. Por favor, encontre o homem que assassinou Lance Niles.

Como um papagaio de cento e cinquenta quilos, o ogro fez o que lhe foi pedido. Eu não tive opção a não ser aceitar o teatrinho. Não sei o que aconteceria se eu me recusasse. Talvez o brutamontes me sacudiria de cabeça para baixo até eu aceitar o trabalho. O pior seria que a máquina cairia no chão, e eu teria que explicar como a arma do crime, que eu teoricamente deveria procurar, estava o tempo todo escondida debaixo do meu casaco.

Peguei as notas.

— Obrigado, Fetch — disse Thurston Niles.

— Obrigado, Fetch — disse o ogro.

Thurston dispensou Cyran com um sorriso.

— Você deveria reconsiderar sua regra de não trabalhar para humanos — comentou. — Pode achar que isso me faz parecer honrado, mas, na verdade, só passa a impressão de que é ingênuo.

— Não me importo com as aparências. É assim que trabalho, só isso.

— Você não viajou muito depois da Coda, certo?

— Não para longe.

Ele sorriu de um jeito que me deixou desconfortável.

— Se tivesse viajado, talvez não tivesse tanta pressa em virar o rosto para sua espécie. As coisas mudaram no mundo, e homens como nós precisam ficar juntos.

Bebemos outra dose e arranquei todos os fatos que pude do meu novo cliente. Não havia muito mais. Em parte porque Thurston não estava contando a história toda, e em parte porque Deamar era um fantasma ou coisa do tipo. Niles não conseguira encontrar nenhum registro dele além de sua estadia no Hotel Larone e sua visita ao Bluebird Lounge. Eu tinha mais duas ocasiões em que o vira para adicionar à lista, mas isso também não ajudava muito.

— Acha que Deamar tem algum tipo de problema com você? — perguntei.

— Talvez. Mas não consigo imaginar o motivo.

— Tem mais alguma coisa que poderíamos atribuir a ele? Outros ataques?

Seu rosto se iluminou como se eu tivesse feito uma festa-surpresa para ele.

— Estou gostando de como você pensa! Mês passado, quando Lance estava vindo para cá, um dos nossos caminhões foi sequestrado no caminho. Imaginamos que fossem só bandidos de beira de estrada, mas algo me incomodou. Muitas coisas valiosas foram deixadas para trás. Em vez disso, os ladrões levaram documentos. Só itinerários e livros-caixa. Tentaram me convencer de que, por causa do inverno, os ladrões tinham levado coisas com que fazer uma fogueira, mas acho que você tem razão. Acho que esse tal de Deamar já estava me sacaneando há mais tempo do que imaginei. — Ele virou o copo inteiro de uísque e assentiu como se a gente já tivesse desvendado o enigma. — O que você pretende fazer agora?

Não havia muitas pistas. Alguns vislumbres pela cidade e um roubo no mês anterior que talvez nem tivesse conexão.

— Eu vou investigar essa história do caminhão primeiro. Alguma testemunha?

— Não. Mas Yael, a motorista que foi te buscar, foi a primeira a chegar. Talvez ela possa te contar alguma coisa.

— Talvez eu devesse ir até lá e ver o lugar com meus próprios olhos.

— Um ponto qualquer de uma estrada vazia? Faz um mês.

— Mas por que aquele lugar? O seu caminhão era um alvo já escolhido, ou ladrões acampam naquela área com frequência? Isso pode nos ajudar a provar se o ocorrido tem mesmo relação com o caso ou não.

Ele olhou para o chão e assentiu, com uma expressão satisfeita.

— Fale com Yael, depois volte aqui de manhã. Vou te dar uma carruagem e algumas instruções, e você vai poder verificar se tem algo por lá. — Nós ficamos de pé e trocamos um aperto de mão. — Foi um prazer enfim conhecê-lo, Fetch. Gosto de como você pensa. — Ele ergueu a outra mão e segurou a minha. Por um momento, seu exterior durão deu uma brecha. — Por favor, não decepcione meu irmão.

39

A mesma dupla mal-encarada me levou para casa: Yael, a meio-elfa, com as mãos no volante, e Cyran, o ogro, apertado na parte de trás comigo.

Yael não fez esforço nenhum para esconder o fato de que desgostava de ter sido ordenada a conversar comigo.

— Então... — comecei, entrando com cuidado na conversa como se fosse uma armadilha de urso. — Você foi a primeira a encontrar o caminhão roubado?

— Sim.

Esperei ela continuar. Ela ficou em silêncio.

— O que você acha que aconteceu?

Havia um espelho pendurado do teto do carro, perto do corta-brisa. Nele eu conseguia ver os olhos dela. Parecia que a meio-elfa queria largar o emprego naquele segundo, sair do carro e nunca mais voltar.

— Alguém colocou pregos na pista. A motorista não poderia ter evitado, porque tinha um ponto cego na curva. Furaram os quatro pneus. Quando a motorista saiu, levou uma flechada no peito, outra na cabeça. Alguns equipamentos foram roubados da caçamba. Documentos também.

— Que tipo de equipamento?

— Isso é informação confidencial.

— Estou trabalhando para o Thurston também.

— É o que você diz.

Ela me encarou pelo espelho.

— Certo, eu volto aqui amanhã de manhã. Converse com seu chefe e descubra se você pode me contar mais alguma coisa. E me faça um favor: desenhe a cena da melhor forma que puder lembrar. Onde encontrou a motorista, em que direção estava o veículo... Coisas desse tipo.

Ela bufou, como se eu tivesse pedido que me ajudasse a mudar de casa.

— Certo.

— Valeu, Yael. Você é uma verdadeira heroína.

Saí do carro no exato ponto em que eles me pegaram. Assim que fechei a porta, o carro se afastou.

— Carambolas! — Georgio estava parado na porta do café, com um sorriso de orelha a orelha. — Que carango, Fetch! Ficou rico, é?

O constante entusiasmo de Georgio era igualmente simpático e irritante.

— Só outro cliente complicado, George. A única diferença é a qualidade da faca que vão enfiar nas minhas costas no final.

Entrei, sentei à escrivaninha e tentei avaliar o tamanho da confusão em que eu me encontrava. Por que Deamar deixara a arma do crime comigo? Será que era só porque eu já estava investigando o assassinato, ou havia alguma conexão que eu não estava vendo?

Talvez eu encontrasse as respostas na estrada.

A estrada.

Pensei na minha última viagem. As bolhas nem tinham cicatrizado, e eu ainda estava cadavérico pelos dias sem me alimentar. Se Deamar não estivesse por trás do roubo ao caminhão e houvesse bandidos naquela área, então meu transporte seria destruído da mesma maneira. Se isso acontecesse, eu não conseguiria me arrastar de volta para Sunder mais uma vez. Não sozinho.

Eu precisava de apoio.

Thurston me pagara bem. Tanto que eu conseguiria contratar uma companhia. Mas eu precisava de mais do que alguém com quem conversar. Alguém com experiência em rastreamento seria bom. Alguém que conseguisse lidar com a neve. Forte e sagaz. Alguém que ficaria de boca fechada se encontrássemos algo importante.

Ah, não.

Tirei o recorte de jornal do bolso e alisei o papel na mesa.

Linda Rosemary, Investigadora Mágica
Trago de volta o que foi perdido

40

O escritório de *Linda Rosemary, Investigadora Mágica* ficava na praça Cinco Sombras. O local recebeu esse nome antes da Coda porque, se você ficasse de pé no meio da praça à noite, as cinco torres de fogo iluminavam você por todos os lados. Os negócios naquela área eram uma mistura de joalheiros, butiques, alfaiates e bares chiques. Eu não conseguia imaginar que tipo de golpe Linda tinha aplicado para conseguir um lugar tão bom tão rápido.

Ela ocupara o espaço de uma antiga floricultura, e as placas na janela anunciavam produtos que não eram vistos havia anos: buquês sempre vivos e plantas carnívoras de proteção para bolsas. Ainda assim, era menos mentira do que o que quer que a srta. Rosemary estivesse vendendo.

Um sino acima da porta tocou quando entrei. Linda Rosemary, Investigadora Mágica estava sentada à mesa, com uma senhora reptiliana chorando à sua frente. Linda olhou para mim como se a gente nunca tivesse se visto antes e me cumprimentou com a mesma falta de familiaridade. Não era a primeira vez que alguém fingia não me conhecer na frente de estranhos.

— Perdão, senhor, mas você tem hora marcada?

— Não.

— Sente-se, então. Já estamos acabando aqui.

Eu obedeci. A velhinha tinha um xale envolvendo a cabeça e estava chorando. Linda tirou um lenço do bolso do casaco, notavelmente novo e limpo. Ela trocara a boina por um fedora preto preso nos cabelos trançados.

— Sinto muito, sra. Tate. Pode continuar.

A sra. Tate secou os olhos com o lenço.

— É só isso, na verdade. Eu não estava tão preocupada com a minha aparência, mas a dor está piorando. Principalmente no frio. As partes sem escamas... a pele fica tão exposta. Falei com o médico, mas ele só me disse para cobrir essas partes. No corpo, tudo bem, mas eu preciso trabalhar. Só pensei que você talvez soubesse de algum jeito de...

Ela parou de falar. Afinal, como terminar essa frase? *Algum jeito de trazer a magia de volta?* Como uma licum de fedora poderia ajudá-la mais do que um médico?

Era o mesmo problema que eu via Simms aguentar nos últimos seis anos, e ela não encontrara nenhuma forma de aliviá-lo exceto usar mais e mais camadas de roupas. Mas Linda assentiu como se tivesse tudo sob controle.

— Eu compreendo — disse. — E tenho algumas ideias de onde perguntar. Pode demorar um pouco, e não estou prometendo nada, mas vou fazer o máximo que puder para encontrar uma forma de ajudá-la.

Eu ri alto. Não foi minha intenção. A amargura me forçou a isso. Linda me olhou, mas a serpente manteve a cabeça baixa.

Fiquei quieto depois disso. Linda encerrou a reunião com a cliente, levou-a até a porta e depois me deu um soco no ombro.

— Você é um puta babaca, sabia?

— Foi mal. Eu não queria estragar seu golpe.

Ela me deu outro soco.

— Venha até a minha mesa, sr. Phillips. Gosto de estar confortável enquanto sou insultada.

A gente seguiu para o meio da sala, numa versão meio invertida do nosso último encontro, em que ela teve a palavra final. Era a minha vez de igualar o placar.

Linda apoiou os pés na mesa. A cadeira dela era melhor que a minha. Tudo no escritório dela era melhor. Tentei me convencer de que era porque eu estava realmente tentando ajudar as pessoas, enquanto ela só aplicava golpes.

— Você vai mesmo aceitar o dinheiro dela? — perguntei.

— Se eu puder ajudá-la.

— Você não pode ajudá-la.

— Como você sabe?

— Da mesma forma que você. Porque a magia acabou. Não importa quanto blá-blá-blá ou falsas esperanças você jogue na cara dela, isso não vai mudar.

Ela ouviu minhas palavras sem se deixar afetar.

— Olha. Eu nem sempre agi de forma de que me orgulho. A primeira vez em que nos encontramos foi lamentável. Eu estava desesperada. Perdida. Ainda tentava descobrir como sobreviver nessa cidade estranha. Então não ache que me conhece, sr. Phillips. Na verdade, você não entende nada.

— Você está se repetindo, srta. Rosemary. Falou a mesma coisa da última vez.

— E você continua não me ouvindo. Quando olha para nós, para quem tinha magia no coração, você acha que sabe o que estamos passando. Mas não tem ideia de como é a *sensação*. Você acha que nosso poder foi apagado? Como uma vela? Não. — Ela socou o próprio peito, cuspindo as palavras. — Ainda está aqui. Eu sinto.

— Desculpa. Eu...

— Cala a boca! Só porque você não consegue ver, não significa que não esteja aqui. Este é o meu corpo e essas são as minhas pessoas. Você pode revirar os olhos e rir o quanto quiser, mas eu vou me esforçar para devolver a mim mesma e a qualquer um que me procure nosso verdadeiro poder.

Não havia como responder isso. Assenti com a maior educação que pude, então ousei tentar mudar de assunto.

— Belo escritório.

— Valeu.

— Não deve ter sido barato.

— Não. — Ela respirou fundo e, enfim, relaxou um pouco. — Encontrei uns caixeiros viajantes que pagaram muito pelo chifre de unicórnio. Desde que não voltem para cá, acho que vou ficar bem.

Fiquei grato pela desculpa para rir.

— Então, o que está fazendo aqui, Phillips? Só veio roubar minhas ideias de decoração?

— Tenho que sair da cidade. Para outro caso. Mas estou hesitando em ir sozinho.

— Achei que trabalhar sozinho fosse seu *modus operandi*.

— É, estou surpreendendo até a mim mesmo. Vou sair em uma carruagem amanhã cedo e, se você estiver disponível, gostaria de contratá-la.

Por um preço exorbitante e provavelmente só para se divertir, ela concordou em ir comigo. Seu cliente seguinte chegou: um ciclope que estava perdendo a visão. Enquanto eu saía, ela já o acalmava com uma voz suave e otimista. Tentei dizer a mim mesmo que o gesto era importante, mesmo que o trabalho dela fosse mentira. Não acreditei totalmente, mas fiquei feliz em discutir o assunto comigo mesmo durante o caminho de volta para casa.

41

— Achei que você tinha dito que a gente ia numa carruagem.
— E nós vamos. Mais ou menos.

Eu tinha voltado à mansão Niles de manhã cedo, esperando encontrar um cavalo e uma carruagem. Em vez disso, havia um automóvel à minha espera na entrada. Cyran me explicou o necessário para fazê-lo andar. Era um modelo mais simples do que o que Yael dirigia, mas ainda era mais confortável que um cavalo sem sela ou meus pés inchados. O combustível era o mesmo tipo de óleo que a Mortales trazia de fora da cidade para fazer a usina funcionar. Cyran me ensinou a abrir a frente do veículo e encher o motor com aquilo de tempos em tempos.

Eu o fiz engasgar mais de dez vezes até chegar lá e arranjei um belo arranhão na lateral, mas estava começando a pegar o jeito.

Linda olhou para o veículo como se fosse mordê-la.

— Vamos para longe?

— Só algumas horas de viagem, pelo que parece, então devemos voltar até a noite, se você entrar no carro.

Ela me lançou um dos olhares fulminantes que eram sua marca registrada, se encolheu no banco e apoiou uma bolsa grande no colo.

— Que cheiro é esse? — perguntei.

— Pão fresco. Sardinhas...

— Você trouxe almoço? Sabia que eu tinha convidado a pessoa certa.

— Quem disse que é pra você?

Passei a marcha do carro. Ele engasgou duas vezes. Depois de vinte minutos, estávamos na estrada.

Eu estava congelando que nem a porra de um picolé. O carro de Yael tinha um corta-brisa e um teto. Esse não tinha nem um, nem outro. Tentei não fazer disso um grande problema, porque Linda só pôs os óculos escuros e encarou o vento cortante como se fosse uma brisa de verão.

Havia um espaço na parte de trás do carro com um recipiente cheio de combustível. A cada meia hora eu tinha que parar e encher o motor. Estávamos indo para o sul, e o pico achatado da montanha Sheertop era visível ao longe.

— Não era lá que ficava a prisão? — perguntou Linda.

— Aham. Bem na base. Mas as paredes eram de pura magia, então não sobrou muita coisa.

— Você já viu?

— Já, eu estava lá quando tudo aconteceu.

Ela se virou no assento e me encarou.

— Por quê?

Eita. Falei demais. Algumas pessoas conheciam minha história, mas Linda era nova na cidade, então ainda não sabia de nada.

— Foi só um erro bobo. Dá uma olhada no desenho da Yael pra mim, a gente deve estar perto.

Quinze minutos depois, cruzamos um riacho que Yael tinha marcado nas anotações. Um quilômetro e meio depois disso, a estrada se curvou em torno de uma formação rochosa e Linda me disse para encostar o carro.

— Deve ser aqui. — A pilha de rochas estava no lado direito da estrada. No lado esquerdo, só havia mato alto. As pedras acompanhavam a curva na estrada, o que ajudou os bandidos a surpreenderem o caminhão. — Que tal a gente almoçar?

Linda usou um canivete para cortar o pão.

— Isso não esteve na barriga de ninguém, né? — perguntei.

— Esteve, mas já limpei.

Cobrimos o pão com sardinhas e pimenta em conserva, nos apoiamos no carro e comemos em silêncio. Virávamos a cabeça para todos os lados, observando a paisagem e imaginando possíveis cenários. Ainda mastigando, chutei umas pedrinhas úmidas na superfície da estrada.

— Você viu muitas estradas assim quando veio para cá? — perguntei.

— Nunca. Todas as nossas estradas são de terra ou de pedra. Isso deve ser um lance do sul.

— Um lance de Sunder, na verdade. E é recente. Não há necessidade disso, a não ser que você queira dirigir veículos como este. Quem quer que esteja fabricando esses carros deve estar envolvido nessas estradas também.

— Isso é a cara do seu chefe, não é?

— É, talvez.

Havia marcas de pneus no asfalto. Algo que parecia uma queimadura onde, imaginei, os pregos foram arrastados pela estrada.

— Vamos dar uma olhada no desenho.

O esquema de Yael do ocorrido era meia-boca, mas me dizia algumas coisas importantes. Depois de passar pelos pregos, o caminhão girou até ficar perpendicular à estrada. A motorista foi encontrada à esquerda do caminhão, o que a colocava na face norte, de frente para a estrada em direção a Sunder.

Outro desenho marcava os ferimentos dela. Duas flechas: uma no peito, a outra atravessando seu crânio.

— De onde o caminhão estava vindo? — perguntou Linda.

— Do sul. Foi o que me disseram.

— O que estava levando?

— Isso eles não quiseram dizer.

As sobrancelhas dela denunciaram que ela me achava um idiota.

— Tem certeza de que eles querem que você resolva esse mistério?

— Eles querem que eu encontre Deamar. Só precisamos descobrir se esse ataque teve a ver com ele, ou se foi outra coisa.

— Certo. Vamos interpretar.

— O quê?

— Saia do seu caminhão invisível. Me mostre como aconteceu.

Dei de ombros.

— Tá bom.

Levei o desenho até as marcas de freada. Havia quatro linhas pretas. As que paravam mais ao norte deviam ser as das rodas dianteiras, que ficariam bem embaixo do banco do motorista.

— Então. O caminhão girou assim — falei.

— Faz os efeitos sonoros.

— Cala a boca. Aí a motorista saiu por aqui.

— E levou uma flechada no peito.

— E outra na cabeça.

— Mas no peito primeiro.

— Como você sabe?

— Olha para o desenho, Fetch. Se for verdadeiro, então a flecha da cabeça tinha muito mais força. É mais provável que a do peito tenha derrubado a motorista, e a segunda terminou o serviço de perto.

Eu tinha escolhido a parceira certa.

— Certo. Então ela sai do caminhão e leva uma flechada no peito.

— Mas ela não foi encontrada ao lado da porta, foi?

— Não.

— Então não foi alvejada de imediato. Aonde ela estava indo?

— Provavelmente olhar os pneus ou a carga.

— Me mostre.

Caminhei ao lado do meu caminhão invisível.

— Primeiro — começou Linda —, já podemos cortar metade da paisagem. O caminhão está bloqueando tudo para o sul. Agora, se o atirador estivesse diretamente ao norte, a motorista teria sido atingida de lado.

— A não ser que ela estivesse se afastando do caminhão.

— Por quê?

— Hum… para admirar a vista?

— Improvável. Eu diria que a flecha veio do leste ou do oeste. Vire para oeste.

Obedeci. Estava olhando para a formação rochosa.

— Você acha que o cara estava escondido ali atrás?

— Só se fosse um idiota. É perto demais. E se a motorista tivesse visto os pregos e parado para investigar? Você pode dar uma olhada por lá se quiser, mas acho que não. — Ela saiu da estrada. — Olhe para leste.

Segui suas ordens e caminhei de volta pela lateral do meu caminhão imaginário, como se estivesse voltando para o banco do motorista. Linda estava bem à minha frente.

— Desse ângulo, eu consigo ver a estrada para sul sem impedimentos. Se estivesse acampada, esperando para ver como minha armadilha afetaria um carro vindo dessa direção, eu ficaria em algum lugar… — ela se virou — … por ali.

Era um campo úmido de mato seco alto, cheio de poças.

— Espero que você tenha trazido suas botas boas — falei.

— Não se preocupe comigo, garoto da cidade. Você é que tem que tomar cuidado.

Linda se enfiou na lama.

Atravessamos o campo, lado a lado, a uns dez metros de distância um do outro. O plano era passar do ponto máximo de que um arqueiro poderia atirar, nos afastarmos e voltarmos para a estrada, nos afastarmos de novo e repetir até encontrarmos... alguma coisa.

— O que estamos procurando? — falei, erguendo a voz. — Uma cadeira dobrável e um telescópio?

— Talvez. Se eu tivesse que esperar um carro passar por essa estrada, escolheria um lugar confortável, escondido e protegido dos elementos. É impossível saber com certeza quando um certo caminhão vai passar, então eu ia querer me sentir segura.

Passamos do ponto em que nem mesmo um arqueiro elfo especialista seria capaz de acertar alguém e nos separamos. Contei a distância, me virei e comecei a caminhar de volta para a estrada.

— Você falou que viu esse tal de Deamar?

— Aham. Duas vezes.

— E ele parecia humano?

— Pelo que consegui ver, sim. Foi o que as testemunhas disseram também.

— Você sabe o que significa, né?

— O que significa o quê?

— Deamar.

Comecei a desejar não ter levado alguém que gostava de fazer com que eu me sentisse um idiota.

— Não.

— Imaginei que você não saberia mesmo. Vem de uma daquelas velhas histórias que até o povo mágico já esqueceu, então não creio que tenha chegado à sua espécie. — Ela vasculhou um ponto no mato, mas não achou nada interessante. — No início da criação, uma parte do rio saiu para a superfície do mundo, com o objetivo de ser a guardiã de todas as criaturas. Dela nasceu Deamar, seu primeiro filho. Ele desafiou a mãe e declarou guerra contra os humanos. Seu desejo era aniquilar a espécie deste planeta. Para proteger os humanos, a Criadora baniu Deamar para um lugar sombrio, nas profundezas de Archetellos, usando o poder do rio para mantê-lo preso.

— Você acha que um adolescente revoltadinho de eras passadas está zanzando por Sunder City e matando empresários?

— Não. Mas seja lá o que o sr. Deamar esteja planejando, escolher esse nome deixa suas intenções claras para nós que sabemos o que ele significa.

Meu pé bateu em algo duro e oco. Chutei a grama seca e encontrei um piso sob meus pés.

— Ei! Vem aqui.

Afastei mais mato da área. Existiu uma cabana ali, em algum momento. O telhado e as paredes tinham desaparecido, assim como os móveis. Mas talvez...

Pisei com força no piso e ouvi o som oco de novo.

Linda chegou na hora em que eu abria o alçapão para o porão.

42

Era um cômodo simples, escavado na terra, com paredes de madeira apodrecida. Havia um saco de dormir enrolado no chão, ao lado de um arco e algumas flechas. Uns trapos descartados no canto. Ossos de animais. Alguém passou um tempo acampando aqui.

— O que sabemos sobre Deamar? — perguntou Linda.

— Quase nada. Que é humano. Que assassinou Lance Niles, roubou uma arma, está andando pela cidade e me dá arrepios.

— Então, ele seria o tipo de cara que moraria num porão no meio do mato esperando para matar uma motorista de caminhão?

— Não tenho motivos para descartar essa possibilidade.

O porão era praticamente à prova d'água, mas, mesmo assim, a umidade conseguira penetrar. O lugar fedia a roupa úmida e mofo. Chutei o saco de dormir, mas não achei nada.

Linda estava olhando o arco.

— Te diz alguma coisa? — perguntei.

— Não exatamente. É simples. Sem marcações. Parece mais élfico do que humano, mas, hoje em dia, mal dá pra distinguir entre um e outro. Não sei por que ele deixou isso aqui.

— Se ele estivesse a caminho de Sunder, faria sentido que trocasse a arma de longo alcance por um terno chique.

— Como ele era? — Linda usou a ponta do arco para procurar entre os trapos.

— Difícil dizer. Ele andava como se fosse velho, mas o rosto era jovial. Mais ou menos. Tinha umas cicatrizes nas bochechas, como se tivesse sofrido um acidente.

Linda se abaixou.

— E você tem certeza de que ele era humano?

— Bom, foi o que disseram no Bluebird, e ele me pareceu humano também.

Ela ergueu algo da pilha de panos para a luz.

— Não sabia que havia muitos humanos na Opus.

Não havia. Só um.

Linda segurava um casaco azul exatamente igual ao que eu deixara na delegacia. Não tinha forro de pele, como o que eu adicionara ao meu, e ainda carregava todas as insígnias oficiais, porém, tirando isso, era idêntico.

Um uniforme da Opus.

Peguei o casaco das mãos dela. O tecido estava molhado e se desfazendo, o que me deixou com raiva. Embora a minha traição à Opus tivesse sido a mais grave da história, eu não gostava de ver ninguém desrespeitando o uniforme.

Olhei para Linda e ela fez a pergunta que eu não tinha ousado fazer:

— Deamar era pastor?

43

Enquanto eu dirigia na viagem de volta, Linda revistou os bolsos do casaco e encontrou papéis que confirmavam que o ladrão do caminhão era mesmo Deamar. A letra nesses papéis tinha a mesma caligrafia rebuscada, e as anotações faziam referência a Lance e Thurston Niles, junto com datas e localizações que Linda imaginou serem rotas de transporte. Eu ainda estava obcecado com a jaqueta.

— Ele pode ter achado. Ou roubado. Talvez tenha pegado de alguém que matou.

Ela tirou outro papel.

— Esse endereço te diz alguma coisa? — perguntou, o tom deixando evidente que sim. — Rua Principal, 108?

Deamar *sabia* da minha existência antes de chegar à cidade. Eu estava torcendo para que ele só tivesse tomado conhecimento de mim depois que Simms me pusera no caso: um assassino sacaneando o cara que supunha estar atrás dele. Mas não era o que estava acontecendo ali.

Eu não quis mais conversar depois disso. Em parte, porque tínhamos que gritar para ser ouvidos apesar do barulho do vento e do motor, mas também porque não havia muito a dizer. Conseguimos ligar o roubo do caminhão a Deamar, como queríamos. Fizemos um bom trabalho, acho, mas o que descobrimos embrulhou meu estômago.

Deixei Linda de volta na praça Cinco Sombras e entreguei algumas notas de bronze para ela.

— Não é melhor ganhar dinheiro assim do que mentindo para velhinhas?

Ela rosnou, mostrando os caninos para mim.

— Você não aprendeu nada, hein?

— Perdi o hábito.

Ela ficou ali parada, mordendo o lábio, tentando decidir se deveria falar mais ou não. Tentei ir embora antes que ela chegasse a alguma conclusão.

— Valeu, Linda. Se você não tivesse vindo comigo, eu ainda estaria lá, procurando pistas na direção errada...

— Você era da Opus, né?

— Aham.

— E você disse que estava em Sheertop, né?

— Por um tempinho.

Ela deu uma boa olhada em mim. Eu estava sendo medido em um conjunto de critérios e dava para ver que Linda não gostava do resultado. Ela nem se despediu. Apenas assentiu, como se tudo de repente fizesse sentido, guardou o dinheiro no bolso e foi embora.

Ótimo. Obrigado pelas lembranças, Linda Rosemary.

Eu tinha me acostumado com o automóvel e ainda não estava pronto para devolvê-lo, então fui até a delegacia na rua Doze e estacionei bem em frente, só pra irritar os tiras. Entrei, procurando Richie, mas ele já tinha saído, então dei uma passada no Dunkley's, onde o encontrei no balcão.

O Dunkley's era um bar de policiais. Não exclusivamente, mas uma vez que os porcos decidiram que aquele era o lugar favorito deles, todo mundo com noção deu no pé e foi procurar outro lugar para frequentar. Havia algumas banquetas perto da janela, mas, de resto, não havia onde sentar. Acho que os policiais já passavam tempo demais com a bunda na cadeira no trabalho.

Larguei a jaqueta de Deamar ao lado do copo de Richie e pedi para o atendente me trazer um copo do que o sargento estivesse bebendo.

— Você quer que eu lave suas roupas agora? — resmungou Richie.

— Encontrei um dos esconderijos do seu assassino. Ele deixou isso para trás.

Richie deu uma olhada na gola do uniforme e verificou o distintivo.

— As testemunhas disseram que nosso assassino era humano. Você foi o único humano a usar um desses. Esse é o seu jeito de confessar?

Minha bebida chegou e tomei um gole. Não deveria ter confiado no gosto de Richie: era cidra de orc, quente.

— Por que está me mostrando isso? — perguntou ele.

— Achei que você e Simms iam querer dar uma olhada. Talvez encontrem alguma coisa útil.

— Acho que Simms não quer nada que venha de você, não.

Merda. Richie Kites era sempre tão estoico e monótono, mesmo em seus melhores dias, que eu nem tinha notado que ele estava me dando um gelo.

— Kites, você também está puto comigo? Você sabe que não era minha intenção ferrar com vocês.

— Mas foi o que você fez. Essa era a nossa única chance de manter o controle desse caso. Depois que você jogou a merda no ventilador no julgamento, Baxter se meteu e tirou o caso das nossas mãos. Se a Simms te vir aqui, vai te jogar na cadeia só por olhar na cara dela.

Não valia a pena tentar me explicar. Ele superaria em uma ou duas semanas. Era o que sempre acontecia.

— Ótimo. Eu não queria essa cidra de merda mesmo.

Fui pegar o casaco, mas Richie baixou a mão em cima dele primeiro.

— Vou dar uma olhada — falou. — Mas como Simms está fora do caso, o que significa que eu estou fora, o que significa que você está fora, não sei para que isso vai servir.

Não ousei dizer a ele que estava trabalhando para Niles agora. Segui seu conselho e dei o fora antes que a detetive Simms resolvesse aparecer para um drinque. Pelo jeito que Richie falava, ela estava precisando.

Deixei o carro na casa de Niles ainda no início da noite. Aparentemente, o dia rende muito mais se você se deslocar de automóvel, em vez de usar seus pés cheios de bolhas.

Contei a Yael o que havia encontrado. Não falei nada do casaco, nem do papel com meu endereço, só que Deamar era, sim, o responsável pelo roubo do caminhão. Ela falou que ia repassar essa informação para Thurston e que ele me ligaria com mais instruções.

Voltei para a famosa rua Principal, 108, e subi as escadas até o quinto andar. A porta do meu escritório ainda estava quebrada. Eu não estava preocupado com a possibilidade de alguém entrar enquanto eu estivesse fora (não havia nada ali que valesse a pena roubar), mas precisaria consertá-la se não encontrasse Deamar logo. Se ele estivesse determinado a me sacanear, eu não podia correr o risco de ser surpreendido enquanto dormia.

Mas alguém já estava lá dentro.

A porta de anjo estava totalmente aberta, com uma figura de pé ao batente, a luz do crepúsculo mostrando sua silhueta. Era um corpo que gostava de ser visto assim. Ela esperou um momento antes de se virar e fazer a grande revelação.

Minha boca se abriu devagar ao longo de um minuto inteiro, enquanto eu tentava compreender o que via.

Havia uma mulher deslumbrante no meu escritório. Tinha os cabelos louro-claros, maçãs do rosto altas e olhos familiares. Eu já vira seu rosto uma vez, em uma antiga fotografia, ao lado do jovem Harold Steeme, antes que a Coda roubasse sua juventude.

Agora Carissa a roubara de volta.

Ela fechou a porta de anjo, abafando o som da rua, e me encarou com aqueles olhos verdes e penetrantes. Não sei quanto tempo esperamos sem falar nada, mas sei que perdi minha deixa um milhão de vezes. Depois de um tempo, ela soltou um palavrão.

— Você não vai mesmo dizer nada?

Eu tentei, mas só sílabas gaguejadas saíram.

— Ah, bem, eu…

— Dane-se.

Ela contornou a mesa e caminhou até estarmos a centímetros de distância. Eu era só um pouco mais alto do que ela. Vendo aqueles olhos de perto, mesmo assim não consegui descobrir o que ela queria. Então, ela me ajudou.

A sra. Steeme passou os dedos macios em volta do meu pescoço, segurou minha nuca e puxou-a, aproximando minha boca da dela. Seus lábios eram tímidos, mas sua confiança aumentou quando finalmente despertei do choque e entrei na brincadeira. Sua outra mão envolveu minha cintura e sua língua se moveu para massagear a minha. Meu sobretudo caiu no chão. Quando suas mãos envolveram o meu corpo, elas ficaram presas na alça de couro que segurava a máquina. Ela se afastou.

— O que é essa coisa?

— Nada. Desculpa. Estou cuidando disso para uma pessoa.

Ela foi pegar a máquina no coldre, mas eu segurei sua mão.

— É melhor não encostar.

Tirei o coldre inteiro por cima da cabeça.

— É perigoso? Você apontou essa coisa para Harold como se pudesse machucá-lo.

— Eu só estava bêbado. — Enfiei a máquina de volta na última gaveta. — Sra. Steeme, não sei se entendi o que está acontecendo aqui.

Ela se aproximou de novo.

— Só me diga que estou bonita.

Ela estava. Era inegável. Mas havia algo de estranho naquela imagem. Tudo estava no lugar certo: simétrico, polido e sem imperfeições, mas era perfeito demais. Se é que isso era possível.

— Você está linda. De verdade. — Eu estava falando sério, mas nunca ouvi palavras tão falsas saírem da minha boca. — Só não sei bem quem você acha que eu sou. Não sou o tipo de cara com quem você gostaria de se envolver. Eu...

Ela pousou a mão delicadamente no meu peito.

— Sr. Phillips, com todo o respeito, isso não tem *nada* a ver com você.

Abaixando a cabeça, eu a beijei e seu corpo se aninhou ao meu.

44

Eu estava acostumado com surpresas. Na maior parte do tempo, eram socos mal dados ou contas inesperadas por coisas que eu fizera enquanto estava tão bêbado que mal me lembrava dos estragos que havia causado.

Aquela era uma experiência totalmente diferente.

Eu estava deitado de costas. Ela estava de lado, com o braço apoiado no meu peito. Sua perna cobria a minha e a cabeça estava encaixada na curva do meu ombro.

Percebi que meu ombro estava úmido.

— Carissa? Você está bem?

Ela fungou.

— Só é estranho. Depois de cem anos beijando a mesma boca. Um corpo. É…

— Sinto muito.

— Não. Não precisa dizer isso. — Os dedos dela percorreram a minha pele. — Só é diferente.

Ficamos em silêncio por um tempo. Senti a pele do seu braço. As cicatrizes, que ainda não estavam totalmente curadas, contra as costelas dela. Sua respiração na minha orelha.

— E você? — perguntou ela.

— E eu, o quê?

— Quem foi a última pessoa com quem você esteve?

De repente, percebi como estava nu. E com frio. Puxei as cobertas.

— Já faz muito tempo.

— Não precisa dizer isso.

— É verdade. Faz seis anos.

— Ah.

Não fazia seis anos. Fazia oito. Mas seis era um número que fazia sentido. Todo mundo sabia quando a Coda acontecera. Seis era um número romântico. Mas oito? Oito era simplesmente estranho.

Mesmo assim, me surpreendi quando ela falou:

— Me conta.

— Oi?

— Me conta.

— O quê?

— Sobre a última vez.

A mão dela estava espalmada no meu peito, bem em cima da parte que sempre doía. Ela massageou o músculo entre minhas costelas, como se soubesse. As mulheres têm dessas coisas, não têm? Elas sempre sabem onde dói.

— Eu estava no litoral. Sozinho. Escrevi para ela e pedi que fosse me visitar. Ela foi.

— Vocês não estavam juntos?

— Não.

— Mas você a amava.

— Sim.

— Sempre a amou?

— Sempre.

Ela juntou o corpo ainda mais ao meu.

— Em Lipha, de onde eu e Harold viemos, não há tantas diferenças entre homens e mulheres como aqui. Um clube como aquele onde você o encontrou nunca existiria por lá. Jamais haveria tantos homens no poder.

— Você acha que foi por isso que Harold quis vir para cá?

Ela deu um longo e triste suspiro.

— Talvez. Eu tive outros amantes na minha juventude, mas quando chegou a hora de casar, mergulhei nisso com todo o coração. Achei que fosse o caso para Harold também. Nós nos apaixonamos. Todo ano, eu encontrava novas maneiras de amá-lo. O que aconteceu quando ela chegou?

Ela mudou de assunto tão rápido que me surpreendeu não ficarmos com torcicolo.

— Foi tudo que eu queria. Mais tempo com ela do que jamais achei que teria. Andamos pela praia e ficamos observando o mar. Ela me beijou. Eu a beijei. Voltamos para o hotel e... foi isso. Mas eu não consegui manter aquilo. Ficava tentando parar o tempo, tentando fazê-la ficar, porque eu sabia que isso não aconteceria. Se eu pudesse simplesmente ter aproveitado o que tínhamos, ter sido bom para ela... ficar grato pelo tempo que ela estava disposta a me oferecer, talvez tudo tivesse ficado bem.

Ela levou os dedos até a linha do meu cabelo e fez carinho na minha testa.

— E aí veio a Coda?

— Não.

— Não?

— Não. Ela foi embora.

— Por quê?

— Porque ela não me amava. Para ela foi... foram só férias.

— Ela disse isso?

— Não. Ela disse que tinha que trabalhar.

— E tinha?

— Sim.

— Então por que você acha que ela não te amava?

— Porque ela não me pediu para ir junto. Nem tentou ficar. E... por que ela tentaria?

Meu peito doía de novo.

— O que ela fez?

Respirei fundo.

— Nada. Fez as malas e, enquanto ela estava no banho, eu fui embora.

Suas mãos traçaram as linhas do meu corpo. Minha bochecha. Minha mandíbula. Minha garganta. Meu braço. Minha cintura. Seus dedos estavam frios na minha pele. Fazia mesmo oito anos?

— Então foi você quem foi embora — disse ela.

— Acho que sim.

Eu a abracei, ela me abraçou. Observei seu rosto a centímetros de distância. A luz da manhã atravessava a janela e dançava nos seus ombros. O cabelo tinha um perfume químico, da tinta fresca. O cirurgião não tinha conseguido alisar a pele dela em todos os lugares. A Carissa mais velha ainda estava presente em suas orelhas e pálpebras. Passei os dedos pelo rosto dela, sentindo seu nariz, seus lábios e a linha do queixo.

— Por que você fez isso? — perguntei.

Achei que pudesse tê-la ofendido, mas Carissa só precisava de um momento para refletir.

— Eu e Harold éramos um time. Durante todo o nosso tempo juntos, nunca pensei em quem estava se dando melhor na relação, quem tinha mais vantagens. Não sentia ciúmes. Não pensava no que eu poderia estar perdendo enquanto estávamos juntos. Mas depois de vê-lo e de aceitar o que tinha feito, senti tanta raiva... Eu tentei pensar em que tipo de vida queria ter, mas tudo em que pensava tinha a ver com ele. Não posso viver sozinha como uma velha enquanto ele está por aí... fazendo sei lá o quê. Eu sei que é mesquinho...

Suas unhas arranharam minhas costas.

— Por que você acha que Harold fez isso? — perguntei.

— Porque todos os homens são tolos. Vocês acham que as mulheres se importam com coisas como aparência, roupas e essas besteiras todas, mas vou te dizer a verdade. Só uma coisa realmente importa: autenticidade. Aquelas de nós que, por alguma razão idiota, estão interessadas em homens, são jogadas nesse terrível jogo de espera. É como uma festa insuportável. Todos os garotos e garotas de pé, esperando, passando o tempo até que um homem enfim cresce e supera essas merdas. Você pode ser gordo, careca ou falido, isso não importa tanto para a maioria de nós, desde que seja autenticamente você mesmo. Assim que isso acontecer, eu te prometo, uma mulher boa vai te encontrar e te levar para casa. O mundo está cheio de mulheres que estão simplesmente passando o tempo, esperando os meninos crescerem. É isso que é tão irritante no Harold e em todos os outros idiotas como ele. Eles se esquecem de si mesmos. Eles saem da festa, mas aí encontram muitas rugas ou cabelos grisalhos, então entram em pânico e correm de volta, mas agora estão mais deslocados do que nunca. Você viu. Ele está ridículo. Mas quem sou eu para falar? Eu segui o cretino de volta para a festa.

Eu virei o rosto dela para mim.

— Bom, como um dos meninos idiotas que talvez nunca saiam da festa, fico feliz por você ter voltado para uma visita.

Ela riu. Tinha uma risada linda.

— Obrigada.

Ela subiu em cima de mim, fechamos os olhos e usamos o corpo um do outro para afastar a tristeza da nossa mente.

45

Acordei com o cheiro de café.

Carissa estava sentada à minha mesa, na minha cadeira, com as minhas calças no colo. A cama rangeu quando me sentei.

— Não é sua única calça, é?

Ela enfiou a mão pela perna e acenou para mim pelo buraco nos joelhos.

— Tenho outras. Em algum lugar.

— Ótimo. Vou levar essa para casa e costurar. — Ela foi até a cama. — Deixei um café e um jornal para você. Você certamente não vai passar o dia todo dormindo.

— Sou famoso por tentar.

Ela me deu um beijo na testa.

— Obrigada, sr. Phillips.

Passei o braço pela cintura dela, revivendo as memórias da noite anterior.

— Você é linda — falei. — Agora e em todos os momentos em que já te vi.

Isso me rendeu um beijo na boca.

Esperei até que ela fosse embora para sair de debaixo dos lençóis e me embrulhar no casaco. Na mesa havia um copo fumegante de café do Georgio e a edição matutina do *Sunder Star*. Eu nunca tinha comprado um exemplar, sempre folheava a cópia manchada e rasgada do restaurante. Eu me sentei na cadeira, tomei um gole do café e me perguntei por que isso nunca entrara na minha rotina.

Minha resposta veio logo. A primeira página já me deixou tão irritado que tive que levantar e andar pela sala.

Rick Tippity fora julgado de novo. De alguma forma, havia sido condenado. Tudo que falei durante o julgamento simplesmente fora apagado dos registros. Com a teoria de que ele usara corpos de feéricos para fritar Lance Niles apresentada de novo, o juiz ordenou que ele permanecesse na Goela para sempre.

E essa não era nem a pior parte.

O artigo dizia que o prefeito já sancionava novas leis, restringindo o uso de práticas mágicas instáveis e de quaisquer maquinários do velho mundo que se tornaram imprevisíveis. Dava para sentir o fedor da burocracia saindo do papel. Alguém estava usando esse caso para girar as engrenagens de Sunder na direção errada, e eu tinha ajudado a lubrificar as rodas.

Liguei para a delegacia.

— Detetive Simms, por favor.

— Quem fala?

— O vizinho dela. O gato está mal de verdade desta vez. Está saindo coisa pelos dois lados.

O recepcionista repassou a informação e eu ouvi Simms gritar:

— Desliga essa merda!

— Diz pra ela que eu quero meu casaco de volta!

A ligação caiu. Joguei fora o resto do café, xingando Simms, a mim mesmo e toda aquela cidade fedorenta. Estava tão entretido chutando os móveis que nem notei dois meio-orcs de duas toneladas em uniformes da polícia parados à porta.

— Só porque a gente parou de te bater, não significa que você precisa fazer isso sozinho.

Richie entrou sem esperar um convite e se sentou na cadeira dos clientes. Eu joguei o jornal no colo dele.

— Que joguinho é esse que você e Simms estão jogando, hein?

Ele deu uma olhada na primeira página e não pareceu gostar mais do que dizia do que eu.

— Você quer mudar essa história, Fetch? Conta pra gente quem é o verdadeiro culpado.

— Eu faria isso, se soubesse.

Ele mordeu o lábio inferior.

— Faria mesmo?

— É claro.

Richie continuou mascando o lábio, apertando os olhos, como se houvesse alguma resposta escrita no meu rosto, mas ele não conseguisse lê-la.

— Foi *você*?

Meus olhos se arregalaram tanto que os cílios varreram as teias de aranha no teto.

— Eu sou a única pessoa que se importa com o fato de que vocês estão culpando o cara errado!

— Exatamente.

— Exatamente? Que tipo de plano seria esse? Cometer um assassinato, incriminar outra pessoa, aí estragar o caso todo quando o cara é condenado? Que tipo de gênio do crime você acha que eu sou?

Richie deu de ombros, como se não estivesse falando uma loucura completa.

— Eu nunca fingi entender como a sua mente funciona — disse ele —, mas não diria que você está acima de incriminar alguém e aí sentir tanta culpa a ponto de tentar sabotar a história toda. Não é como se você nunca tivesse trocado de lado antes.

Não tinha como discordar disso, mas o resto ainda era loucura.

— Não, Richie, eu não matei Lance Niles.

Ele assentiu. Talvez só precisasse me ouvir dizer isso. Estava prestes a dizer algo quando seu olhar pousou em um cartãozinho à sua frente. Ele o virou.

Um presente de um amigo.

Ele ergueu uma sobrancelha.

Apontei para o chapéu de coelho pendurado na parede.

— Um presente de um cliente.

— Um amigo?

Dei de ombros.

— Ele estava preocupado que as pessoas soubessem que trabalhamos juntos. Eu diria que é paranoia, mas policiais entram aqui sem ser convidados e reviram papéis aleatórios na minha mesa, então acho que o cara tem razão.

Com isso, Richie deu de ombros. Eu havia afastado sua suspeita momentaneamente.

— Certo. Você não matou Lance Niles. Mas tem alguma coisa estranha nessa história. Estamos procurando um cara com cicatrizes no rosto — ele apontou para o meu rosto com o dedo grosso, indicando as marcas deixadas por Linda Rosemary —, com um terno e chapéu… — Ele indicou meu chapéu novo. — Um humano que talvez tenha sido um pastor — gesto, gesto —, que cometeu um crime que ninguém parece compreender exceto… — gesto — você.

Agora que ele tinha colocado assim, dava para entender suas suspeitas. Se ele soubesse que eu tinha a arma responsável pelo crime, um exemplar único guardado na minha gaveta, não teria escolha exceto me jogar na Goela e libertar Tippity. Mesmo assim, não posso dizer que não fiquei ofendido pela acusação.

— Sério, Rich? Você acha que eu fiz isso?

— Não. Mas tenho medo de que outras pessoas achem. E se alguém estiver tentando te incriminar?

Eu repassei a história toda, mas não parecia certo. Sem dúvida, Deamar teria usado a jaqueta da Opus durante o crime se esse fosse o objetivo.

— Acho que não.

— Bom, ou foi você, ou tem alguém tentando te incriminar, ou…

— Ou é uma coincidência.

Richie se recostou na cadeira, e posso jurar que ouvi a madeira pedir socorro.

— Não — disse ele. — Não tem coincidência nenhuma aqui. Tem alguma coisa estranha nesse caso, e estou com medo de que você vá fazer aquela sua coisa de se meter em confusão.

— Aquela minha coisa?

— Aquela coisa de trabalhar num caso de qualquer jeito até que seja tarde demais. Você faz um monte de merda, deixa todo mundo puto, mas não termina o serviço, e aí somos nós que temos que limpar a cagada. A cidade está mudando, Fetch. Você não vai mais se safar com seus velhos erros.

Senti minha irritação com ele crescendo. Isso normalmente acontece quando alguém lê você melhor do que você gostaria.

— Valeu pelo aviso, Rich, mas não tenho medo de Niles, nem de Simms, nem de qualquer outra pessoa que esteja de saco cheio de mim. Mas agradeço por ter vindo até aqui me ameaçar pessoalmente. Muito gentil da sua parte.

— Você não está me ouvindo! — rosnou ele. — Não estou te ameaçando. Estou com medo de que alguém esteja tentando te machucar e você seja burro demais para perceber. Então ou se dedique de verdade a esse caso e resolva, ou dê o fora. Tippity não é o cara? Ótimo. Mas se você vai lutar contra isso — ele jogou o jornal de volta para mim —, então é bom começar a usar a cabeça. Você era um pastor, Fetch. Nós dois éramos. Então ou comece a agir assim e faça o trabalho direito, ou enfie o rabo entre as pernas antes que alguém arranque ele fora.

Richie ficou de pé e a cadeira soltou um suspiro de alívio. Ele não se despediu. Eu não agradeci. Deveria ter agradecido. Ele tinha razão. Havia algo de estranho nesse caso. Alguma coisa estava errada naquela merda toda.

Dei um peteleco no cartão de visitas, encarando a caligrafia rebuscada.

Eu precisava encontrar o assassino de Lance Niles. O verdadeiro. Então eu poderia oferecer alguma explicação ao seu irmão enlutado, libertar o prisioneiro erroneamente condenado (embora ainda irritante) e impedir o plano maluco que alguém tentava tirar do papel.

Estava na hora de encontrar o sr. Deamar.

46

Enquanto eu me vestia, uma vozinha me lembrou de que eu precisava destruir a máquina. Mas e Tippity? Se eu me livrasse da verdadeira arma do crime, encontrar Deamar não adiantaria nada. Eu tinha que ficar com ela por um pouco mais de tempo.

Mas não a carregaria mais por aí. Por muito pouco, quase fui pego diversas vezes. Então a embrulhei, guardei-a na última gaveta da escrivaninha e tentei ignorar o espaço vazio sob o meu braço esquerdo onde eu me acostumara a senti-la.

O Hotel Larone era o lugar mais óbvio para começar. Era lá que Deamar estava hospedado quando mandou a carta para Lance Niles. Fui até o hotel e amaciei os funcionários com uns trocados, mas não descobri nada de novo. O quarto já havia sido alugado várias vezes desde que

Deamar ficara lá. Ele não deixara nada para trás, e os funcionários haviam mencionado tudo que sabiam para Thurston Niles: era humano, falava bem, se vestia bem e foi embora na noite do assassinato.

O mensageiro do hotel me contou que havia algo estranho no rosto dele, como se ele tivesse sofrido um ferimento do qual nunca se curou completamente. Tudo que me diziam eu já tinha visto por mim mesmo. Já ouvira sua bengala bater nos paralelepípedos e vira seu sorriso torto abraçar o cachimbo. Tinha visto as orelhas redondas, os dedos curtos e o terno preto. Vira o chapéu-coco e o de abas largas que surgiu depois.

Bom, isso podia ser alguma coisa, pelo menos.

Fui até a rua Nove Leste, de volta ao chapeleiro onde tinha comprado minha boina superfaturada. O velho pareceu preocupado ao me ver, temendo que eu estivesse voltando para pedir a devolução do dinheiro. Então ficou aliviado quando comentei sobre o sr. Deamar, e muito feliz por se lembrar dele.

— Sim. Ele já veio aqui duas vezes. Camarada esquisito. Não consegui identificar o sotaque, mas ele falava muito bem. Como é a palavra? Sofisticado. Especialmente para um humano. Sem ofensas.

— Ele comentou alguma coisa sobre si mesmo? De onde veio ou onde estava ficando?

— Acho que não. Só gostou de observar minhas excelentes mercadorias. Foi muito gentil e elogioso, depois comprou dois chapéus. Dos bons. Me falou que gostava de desfrutar das coisas boas da vida.

Entreguei um cartão de visitas a ele.

— Se ele voltar, não se esqueça de me ligar.

Eu perseguia um fantasma em uma cidade morta com uma única pista: seu nome. Ao sentir o vento frio soprando por entre os prédios, decidi voltar para onde tudo começara.

O Bluebird Lounge estava mais calmo do que da última vez, sem inúmeros policiais ocupando o lugar, querendo dar uma espiadinha no milagre sangrento. Era estranho lembrar aquele primeiro dia, como estávamos todos tão animados. A gente achou que algo incrível tinha acontecido. Mas não era incrível. Era terrível, do jeito mais comum possível. De uma brutalidade mundana. Uma crueldade previsível. A máquina era exatamente como todo o resto neste novo mundo: gelada, sem vida e feita para matar.

Eu puxei uma banqueta no bar principal. A única pessoa ali era o bartender baixinho de meia-idade.

— Você é membro?

— Não. Mas o ar soprando lá fora é puro gelo e preciso de alguma coisa para esquentar meus ossos. Não dá pra ignorar as regras só por alguns minutos?

Como as palavras não funcionariam sozinhas, eu o incentivei com algumas moedas.

— Claro. O que você quer?

— Seiva queimada. Pode fazer bem doce.

Ele começou a trabalhar. Eu esperei o suficiente para fazer a conversa parecer espontânea.

— Ainda bem que pegaram o assassino, hein? Não foi aqui que aconteceu?

Ele me lançou um olhar que eu conhecia bem: quando alguém tinha muito a dizer, mas recebera ordens de ficar de bico fechado. Se eu estivesse usando um terno caro ou parecesse ser de fora da cidade, ele nunca teria se aberto comigo. Mas eu era um homem do povo. Nada ameaçador. Um burraldo qualquer. O tipo de pessoa com quem você pensa que dá para falar qualquer coisa porque as palavras serão levadas pela cerveja antes do fim da noite.

— Não é o cara — falou ele, como se já tivesse me dito aquilo um milhão de vezes. — Eu estava aqui. Vi o assassino. Cacete, eu *servi* o cara. Ele era humano. Bom, parecia. Não tinha os dedos compridos de um bruxo, isso com certeza. A gente aqui fica de olho nesse tipo de coisa. E o cara parecia totalmente diferente. Ele era diferente de *todo mundo*, na verdade. Falei para os tiras. Falei duas vezes. Mas cá estamos, com um pobre coitado de um químico jogado na Goela pela eternidade.

Deixei a frustração dele cozinhar um momento enquanto preparava meu drinque.

— Como assim ele parecia diferente?

— Tipo… pouco natural. Como se… como se estivesse usando uma máscara que não combinava de verdade com a cara dele. Mas não era uma máscara. Era a pele dele, mas… não era? Desculpa, eu sei que não faz sentido.

Mas fazia. Talvez não para ele, mas para alguém que tinha visto as transformações recentes dos Steeme de perto.

É claro que, com Deamar, o efeito era totalmente diferente. Carissa Steeme parecia ter sido polida e alisada à perfeição, como uma estátua de ouro. Deamar era… desfigurado. Estranho. Mas havia algo neles que batia.

O barman pôs o drinque à minha frente, mas não soltou o copo. A mão permaneceu ali enquanto ele mordia o lábio, como se estivesse procurando alguma lembrança vital na mente.

— Engraçado — resmungou ele, enfim.

— O quê?

Ele deu um passo para trás e encarou a bebida como se não soubesse de onde tinha vindo.

— Eu não faço muitos desse. Não é um drinque popular com a nossa clientela. A última vez que fiz um desse foi algumas semanas atrás. — Ele deu uma risadinha, mas foi de confusão, não de graça. — Foi naquela noite. Com o tal de Niles. Era isso que o assassino estava bebendo.

Tive que usar todo o meu autocontrole para abrir um sorriso curioso e relaxado.

— É — falei. — Engraçado mesmo.

Usei o telefone do Bluebird Lounge para ligar para Carissa. Quando ela percebeu quem era, sua voz ficou relutante. Ficou preocupada que seu caso de uma noite já estivesse se apegando demais.

— Algum problema, sr. Phillips?

— De forma alguma. Eu só queria saber se você poderia me dar o contato desse... desse médico?

Houve uma longa pausa. Eu estava levantando várias questões que ela não queria comentar. Algumas coisas são possíveis à noite, na cama, mas o certo é mantê-las bem guardadas sob a luz do sol.

— O que você está pensando em fazer, Fetch?

— Nada que vá te causar problemas, eu prometo. É para um amigo. Ele precisa de ajuda e eu só quero fazer algumas perguntas. Desculpa por te pedir isso.

Outra longa pausa. Então um suspiro.

— Certo. As cirurgiãs se chamam dra. Exina e dra. Loq. A clínica fica na rua Cinco Oeste, perto da esquina da Titus. Bem depois da Swestum e do Rose. Mas... você não deveria ir lá.

— Só quero fazer umas perguntas.

— Eu sei. Mas tome cuidado.

— Com duas médicas?

— Sim, Fetch. Elas são súcubos.

47

Tudo no longínquo oeste da cidade era silencioso. Por trás de cada uma das janelas acortinadas dos prédios malconservados nas ruas esburacadas, as pessoas lá dentro viviam de forma que gostariam de manter em segredo. Os olhos que espiavam pelas janelas ou por baixo de capuzes demonstravam, em iguais proporções, medo e agressividade, prontos para utilizar um ou outro, dependendo do que viam do lado de fora.

A sala de cirurgia ficava em um porão sob uma daquelas lojas que vendiam o que quer que conseguissem "adquirir" naquele mês: bolsas, cachecóis, ferramentas de jardinagem. Os produtos não tinham nada em comum, exceto ser baratos.

As escadas desciam até uma porta vermelha com três trancas diferentes e uma plaquinha que dizia "Dra. E e Dra. L" acima de uma campainha prateada. Em uma parte tão perigosa da cidade, o fato de que ninguém arrancara a placa ou a campainha para vender o metal era um sinal de que ou as donas eram pessoas respeitadas na área ou perigosas demais para se arriscar. Apertei a campainha e esperei. Não tinha marcado hora. Às vezes é melhor chegar do nada. As pessoas quase sempre têm mais facilidade em desligar o telefone do que bater a porta na sua cara.

Um visor se abriu na porta. Olhei lá dentro e uma luz brilhante atingiu meus olhos. Baixei a aba do chapéu, mas já tinha sido cegado.

— O que deseja? — perguntou uma voz masculina do outro lado. Inexpressiva. Quase entediada. Não era uma voz que você tentava convencer com palavras bonitas, nem uma para a qual se dizia a verdade.

— Eu queria falar com as doutoras. Alguém me recomendou o trabalho delas e... Bom, é meio pessoal, mas eu gostaria da ajuda delas.

Deixei que a imaginação dele preenchesse as lacunas com qualquer condição que lhe viesse à mente. Ele abriu as trancas, uma após a outra, e a porta.

Quando o vi, tive que me esforçar muito mesmo para não deixar meu rosto explodir de surpresa.

Ele era um anão. Eu acho. É raro ver anões totalmente sem pelos, dos pés à cabeça. Ou com presas. Ou usando roupas de seda. Tinha até uns chifrinhos brancos saindo da testa, acima das sobrancelhas. A pele ao redor ainda estava vermelha. Eles deviam ser uma adição recente.

— Por aqui — falou.

O corredor era cheio de velas aromáticas, mas nem elas conseguiam disfarçar o cheiro forte de substâncias químicas. Não parecia um centro cirúrgico: era uma mistura de bordel e necrotério. As paredes de concreto eram vermelhas e o piso era de lajotas, mas havia móveis de veludo, abajures com luz baixa e tiras de tecido macio penduradas em todas as superfícies possíveis. A tentativa era admirável, mas como todo o trabalho das doutoras, o efeito deixava a desejar.

Passamos por uma salinha de espera elegante e o anão me levou para um cômodo escuro com um colchão no chão e nada mais. Eu não conseguia imaginar Carissa passando por tudo isso, mas, como eu já havia descoberto, uma mulher traída acaba agindo de forma um pouco imprudente.

— Espere aqui — disse o anão.

— Pra quê? Alguém vir arrancar minhas roupas?

Ele deu de ombros.

— Provavelmente.

Ele foi embora e pensei que aquele cara não devia se surpreender com mais nada neste mundo. Ele deveria ficar com o meu trabalho. Alguém apareceria dizendo que o último remanescente da magia estava preso sob o seu molar direito e ele só daria de ombros, diria *provavelmente*, e pegaria o alicate.

Uma coisa eu tenho que admitir: as cirurgiãs sabiam manter o lugar aquecido. Tirei meu sobretudo e o deixei no chão, ao lado do colchão. Então me perguntei se tinha cometido um erro ao não trazer a máquina.

Não. Eu escapara por pouco vezes demais, e a existência da máquina não era mais um segredo. Thurston Niles sabia o que ela era e provavelmente não era o único.

Quando minhas anfitriãs apareceram à porta, minha mente teve que se adaptar a muitas realidades muito rapidamente.

Era óbvio que as cirurgiãs tinham usado seus bisturis em si mesmas, mas não com a mesma intenção do trabalho em Carissa. No caso dela, as mulheres só alisaram sua pele e recuperaram alguns anos. O trabalho que fizeram em si mesmas combinava mais com o que fora realizado no anão. As duas eram uma mistura ambulante de mil coisas diferentes. Uma confusão de partes de outras criaturas adicionadas à própria pele.

— Seja bem-vindo. Eu sou a dra. Exina. Essa é minha parceira, dra. Loq.

Os cabelos de Exina eram pretos de um lado e louros do outro, e desciam pelas suas costas entre duas pequenas asas ósseas que saíam por buracos feitos especialmente para elas no vestido translúcido. Uma faixa de escamas reptilianas começava logo abaixo do olho esquerdo e descia até o queixo. O lábio inferior dela era carnudo demais para o restante do rosto.

Era emprestado. Metade do seu corpo devia ter sido de outra pessoa em algum momento. Talvez fossem descartes dos pacientes. Talvez tivessem sido adquiridos de formas mais nefastas. Eu esperava que nenhuma parte do meu corpo malcuidado interessasse a elas.

A roupa de Exina não seria aceitável em nenhum consultório médico real. O decote era amplo e profundo, bom para atrair olhares e chamar a atenção de idiotas.

Loq tinha um cabelo vermelho felino e uma língua bifurcada que, alongada, passava dos dentes. Mas não era uma verdadeira língua reptiliana. A dela fora partida ao meio. Seu vestido era ainda mais revelador do que o decote generoso de Exina e deixava à mostra um olho de ciclope no esterno que girava na órbita como se estivesse bêbado. Se em algum momento ela tivera seios, não tinha mais. Talvez sua parceira os tivesse enxertando na lombar para apoiar a coluna.

Exina me examinou com seus olhos sombreados. Loq passou as pontas duplas da língua nos lábios e sugou. Eu me sentia como o primeiro prato de um jantar chique.

Elas se sentaram uma de cada lado meu. Os cabelos de dois tons de Exina à esquerda. O curtinho vermelho de Loq à direita. As duas se aproximaram.

Então, Exina deu uma risada.

— Em geral, eu consigo adivinhar — disse. — Mas sinceramente não faço ideia do que te trouxe aqui. Um pouco inchado de álcool, talvez. Algumas cicatrizes. Noites demais sem dormir. Mas um cara como você não precisa se preocupar com coisas assim. Será que é algo mais... — ela pousou a mão na minha coxa, *bem em cima* — ... delicado?

Cada uma de suas unhas tinha uma cor diferente. Parecia esmalte, mas não era. Unhas e garras de diferentes criaturas lixadas para ficar do mesmo tamanho. Uma parecia pedra. Outra, obsidiana.

— Delicado, sim. Mas um pouco mais acima.

Exina sorriu.

— Foi o que imaginei.

— Não. Mais acima.

Dobrei a manga e mostrei as quatro tatuagens que envolviam meu antebraço. As garotas não ficaram impressionadas, mas também não pareceram enojadas. Algo como o meio termo entre um e outro.

— O Exército Humano e a Opus? — questionou Exina. — É a primeira vez que vejo isso.

— Primeira e última — falei.

Ela apontou para a marca de prisioneiro.

— Você já foi preso. Mas qual é a outra?

— Weatherly — comentou Loq. Exina, que eu duvidava que se surpreenderia com qualquer coisa, ficou chocada.

— Minha nossa. Mas você é muito mais interessante do que aparenta. E você quer que a gente...?

— Quero me livrar delas. Talvez. Ainda não decidi, mas quero saber se seria possível. Meu amigo me contou sobre vocês, então achei que poderia vir perguntar.

— Quem é seu amigo? — perguntou Loq, apoiando a mão na minha outra coxa, com intenções igualmente ambíguas.

Eu tinha uma escolha. Poderia lhes dar um nome e continuar o fingimento, ou poderia lançar o nome da pessoa sobre a qual eu realmente queria informações. Se elas conhecessem *esse nome*, então eu teria minha resposta. Se não, então saberiam que eu estava mentindo, e havia uma enorme possibilidade de arrancarem minhas bolas para usar como brincos.

— Harold Steeme — falei, escolhendo a opção mais fácil. — Não é tanto meu amigo. A gente joga cartas às vezes. Vocês fizeram um ótimo trabalho com ele. Infelizmente não dá para melhorar a personalidade dele como fizeram com a cara.

Isso fez as duas rirem. Talvez Harold não tivesse sido um cliente dos melhores durante o tempo dele.

— É possível — disse Exina. Uma de suas unhas brilhosas abriu o primeiro botão da minha camisa. — Mas não gosto da ideia de tirar sua história de você assim. Faz parte de você.

Outro botão.

— Não é isso que vocês fazem?

Exina fez um beicinho.

— Trabalhamos no exterior dos nossos pacientes para que reflita melhor o interior. Mostramos ao mundo quem eles realmente são. — Ela estendeu a mão e fez carinho no cabelo de Loq. — Essa lindinha foi adotada por licum felinos quando era pequena. Esse é o cabelo da irmã dela. Agora, ela está sempre com a família.

Loq ergueu o braço e tocou a faixa de escamas no rosto de Exina com o polegar.

— O primeiro amor da minha linda era um guerreiro reptiliano. Ele morreu defendendo a honra dela. Agora, essa parte dele faz parte dela.

Elas se beijaram. Foi um espetáculo e tanto.

— E a língua? — perguntei.

— Bom... — disse Loq. — Havia outras coisas do guerreiro reptiliano das quais minha linda sentia falta. Então, isso foi um... presente.

As duas deram uma risadinha, se inclinaram e me derrubaram de costas. *Sério, Carissa? Você seguiu a trilha do seu marido até aqui?* Ela era ainda mais corajosa do que eu imaginava.

— É tão entediante — disse Exina, arrancando o terceiro botão da minha camisa e fazendo-o voar para o outro lado do cômodo. — Se desfazer de algo tão único. Tão *seu*. Por que não fazemos alguma coisa especial de verdade? Você não quer um rabo? Nem um pequenininho?

— Ou peitos? — perguntou Loq, rindo.

Exina subiu mais ainda a mão que estava na coxa, direto para o andar de cima.

— Que tal uma piroca de centauro? Temos algumas no gelo.

— Que tal duas?! — exclamou a parceira.

Loq caiu na gargalhada e subiu no meu corpo para lamber a pele nua do pescoço de Exina. Ela se virou para beijá-la. Aparentemente a ideia de um pau duplo aguçou a imaginação de ambas.

— Talvez eu precise pensar um pouco sobre isso. Obrigado pelas sugestões.

Elas não me escutavam mais. A mão de Exina estava dentro da minha camisa, no meu peito. Meus pensamentos não estavam mais tão claros porque o sangue teimava em ir para onde não deveria, então fiz uma tentativa frustrada e muito sem jeito de voltar ao caso.

— Alguém já pediu a vocês para... mudar de raça? Ou de espécie? Isso é... isso é possível?

A mão de Exina deslizou para a minha clavícula, suas unhas de arco-íris arranhando minha pele.

— Por que você pergunta? — ela ronronou.

— Bom, eu só...

A mão dela se fechou ao redor da minha garganta. Ela não estava nem olhando para mim, o rosto grudado em Loq. Achei que era parte do jogo até ela apertar com tanta força que eu não conseguia mais respirar.

— Por que você está aqui de verdade? — rosnou a dra. Exina.

Seu corpo estava pressionando o meu, assim como o de Loq. Elas tinham me prendido. Minha visão escurecia e suas unhas tinham arrancado sangue.

Então Loq começou a rir de novo.

— Minha linda — disse à Exina, erguendo meu braço esquerdo. — Exército e Opus? Único? Acho que sei por que ele está aqui.

Depois de um momento, Exina começou a rir também, e seus dedos deixaram meu pescoço.

— Nossa — falou ela. — Você tem razão, minha querida. E *ele* não ficaria nada feliz se machucássemos seu humano de estimação.

Elas acariciaram meus cabelos e deram um sorriso que era ao mesmo tempo condescendente, superior e só um pouco piedoso.

— Saia daqui, garoto — disse Loq. — Nós só trabalhamos com adultos.

Eu me levantei e elas já estavam emboladas uma na outra antes mesmo que eu chegasse à porta. O anão me aguardava.

— Encontrou o que queria? — perguntou ele.

Eu não tinha nada a dizer. Nenhuma resposta engraçadinha. Nenhum trocadilho irônico. Saí do prédio e o anão fechou a porta atrás de mim. Ouvi as três trancas girarem. Se quer saber minha opinião, estavam do lado errado da porta.

48

Humano de estimação.

Não.

Passei a longa caminhada para casa forçando minha mente a se encher de ruído branco, tentando não pensar na única coisa em que eu conseguia pensar. Deamar sempre me parecera familiar. Desde o momento em que vi seu rosto pela primeira vez no beco.

Não.

Talvez eu só quisesse que fosse ele. Talvez eu estivesse vendo conexões que não existiam.

Mas será que eu realmente queria que fosse ele?

Eu queria que ele estivesse vivo. É claro. Porém, será que eu estava preparado para vê-lo frente a frente?

Ele era meu mentor. Meu único amigo de verdade. Mas traí sua confiança e fugi. Nunca pedi desculpas ou tentei falar com ele de novo. Fui um covarde. Foi por isso que ele me mandou a máquina. Era um teste. Para ver se eu me responsabilizaria pelo que fiz.

Só havia uma punição à altura do homem que destruíra o mundo. Eu já sabia disso havia seis anos. Lutara contra isso. E, enfim, recebera a ferramenta perfeita.

Eu ainda não tinha consertado a tranca da porta. Acrescente isso à lista de tarefas que nunca serão feitas. Meus fracassos. Meus erros. Fui até a escrivaninha e estava prestes a me abaixar quando...

Notei que havia um pacote na mesa. Outro.

Meu coração disparou. O que seria dessa vez? Outra máquina de matar nunca vista?

Não havia recado de Deamar desta vez. Nenhuma caligrafia rebuscada. Desembrulhei o pacote e vi... minhas calças. Cuidadosamente costuradas pelas mãos de Carissa.

Desabei na cadeira e dei boas risadas com a roupa limpa.

Harold, seu merdinha. Que tipo de babaca descartaria uma mulher assim? Eu me abaixei para abrir a gaveta de baixo.

A máquina tinha sumido.

Não.

Eu morava naquele lugar havia seis anos e nunca ninguém tinha me roubado. Era o último lugar em que qualquer pessoa procuraria pertences valiosos. Alguém devia saber que estava ali.

Olhei da gaveta vazia para as calças costuradas e desejei que não fizesse tanto sentido. Ela me vira com a máquina na mão. Vira onde eu a escondera. Tinha estado no meu escritório horas antes.

O telefone tocou.

Não.

— Fetch falando.

— Oi. É a Linda.

— Ah, graças a Deus. Achei que fosse a Simms, sei lá.

— Por que você acharia isso?

— Por nada.

— Porque a Simms acabou de me ligar.

Não.

— Por quê?

— Sou consultora dela agora. Ela me liga quando tem algum caso que parece mágico.

Por favor, não.

— Bem, que bom que as coisas estão dando certo para você.

— Aham. Parece que alguém foi atacado do mesmo jeito que Lance Niles. Achei que você ia querer saber.

Por favor, por favor, não.

— Bom, obrigado por me contar, Linda.

— Imagina. Só não comenta com a Simms.

— Pode deixar.

— Você ainda não solucionou o caso, né? Desvendar essa coisa toda me renderia uns pontos com a cidade.

Sim.

— Não.

— Me avisa se chegar a alguma conclusão. Ou se precisar de mais ajuda. Você é um pentelho, Phillips, mas até que trabalhamos bem juntos. A gente se fala.

— Espera. Linda?

— Oi?

— Por curiosidade, quem foi morto?

Não. Não. Não.

— Ninguém importante. Só um elfo apostador chamado Harold Steeme.

49

Carissa não atendeu ao telefone, mas fui à casa dela mesmo assim. Eu não tinha nenhuma ideia melhor. Toquei a campainha. Nada. Estava prestes a bater com força na porta, mas me segurei.

Olhei por cima do ombro para a rua. Será que estava ouvindo vozes? Policiais? Se eles não tivessem passado aqui ainda, logo viriam. Será que Carissa estava na delegacia confessando tudo? Dizendo quem tinha encontrado seu marido e onde ela conseguira a arma? Será que ela já tinha me jogado na fogueira?

Limpei a umidade do painel de vidro da porta. Não dava para ver com detalhes, mas havia uma luz tremeluzindo lá dentro: velas ou uma lareira acesa.

Os policiais não a arrastariam para fora e deixariam algo queimando, deixariam?

Tirei o chapéu, apoiei no vidro e dei um soco nele. A pele de coelho protegeu minha mão. Pelo menos servia para alguma coisa. Estendi o braço, abri a tranca e entrei.

— Carissa?

Verifiquei todos os cômodos ao longo do corredor. Nada. Na sala de estar, a lareira rugia, as velas estavam acesas e havia um copo de uísque pela metade na mesa.

— Ahn?

Uma voz, vinda do fim do corredor. Segui o som e encontrei Carissa no quarto, seminua e totalmente embriagada. Com o corpo jogado na cama, parecia uma boneca quebrada. Pernas abertas, olhos fechados. A máquina no chão aos seus pés. Impossível imaginar uma cena mais incriminadora do que aquela.

— Mas que merda. Levanta.

Ela era um peso tão morto quanto o marido, mas pelo menos estava acordada. Já era alguma coisa.

— Harold, me deixa dormir.

— Ah, docinho, eu não sou o Harold. O Harold já era, lembra?

Ela riu, e o sorriso pareceu estranho nas suas bochechas artificialmente esticadas.

— *Pop* — falou.

— É, *pop*. Você deu um *pop* bem na cara dele. E aposto que não tomou cuidado, né? Alguém viu o que você fez? — Não recebi uma resposta clara, mas tinha uma boa ideia do que seria. Se você planeja direito um assassinato, sabe exatamente o que tem que fazer depois. Você não volta para casa e enche a cara com a arma do crime ao pé da cama. — Bota uma roupa. Eles vão chegar logo.

Eu a sentei na cama, arrumei as roupas que usava e acrescentei algumas. Estava frio, e ela não voltaria para casa por algum tempo.

— Precisamos fazer uma mala. Vai me ajudar?

Ela caiu de volta na cama e riu, então eu mesmo vasculhei os armários. Arrastei uma mala de debaixo da cama, onde joguei as primeiras roupas que encontrei.

— Carissa! — Eu a sacudi com força, e seus olhos se abriram de verdade pela primeira vez.

— Sr. Phillips? Você veio me tirar dessa confusão?

— Minha amiga, *você* é a confusão. E por mais que eu tente, não vou conseguir desvincular uma coisa dela mesma. Vamos.

Larguei um par de botas no colo dela e fui para o banheiro pegar o que supus serem itens essenciais femininos. Minha experiência com essas coisas é limitada, mas Carissa não estava ajudando em nada, então teria que se virar com o que eu conseguisse pegar por ela. Fechei a mala e peguei a máquina. Não tinha levado o coldre, então tudo que pude fazer foi enfiá-la no cinto, como Victor fazia, e torcer para não acabar me castrando.

Carissa estava inútil. A bolsa de mão estava ao seu lado, mas ela nem conseguira calçar as botas. Eu me abaixei para amarrar os cadarços e ouvi vozes na porta da casa.

— Sra. Steeme, está tudo bem?

Merda.

— Tem alguma saída nos fundos?

Sua resposta foi passar os braços em volta do meu pescoço. Fora de si, ou talvez só resignada ao seu destino.

— Essa é a minha vida agora — disse ela, se inclinando para me beijar. Eu desviei e deixei que seu corpo caísse sobre meu ombro, para carregá-la.

— Me lembre de cobrar esse beijo mais tarde.

Peguei a mala com a mão livre e saí do quarto.

Encontrei uma porta dos fundos na cozinha. Enquanto corria, a mala derrubou uma vassoura, que caiu com estrondo no chão.

— Quem estiver aí dentro — gritou o policial —, fique de joelhos! Estamos entrando!

Atravessei o quintal com passos pesados e chutei um portãozinho que levava ao parque da vizinhança. Tudo doía. Se Carissa estivesse sentindo alguma coisa, com certeza estava sentindo dor também. Ela podia parecer jovem, mas a cirurgia era superficial. De manhã, ela seria um saco de ossos dolorido, mas, se eu continuasse correndo, pelo menos estaria livre.

Então continuei correndo.

50

A dois quarteirões do parque, pus Carissa no chão. O movimento a despertara um pouco, mas ela ainda precisava de ajuda para andar em linha reta.

Seguimos pelas ruelas aos tropeços até chegarmos ao estábulo. O tratador não ficou feliz por ser acordado ou por ver que trouxera uma mulher bêbada, em vez da égua.

— Era para você trazer a Frankie de volta — reclamou ele. — Posso estar ficando cego, mas ainda consigo ver a diferença entre uma égua e uma elfa pinguça.

— Preciso de uma carruagem para sair da cidade. Agora. Conhece alguém?

Ele deu um suspiro que pareceu durar uma hora.

— Conheço eu mesmo e um cavalo.

— Achei que você estivesse ficando cego.

— Consigo ver bem o suficiente para perceber que não tem nenhuma fila de carruagens atrás de você. Para onde vai?

Eu me virei para Carissa, cuja mente alternava entre comatosa e só intoxicada.

— Carissa, cadê a sua família?

— Morreu.

— Todo mundo?

Ela revirou o cérebro como se fosse uma máquina de doces enferrujada. Enfim, algo saiu dali.

— Minha prima. Em Lipha.

Eu me virei para o homem.

— Conhece?

— No litoral, entre Mira e Skiros. Alguns dias de viagem, se a neve não nos atrasar. Aí tenho que voltar para cá, é claro.

— Quanto vai custar?

Negociamos um preço que refletia o fato de que eu não estava em posição nenhuma de negociar. Entreguei o que sobrara do dinheiro que Thurston Niles me dera. Enfiamos Carissa na carruagem e a enrolamos em cobertores.

— Só vou poder sair daqui a algumas horas — disse o homem. — Preciso preparar o cavalo e fechar as coisas aqui. Quer ficar? Vou fazer um chá.

Se Linda tinha pensado em me ligar, Simms não estaria muito atrás. Era possível que aparecessem pedindo informações. Talvez eu até precisasse de um álibi.

— Não, valeu — falei. — Tenho algumas coisas para fazer.

Tipo tratar de não ser pego na rua carregando a arma recém-usada em um crime.

Dei uma olhada na bolsa de Carissa. Tinha dinheiro suficiente para garantir alguns dias até encontrar a prima. Não era um plano ideal, mas ela não tinha me dado muito tempo para inventar nada melhor. Carissa não só matara o marido, mas também o estraçalhara com uma arma única, que também havia assassinado o irmão do homem mais poderoso da cidade. Por isso, não só seria presa, como viraria manchete de tantos jornais que talvez fosse melhor enfiá-la direto no prelo.

Enfiei a cabeça na carruagem. Ela estava deitada no banco, dormindo.

Não sou muito bom com despedidas, então fiquei feliz por não precisar fazer isso.

Parei na rua Principal, preocupado com que os policiais já estivessem vigiando meu apartamento e tomando depoimentos. Tinha investigado Harold Steeme. Fora visto em um bar com ele. Cacete, Georgio vira Carissa comprar café lá. Duas vezes. Simms já tinha acabado comigo por menos, e ela estava mais puta comigo do que nunca.

E se eles já estivessem lá me esperando? Se me arrastassem para a delegacia, com a arma no cinto, eu estaria ferrado. Precisava escondê-la. Porra, eu devia *destruir* aquilo. Foi isso que Victor pediu que eu fizesse.

Mas Victor não tinha me dado a máquina. Não na primeira vez. Deamar a largara na minha mesa e eu ainda não sabia por quê.

Sr. Deamar.

Seria mesmo possível?

Eu me esgueirei nas sombras e fiquei longe da rua Principal, seguindo pelos becos e ruelas até o Cemitério Gilded.

O cemitério era reservado aos elfos azarados que ficaram presos em Sunder em seus últimos dias. Sunder não era muito popular com a população élfica antes da Coda, então o lugar nunca fora muito disputado, mas havia um elfo em especial que sempre fora fascinado pelo que a cidade do fogo tinha a oferecer.

O governador Lark encomendara a cripta em homenagem ao amigo. Em homenagem ao meu amigo. Um mausoléu lindo, no coração da cidade, para mostrar que o alto chanceler Eliah Hendricks sempre teria um lar em Sunder.

Entrei na cripta e acendi uma das tochas na parede. Não parecia que ninguém entrava ali desde o outono, quando flagrei e expulsei um grupo de adolescentes. Nos fundos havia um jazigo de pedra feito sob encomenda com o nome de Eliah em élfico.

Sempre supus que Hendricks morrera na Coda, como milhões de outros. Nunca me perguntei se o seu corpo fora trazido de volta para Sunder, se tinha sido enfiado naquele bloco de pedra. Sempre tive medo demais de confirmar meus temores.

Agora eu estava apavorado por um motivo bem diferente.

Pus as palmas da mão na tampa e a poeira se moveu sob meus dedos. O vento soprava pelos arcos e fazia a tocha rugir. Então, empurrei a pedra e abri o caixão.

Estava vazio.

É claro que estava.

Mas isso não significava nada, certo? Quem teria trazido o corpo dele de volta para cá, afinal? Ele podia ter morrido em qualquer lugar. Provavelmente lá no topo da montanha.

Isso só significava que eu tinha um lugar seguro para guardar a máquina por um tempo.

Tirei a arma do cinto e a depositei no espaço vazio feito para o meu velho amigo. Então puxei a tampa do caixão de volta.

Toc.

Tinha mais alguém no cemitério.

Toc.

Uma bengala nos paralelepípedos.

Toc.

Vindo direto para a cripta de Hendricks.

Toc.

Feita para o meu amigo.

Toc, toc.

Nós, no Fosso, com risadas e luz.

Toc, toc.

As ruas no crepúsculo. Com histórias e canções.

Toc, toc.

A mansão.

Toc, toc.

A segunda tatuagem.

Toc. Toc, toc.

Saindo da cidade a cavalo.

Toc. Toc, toc.

Aquela noite horrível e minhas ideias idiotas.

Toc. Toc, toc.

Despedidas. Despedidas vazias e inúteis.

Toc. Toc, toc.

Toc. Toc, toc.

Toc. Toc, toc.

Deamar surgiu na cripta iluminada.

Terno preto, bengala, chapéu e um corpo em que as cirurgiãs súcubos trabalharam. Transcendi o rosto cheio de cicatrizes e mergulhei em seus familiares olhos verdes.

— Olá, Eliah — falei. — Quanto tempo.

Seu velho e contagiante sorriso se impôs naquele rosto novo e pouco natural, e ele abriu os braços como se pudesse abraçar o mundo todo.

— Meu querido garoto — disse Hendricks. — Faz uma eternidade.

A emoção tomou meu peito, roubando meu fôlego e me enchendo os olhos de lágrimas. Eu as sequei bem a tempo de ver Hendricks girar a bengala e me acertar na cabeça.

51

Foi um ataque arquitetado por seis anos. Oito, provavelmente. Talvez mais. Quando o cabo de marfim da bengala de Hendricks cintilou à luz da tocha, percebi que eu esperava por aquilo tanto quanto ele.

Desde que me tornara um faz-tudo, eu já tinha levado muita surra. Muita surra de várias pessoas, esperando por aquela que eu merecia. E lá estava. Uma retribuição divina entregue por um espectro de julgamento recém-saído do passado.

Talvez houvesse alguma justiça no mundo, afinal.

O cabo da bengala acertou minha sobrancelha esquerda, cortando a pele e espalhando sangue pelo chão de pedra frio.

Hendricks agarrou as pontas da bengala como se fosse quebrá-la no joelho e soltou um grito.

— MERDA!

Havia uma expressão atormentada de dor em seu rosto, diferente de qualquer coisa que eu já vira.

Ele gritou de novo, e as paredes da cripta gritaram de volta para ele. Suas mãos apertavam a madeira da bengala com tanta força que estavam pálidas, e ele se encolheu como se um grande espasmo estivesse tomando conta do seu corpo. Fiquei ali parado como um idiota, a boca aberta e o sangue escorrendo pelo rosto, esperando algum tipo de sinal do que fazer.

Ele me olhou como se eu fosse um filhotinho natimorto. Como se eu fosse uma tragédia. Uma crueldade irremediável e absurda que não podia ser explicada.

Hendricks me atacou de novo, pela esquerda. Como antes, simplesmente me deixei acertar. A parte de trás do cabo me atingiu na bochecha, mas dessa vez havia menos esforço. Menos remédio.

— Você sabe quantas imagens de você eu pintei na minha cabeça? — Os olhos dele pareciam incapazes de me encarar. Em vez disso, ele examinou a mancha de sangue em uma das extremidades da bengala. — O espião humano que me usou. O pedaço de pura maldade que julguei ser um homem bom. O traidor. Eu me convenci de que você devia ter planejado tudo isso desde o início. Que era algum tipo de gênio do mal. Mas então te vejo aqui e... o que você é? Você não é nada. Nada mais do que era quando te encontrei. Apesar de tudo que tentei te ensinar. Tudo que confiamos a você. Você é só...

Ele deu de ombros, como se eu nem valesse uma palavra.

— Sinto muito.

O golpe seguinte veio mais forte de novo. Foi de baixo para cima, acertou meu queixo e fez meus dentes baterem e morderem a língua.

— Para quem você trabalha? — Hendricks enterrou os olhos a sete palmos nos meus.

— Quê?

— Para quem você trabalha?

— Eu... Para ninguém. Eu só...

Ele pôs a base da bengala no meu peito e me empurrou contra o jazigo.

— E eu começando a achar que poderia te perdoar. Que você só tinha cometido uma série de erros idiotas e que estava tentando melhorar. Mas você está do lado *deles* de novo. Do lado daqueles que são como você.

Niles. Eu tinha aceitado o dinheiro dele para encontrar Deamar. E Hendricks me vira. Depois de tudo que acontecera, ele voltara para Sunder e me encontrara trabalhando para humanos. Contra ele. De novo.

— Eu não sabia que era você. Eu achei... — Esfreguei o rosto e acabei espalhando o sangue. — Fui convencido a aceitar. Era só um trabalho.

Hendricks balançou a cabeça e eu vi o pior da raiva se desvanecer do seu rosto. Sua expressão voltou a ser familiar: o olhar ligeiramente entretido e condescendente de um professor que acabou de ouvir algo extremamente imbecil.

— Você ainda acha, depois de tudo que aconteceu, que seus atos não têm importância? Que o fato de estar recebendo ordens de alguém significa que não tem responsabilidade por suas ações? Nada é *só um trabalho*, Fetch. Principalmente agora. Em um momento como esse. E para um homem como aquele.

— Eu sei. Mas ele não me deu muita opção.

Ele cutucou minhas costelas com a bengala.

— Você sempre tem opção. Cuidado com qualquer pessoa que tente te fazer esquecer isso. Esse tipo de gente só está defendendo seus próprios interesses.

Não estávamos mais na cripta. Estávamos no Fosso. Na fogueira à beira da estrada. No jardim da mansão do governador, fumando charutos ao pôr do sol.

Ah, como senti falta disso! Talvez mais do que qualquer outra coisa. Muito do que havia sido destruído pela Coda jamais voltaria, mas meu mentor estava aqui. Senti como se pudesse finalmente enxergar algo além da escuridão.

As palavras escaparam dos meus lábios antes que eu pudesse pensar nelas.

— Vou trabalhar para você, Eliah. Se você me permitir.

Apesar de tudo, ele sorriu. Então, lembrou-se de tudo que acontecera até ali e me olhou de cima a baixo, desconfiado, como se achasse que eu o levava para uma armadilha.

— Você nem sabe por que estou aqui, garoto.

— Deixar a Opus foi o pior erro que eu já cometi. Não posso consertar o que aconteceu, mas se você está aqui para melhorar as coisas, farei tudo que estiver ao meu alcance para ajudar.

Ele pareceu quase decepcionado. Como se estivesse ansioso para esmagar minha cabeça e eu tivesse acabado com toda a diversão do negócio.

— Por favor — pedi.

A guerra em sua mente ainda não tinha acabado. Nem de longe. Mas eu esperava que ele se afastasse dela o suficiente para me dar uma chance.

Ele tirou a ponta da bengala do meu peito e a tamborilou no chão.

— Eu estaria mentindo se dissesse que você não seria útil. Meu corpo tem muitas limitações hoje em dia. Mas você não pode trabalhar para o Niles se estiver trabalhando para mim.

— Nunca trabalhei de verdade para o Niles, só o bastante para ter uma justificativa para ficar com o dinheiro que ele me deu.

— É um começo. Logo ficaremos com muito mais do que isso.

Ele limpou meu sangue da bengala e o suor de sua testa. Então, balançou a cabeça e deu uma risadinha.

— Você não me deixa muita escolha, não é?

— Não.

— Ou te deixo vir junto, ou te mato. — Seu sorriso era afiado como uma guilhotina.

Seus olhos ainda me eram familiares, muito mais que o restante daquele rosto costurado, mas também não eram mais os mesmos. Não consegui identificar o que era, mas havia algo diferente naquele verde profundo e infinito.

— Viu — disse ele. — Sempre há uma escolha. — Ele bateu a bengala duas vezes no chão, como um sargento chamando as tropas à atenção.

— Agora, vamos beber.

52

Para onde você leva um amigo que já foi o líder da maior organização do mundo, mas agora é o assassino mais procurado da cidade? O Fosso era arriscado demais. Mesmo com a cara nova de Hendricks, nós dois juntos poderia despertar as lembranças de alguém. A aparência dele estava irreconhecível, mas sua voz, embora mais tensa e rouca, ainda continha aquela inimitável essência de fascínio. Ele tirara o bigode e mudara de chapéu, mas, ainda assim, qualquer pessoa que tivesse ouvido a descrição de Deamar suspeitaria. Então, isso eliminava o Bluebird Lounge ou qualquer lugar que os policiais frequentassem, como o Runaway ou o Dunkley's. Sugeri que fôssemos para algum barzinho pé-sujo na parte decadente da cidade, mas Hendricks tinha outros planos. Ele se enfiou em uma loja de bebidas e saiu com uma garrafa de vinho do porto embrulhada em um saco de papel pardo. Tomou um gole e olhou em volta.

— Para onde fica o norte? — perguntou, e apontei para a direita. — Venha comigo, meu garoto. Preciso te mostrar uma coisa.

Ele seguiu manquitolando pela rua, a bengala batendo nos paralelepípedos. Depois de outro longo gole, Hendricks me passou a garrafa.

— E *essa coisa toda*, tem motivo? — perguntou, indicando meu corpo com gestos, mas mantendo os olhos na rua.

— Que coisa toda?

— Essa sua atuação como "capanga contratado". O que é isso?

— Eu, hum... — Fazia anos que eu dava respostas evasivas a essa pergunta, mas nenhuma das minhas saídas espirituosas funcionaria com Hendricks. — Eu sabia que precisava ajudar, mas não sabia como. Isso fazia sentido. Na época.

Ele ficou pouco impressionado, é claro.

— Acho que podemos fazer mais do que isso.

Caminhamos e bebemos, e Eliah discorreu sobre os últimos seis anos com sua eloquência incomparável. Ele viajava da sede da Opus para Agotsu quando a Coda aconteceu.

— Só sobrevivi porque recebi mais cuidados médicos do que qualquer outra pessoa na caravana. Os médicos da Opus me mantiveram vivo e me deixaram em um vilarejo de bruxos sob as sombras dos penhascos de Agotsu. Meu garoto, eu nunca senti tanta dor. Foi um árduo processo de reabilitação só para conseguir me mover de novo. E para quê? Só para voltar a viver no mundo, mas como um velho. Não consigo te explicar o quanto era tentador simplesmente deixar para lá. A única coisa que me manteve aqui foi meu senso de dever. A crença de que era minha obrigação descobrir o que tinha acontecido e consertar as coisas.

Hendricks, enfim, chegou ao topo de Agotsu, um ano atrasado para a luta. Um ano atrasado para impedir o massacre. Um ano atrasado para consertar o pior erro da história.

— Era para ser o lugar mais sagrado do planeta. Quando cheguei, tinha se transformado em um canteiro de obras. Parecia que, assim que o massacre acabou, o Exército Humano tirou os corpos e trouxe o maquinário. Mineração. Armas para defesa. Aí, depois que conseguiram o que queriam, simplesmente se foram. Não deixaram sequer uma alma viva. Nenhum monumento. Só devastação.

Tomado pela raiva e sedento por vingança, Hendricks seguiu para a cidade humana mais próxima: Weatherly. No caminho, fez armadilhas para viajantes humanos e sabotou veículos para poder investigar o que eles estavam fazendo.

— O Exército Humano continua ativo. Só passou a se chamar de *Mortales* e a agir como se o único interesse em jogo fosse criar eletrodomésticos e ajudar as pessoas a se reerguerem. Mas são os mesmos caras por trás de tudo. Os mesmos vilões, que não têm vergonha de lucrar com a tragédia que eles mesmos criaram. Lucrar com a nossa dor. Até agora a Mortales continua trabalhando com outras organizações para dominar toda a terra, riqueza e cultura que pode. Eles sabem que precisam ser rápidos, antes que as espécies mágicas consigam se reerguer.

— Você... você acha que isso é possível?

Ele pareceu confuso com a minha pergunta, depois irritado e, enfim, como se estivesse achando engraçado de uma forma condescendente.

— Ah, não assim. A magia como a conhecíamos se foi. Mas guarde minhas palavras, Fetch, essa história ainda não acabou. E os humanos sabem disso. É por isso que estão agindo tão rápido. Se não os impedirmos agora, nunca mais teremos outra chance de contra-atacar. Vamos perder este mundo de uma vez por todas e entregaremos tudo como se não fosse nada.

Tomei um belo gole do vinho doce e percebi que me sentia entusiasmado. Hendricks já falava comigo como se eu estivesse do lado dele. É claro que nenhum de nós poderia esquecer que eu tinha desempenhado um papel fundamental no evento que levou seu inimigo à vitória na guerra. Isso seria impossível. Porém, ele ao menos considerava a ideia de me deixar voltar para as suas fileiras.

Percebi, com alguma surpresa, que isso era tudo que eu queria.

— Passei os últimos cinco anos travando uma guerra solitária contra a Mortales e suas aliadas. Roubei veículos saindo de Weatherly, segui comboios até novos acampamentos e intercéptei resmas e mais resmas de correspondência. A Mortales não é só uma empresa. Weatherly não é a cidade isolada que querem que você acredite que é. A Companhia Niles não é só um empreendimento de dois irmãos. É uma rede. É uma tentativa de ocupação. Uma invasão que se escondia nas sombras desde a Coda, aguardando o momento de dar o bote, e Sunder City será o palco da batalha final.

Passamos por um canteiro de obras onde alguém tinha começado a construir uma casa, mas desistira na metade do caminho. Vários gnomos tinham acendido uma fogueira nas fundações nuas, queimando algo que soltava uma fumaça preta com cheiro tóxico.

— Por que aqui?

— Este lugar tem uma gravidade. Sempre teve, mesmo antes, mas agora é diferente. No restante do continente, plantações estão morrendo e as famílias, se desintegrando. Isso porque elas dependiam totalmente do mundo natural. Este lugar? Já tinha um acordo com o lado sombrio. Já tinha máquinas humanas. Ideias humanas. É quase como se Sunder soubesse o que ia acontecer.

Ele bateu a bengala no chão como se repreendesse a própria cidade.

— Agora, cada vilarejo triste e cada cidade rural que luta para se manter sabem que Sunder City pode levá-los à salvação. Gostemos ou não, estamos no centro do novo mundo. Quem controlar esta cidade terá o futuro nas mãos.

Pensei em todos os lugares em que Hendricks me levara. Reinos onde os guerreiros mais fortes eram treinados. Castelos com riquezas além da imaginação. Bibliotecas de sabedoria inenarrável. Certamente essas ruas sujas não eram o melhor do que restara.

Hendricks deve ter percebido minha dúvida, porque continuou, muito sério, como se nossa vida dependesse da minha compreensão.

— A verdadeira guerra está vindo, e desta vez não será travada com espadas ou feitiços, mas com indústrias. Com economias. No momento, os humanos estão na frente. Se ninguém desafiá-los, os líderes dessa cidade vão decidir o destino de Archetellos sem nenhum tipo de oposição.

Não pude deixar de pensar no que Linda me contou sobre a origem do nome roubado por Hendricks. Deamar. A primeira criatura a declarar guerra contra a humanidade.

— Então, você está aqui para…?

— Para impedir essa *Companhia Niles* de uma vez por todas. Os cidadãos de Sunder podem estar comemorando agora, acreditando que eles só estão aqui para trazer empregos, torradeiras e automóveis, mas isso tudo é armação. Eu não sei exatamente qual é. Ainda não. Mas essa cidade está disposta demais a fechar os olhos para a verdade. Eu estou aqui para abrir os olhos dela.

Eu estava consciente de cada respiração. Cada momento. Pela primeira vez em anos, me sentia totalmente desperto, e era tudo por causa de Hendricks. Ele era magnético. Inspirador. Assustador. Os pensamentos sombrios que atrasavam minha vida sumiam sempre que ele abria a boca.

Fiz o melhor que pude para ignorar o toque de desespero na voz dele. Para não dar atenção demais aos seus olhos injetados ou à maneira como seus dedos tremiam. A coisa com que tinha mais dificuldade de me acostumar eram seus olhos. Havia algo de estranho neles. Algo mais sutil do que as mudanças óbvias feitas em seu rosto agora desconhecido.

— Por que se disfarçou? — perguntei.

— Ah, isso? — Hendricks indicou com um gesto a máscara disforme como se fosse uma joia que comprara em liquidação. — Eu tinha visto essas cirurgiãs fazerem maravilhas em outros elfos, esticando os séculos de seus rostos e criando uma fachada de juventude, então fui atrás delas. Acontece que centenas de anos de indulgência e bebedeira cobram seu preço quando a magia para de mantê-los longe da superfície. Minha pele parecia um pergaminho velho. Quando tentaram esticá-la, ela rasgou. Eu esperava sair da clínica belo e vibrante de novo. Em vez disso, elas mal conseguiram me manter inteiro. Fizeram o que foi possível, e eu acabei assim. Mas não é tão ruim quanto parece. Pelo menos ainda tenho as minhas malditas sobrancelhas.

Ele não estava tão monstruoso assim. A maioria dos licum se saiu bem pior depois da Coda. Tudo ainda estava no lugar certo, mas seus lábios estavam marcados por cicatrizes. Uma das pálpebras parecia um pouco caída. Não havia imperfeições nas bochechas, mas elas não pareciam naturais. Eram brilhantes demais. Mas não era tão ruim, a não ser que você se lembrasse do homem que ele era antes.

O alto chanceler Eliah Hendricks brilhava. Do cabelo cor de cobre aos dentes perfeitos, até as pontas dos dedos ágeis, era como se sua existência fosse a obra-prima de algum artista. Agora seus cabelos estavam curtos e grisalhos, os lábios estavam ressecados e as orelhas… bem, as pontas afiadas das orelhas de elfo haviam sido totalmente cortadas.

— Mas por que você parece humano?

Ele fez um aceno rocambolesco que era uma de suas marcas registradas, um giro da mão direita que tinha o hábito de derrubar bandejas ou acabar provocando brigas com pessoas sentadas perto demais. Significava algo como: *Bem, por que não?*

— Porque eu queria caminhar entre os meus inimigos — disse ele.

E funcionou. Eu sabia o suficiente sobre Lance Niles para tentá-lo a marcar uma reunião comigo. Com estas orelhas e este rosto, ele confiou em mim como se fosse um deles. Tanto que me entregou o segredo que eu buscava.

— A máquina.

Hendricks deu uma risadinha.

— É assim que você chama? Nas correspondências que interceptei, a Mortales se refere a ela como *pistola*. Lance mostrou a arma para mim, pensando que eu era algum grande engenheiro. Esperava que eu fosse capaz de descobrir seus segredos. Em vez disso, eu a usei para matá-lo.

O espectro da personalidade de Hendricks sempre fora muito amplo. Ele era um sonhador, idealista, com um coração bom. Às vezes. Outras vezes, tornava-se a pessoa mais fria e calculista que eu conhecia.

— Por quê?

— Porque ele me enojava. Lance Niles acreditou na máscara que eu usava, então deixou a dele cair e me mostrou sua verdadeira face. Se um homem como ele passar a controlar esta cidade, logo fará sua fortuna à custa da morte. Eu vi a doença desta cidade no coração daquele impostor duas-caras e, antes que eu me desse conta do que havia feito, os miolos dele estavam na parede.

Ele fez outro de seus gestos despreocupados, como se essa última parte não fosse tão importante. O assassino que eu buscava estava confessando seus crimes bem na minha frente, mas falava como se não fosse nada; uma nota de rodapé para outra história bem mais importante. Talvez fosse, mas era difícil para mim unir esses dois homens: o assassino e meu querido amigo sr. Deamar.

— Foi mesmo assim tão fácil?

Isso o fez desacelerar um pouco. Sempre me sentia bem quando fazia uma pergunta a Hendricks para a qual ele não tinha uma resposta na ponta da língua. Ele lambeu o vinho dos lábios e pensou.

— Perturbadoramente fácil. Isso te surpreende? Você segurou a pistola. Ninguém precisa mostrar como segurá-la ou como fazê-la funcionar. É o projeto maligno mais elegante que já vi. Assim que você a segura, *quer* usá-la, não acha? É quase impossível não fazer isso.

Senti algum alívio ao ouvi-lo falar sobre isso. Até aquele momento, o fardo da máquina era só meu. Nem Victor a via da mesma forma. Finalmente, eu podia falar com outra pessoa sobre seu poder único e viciante.

— Foi por isso que você me deu a máquina? Para não ser tentado a usá-la de novo?

— Acho que sim. Por outros motivos também.

— Tipo o quê?

Ele deu de ombros.

— Para ver o que aconteceria.

Hendricks riu. Uma risada alta e longa, como se eu tivesse feito a pergunta mais idiota do mundo. Por mais que eu tentasse, não conseguia rir com ele.

— E agora? — perguntei. — Lance está morto.

— Sim, mas o irmão não está. Pelo que sei, o mesmo mal corre nas veias dele.

Thurston Niles não me pareceu tão maligno assim. Não na época. Mas Hendricks me fazia perceber como eu estava por fora. Como só via as coisas que outras pessoas queriam que eu visse. Porque não havia razão para me aprofundar. Estávamos todos apenas aguentando firme, esperando para ver o que morreria em seguida. Agora, de repente, o sangue do mundo estava vermelho vivo e pulsando novamente.

— Hendricks, aonde estamos indo?

Já tínhamos passado pela casa do prefeito, pelos jardins e pela Casa dos Ministros, e agora subíamos uma colina com o nome grandioso de monte Ramanak. O Ramanak separava a cidade da floresta além dela, um parque protegido conhecido como reserva Brisak.

Quando Sunder foi construída, o lugar não passava de um pântano. Com o tempo, os ministros plantaram todo tipo de árvores e arbustos e criaram um paraíso de plantas e animais exóticos. Casais apaixonados caminhavam até a cachoeira. Bruxas exploravam os recônditos em busca de ingredientes raros. Era um pedacinho de natureza enfiado bem na espinha dorsal da metrópole.

É claro, a maior parte da flora tinha, ao menos, componentes mágicos, então o lugar sofrera bastante com a Coda. Todos torcíamos para que a natureza encontrasse uma maneira de superar isso e encher o parque com plantas não mágicas em breve.

A respiração de Hendricks estava pesada.

— Eliah, nós podemos voltar. Vamos fazer isso outra hora.

— Não. Você precisa ver isso.

Ele diminuiu o passo, mas não parou. A garrafa estava vazia, então foi jogada na beira da estrada. Enfim, chegamos ao topo do monte, bem quando a aurora empurrava as estrelas. Havia luz suficiente para iluminar a reserva, mas eu não via nem sinal dela.

Isso porque a reserva Brisak desaparecera.

Todas as árvores daquela área foram removidas e o terreno, coberto de cimento. Na parte mais baixa do vale havia um prédio tão grande quanto qualquer outra coisa em Sunder. Paredes imensas de metal, com trabalhadores entrando e saindo.

Como eles conseguiram fazer isso sem o fogo dos poços?

Ninguém tinha construído nada assim. Não desde a Coda. Não em Sunder, mas provavelmente também não em nenhum outro lugar. Podíamos renovar negócios antigos e desatualizados, ou aplicar uma camada de tinta fresca em um quarteirão, mas não construíamos fábricas novas do zero. O hospital perdido de Amari era o mais próximo disso que eu já vira, e era minúsculo em comparação a sabe-se lá o que era aquilo lá embaixo.

Caminhões desciam o morro e descarregavam suprimentos. Carroças largavam engradados na porta e trabalhadores vinham recolhê-los. O trabalho não só era contínuo, mas até chegava a ser feito com algum nível de entusiasmo.

— É incrível — falei.

Hendricks soltou um ruído de desaprovação no fundo da garganta.

— Pelo que entendi, essa usina de energia é a parte mais crucial da operação deles. Estão empregando centenas de funcionários para mantê-la funcionando dia e noite.

O tom de sua voz era totalmente crítico, mas aquilo era exatamente o tipo de coisa pela qual os cidadãos de Sunder rezavam.

— Isso não é bom?

— Não confunda negócios com altruísmo, garoto. Lance Niles estava por aqui muito antes de anunciar seus planos. A empresa comprou boa parte da cidade antes que qualquer um percebesse o que estava acontecendo. O governo e os cidadãos, desesperados para ganhar dinheiro, venderam suas posses por quase nada. Agora, se essa usina começar a funcionar, todos aqueles negócios vão reabrir.

— Eliah, isso me parece progresso.

Hendricks se virou para me encarar, o rosto estranho retorcido em uma carranca e o indicador apontado para a minha testa.

— Eu não te ensinei a ser mais esperto que isso? A questionar tudo? Pense! Eu não passei tantas horas te testando só para você acreditar no que as pessoas dizem.

— Eu sei. Sinto muito.

— Nada é o que parece — disse ele, voltando minha atenção à usina movimentada lá embaixo. — Os irmãos Niles molharam a mão e deram tapinhas nas costas de todos os ministros para que ninguém prestasse atenção ao que a empresa está fazendo de verdade. Essa responsabilidade recaiu sobre mim. — Ele pôs a mão no meu ombro. — Sobre *nós*, se você tiver a coragem de fazer a coisa certa.

Não acredito em segundas chances. Não acredito que seja possível desfazer o que já foi feito. Mas se eu não acreditasse que ainda tinha a coragem de fazer algo de bom, teria me jogado da porta do anjo havia muito tempo.

— Me diga o que temos que fazer — falei.

Ele assentiu. Não foi muito, mas foi o suficiente.

— Primeiro, precisamos descobrir como a Companhia Niles está gerando energia. Quando soubermos disso, poderemos decidir nossos próximos passos.

— Como fazemos isso?

Ele sorriu, finalmente, o que quase o fez se parecer com seu antigo eu.

— Precisamos entrar naquela usina.

Eu não devo ter ocultado meu choque, porque ele soltou uma risada insolente. Quando a ouvi, toda a incerteza desapareceu da minha mente. Voltamos a ser um time. Em uma missão para descobrir o funcionamento da Companhia Niles, e nada poderia me deixar mais feliz. Ele riu de novo e me deu um tapinha nas costas.

— Vamos lá, senhor *faz-tudo*. Vamos nos meter em uma aventura.

53

Para o meu alívio, o plano de Hendricks necessitava de preparativos. Depois que voltamos para o início da rua Principal, ele sugeriu que a gente dormisse um pouco.

— Você pode subir e ficar lá em casa — ofereci. — Não é grande, mas dá para arrumar alguma coisa.

— Obrigado, querido, mas tenho um lugar. Descanse, eu venho te buscar mais tarde.

Ele seguiu em frente na rua iluminada pelo sol matinal e não consegui deixar de imaginar onde ele estaria hospedado. Quantas outras pessoas ele contatara? Em que posição eu estava em sua lista de antigos amigos?

Voltei para o escritório e minha cabeça estava no travesseiro não havia nem um minuto quando alguém bateu na porta destrancada.

— Você vem sem brigar ou tenho que chamar os grandões?

Simms parecia ter dormido ainda menos do que eu.

— Você parece cansada, detetive. O que acha de deitar aqui, a gente tirar uma soneca e lidar com sei lá o que você quer depois?

Ela jogou um copo de água quase congelada na minha cara.

— Você. Eu. Delegacia. Agora.

Nada de carruagem dessa vez. Mas também não fui enfiado na sala de interrogatório, nem levei uma lista telefônica na cara, o que considerei sorte. Ela me levou para o seu escritório, fechou a porta e se largou na cadeira como se os ossos tivessem desaparecido do corpo.

— Mas que confusão — disse. — Que porra de piscina olímpica de merda desarranjada. Esse caso Niles é uma farsa, e é tudo culpa minha.

— Não diga isso, Simms. Poderia ter acontecido com qualquer um.

Ela jogou uma pasta de papéis na minha cabeça.

— É culpa minha porque fui idiota o suficiente para te meter no meio.

Alguém bateu na porta. Era o policial tímido que me encontrara no chão do escritório depois que voltei do vale Aaron. Ele pôs duas xícaras do péssimo café de delegacia em cima da mesa.

— Obrigada, Bath — disse Simms.

— Sem problema, detetive.

Bath saiu. Simms nem assoprou o café antes de tomar um gole.

— Como você sabia que não tinha sido o Tippity?

Argh. Tive semanas para pensar em uma boa resposta para essa pergunta, mas não consegui chegar a nada convincente.

— Você confia na Companhia Niles? — perguntei.

— Quer que eu pule nesta mesa e te dê um tapa? Não mude de assunto.

— Não estou mudando. Eu sabia que não tinha sido o Tippity assim como você. Porque, como todo mundo, você sabe que não existe mais magia. Nada tão poderoso. Não mais. O que quer que tenha matado Lance Niles, foi outra coisa. — Dei de ombros. — Talvez algum tipo de máquina.

— Você sabe mais do que está me dizendo, Fetch.

— Você também.

— Eu tenho que saber mais, cacete. Eu sou da polícia. Era para você estar trabalhando para mim.

— Fiz exatamente o que você me pediu, só que me enganei. Todo mundo ficou encantado com a ideia de que Tippity tinha encontrado algo especial. Mas não. É claro que não. É triste que eu tenha demorado tanto para perceber, mas essa morte não teve nada a ver com magia. Então, por que não esquecemos o *como* e nos concentramos no *por quê*? Alguém sabe de verdade o que a Companhia Niles está fazendo?

— Pare de me lançar migalhas, Fetch. Quem matou Lance Niles? Quem matou Harold Steeme? Como?

— Quem é Harold Steeme?

Se Simms não estivesse tão cansada, aquela pergunta teria me matado.

— Harold Steeme era o apostador que foi morto ontem à noite do lado de fora de um pequeno clube chamado Cornucópia, onde, algumas semanas atrás, um bocudo imundo apareceu e falou um monte de merda sobre ele ter largado a mulher.

— Certo. Desculpe. O que eu quis dizer foi: *Harold Steeme morreu?*

— Quem matou o cara, Fetch?

— Você acha que eu sei?

— Acho!

— Bom, eu não sei.

Encarei os olhos dourados e franzidos dela, de ombros erguidos que nem um idiota.

— Eu não acredito em você — falou ela. — Eu não acredito em nenhuma das merdas que você está falando. Ou você me conta alguma coisa para fazer a investigação andar, ou vou te enfiar na cadeia até essa história toda acabar.

Tinha alguma coisa estranha. Ela estava puta — o que não era novidade —, mas era diferente. Ela estava frustrada e irritada, em vez de repetir a pose de durona de sempre.

— Por que você *de fato* não me prendeu?

— Se continuar com isso, vou prender.

— Qual é, Simms? Você não é de fazer rodeios. Se achasse mesmo que estou escondendo alguma coisa, já teria me enfiado em um interrogatório. Qual é a sua? Me ver algemado não te dá mais tesão?

— Eu *sei* que você está escondendo alguma coisa.

— Então qual é a questão? Eu vi a matéria no jornal. Você largou Tippity na Goela por um crime que sabe que ele não cometeu. O prefeito está usando essa história para derrubar qualquer um que tente reviver a magia, mesmo das formas mais insignificantes. Não é assim que você faz as coisas, Simms.

— Eu *não* estou fazendo isso.

— Então quem é que está?

— Thurston Niles. O irmão. Está comprando a cidade toda. Parte com dinheiro, parte com apertos de mão e sorrisos. Não posso dar um passo nesse caso sem que um dos parceiros do cara venha fungar no meu cangote. Você diz que Tippity não é o culpado? Beleza. Bom, quem quer que seja o culpado, também matou Harold Steeme ontem à noite.

— Se eu fosse você, não teria tanta certeza assim.

Ela arregalou os olhos.

— Tá vendo? Você sabe de alguma coisa!

— Não sei, não! Só estou pensando alto.

— Se você soubesse como mente mal, não apelaria pra esse tipo de palhaçada, que, sinceramente, é uma vergonha para nós dois. Você vai mesmo deixar o Tippity apodrecer na prisão só por medo de abrir a boca?

— Você viu o que ele fez com aqueles cadáveres. Tippity é nojento.

— Mas não é um assassino. Certo? Não foi isso que você disse pra juíza? E enquanto ele está preso, o assassino de verdade está livre. A sua consciência já não está pesada o suficiente sem mais essa?

Mas qual era a alternativa? Entregar Hendricks? Como eu poderia enfiar mais esse segredo no meu cérebro já lotado?

— Eu não sei quem é o culpado — falei, ainda menos convincente do que da última vez. — Se soubesse, te falaria. Foi para isso que você me pagou.

Eu não precisava convencê-la. Ela tinha mostrado todas as cartas quando confirmou que Thurston estava segurando o caso. A Companhia Niles queria botar o crime nas costas de Tippity porque era uma história mais simples do que a que envolvia Deamar. Enquanto todas as atenções estavam voltadas para Tippity, Niles queria cuidar do verdadeiro assassino sem alarde. Mesmo que Simms me prendesse, seus superiores não iam querer saber de nada daquilo.

— Você já teve sua chance, Fetch. Agora fique longe desse caso. Do Bluebird Lounge, da prisão e da Companhia Niles.

— Isso vai ser meio difícil.

Ela mordeu o lábio com força para não gritar.

— Por quê?

— Porque Thurston Niles me contratou para encontrar o assassino do irmão dele.

Se ela tivesse entrado em combustão espontânea, eu não teria me surpreendido.

— Desde quando?

— Faz uns dias.

— Você deveria ter me contado.

— Acabei de contar.

— Achei que você não trabalhasse para humanos.

— Ele me pegou numa questão técnica. Como você disse, Thurston é um cara que consegue o que quer.

Ela apertou as têmporas.

— Você tem um dos seus analgésicos aí?

Joguei um Clayfield para ela, que usou o palitinho para mexer o café.

— Boa — falei. — Nunca tentei isso.

— Fetch, esse caso é uma bomba de merda e você está espalhando essa cagada toda no meu tapete. Me dá alguma pista quente, agora, ou vou te jogar na Goela junto com Tippity.

— Com que acusação?

— Com a acusação que eu quiser. Você tem um longo histórico de crimes que posso trazer à tona se quiser te tirar do meu caminho.

Em outras épocas, talvez eu deixasse que ela fizesse isso. Mas meu velho amigo ressurgira dos mortos e precisava da minha ajuda. Eu precisava de um bode expiatório para que Simms me deixasse sair. E já que era preciso escolher alguém, que fosse a mulher que, naquele momento, estava em uma carruagem, bem longe da jurisdição de Sunder City.

— Algumas semanas atrás, uma mulher apareceu no meu escritório. Ela queria que eu descobrisse quem matou o marido. Ele era um apostador que desapareceu sem deixar vestígios. Então comecei a investigar e descobri que o marido estava bem vivo e, bom, com uma carinha de bebê nova em folha. Quando contei à esposa o que aconteceu, ela ficou chateada, é claro, mas lidou com a notícia melhor do que eu esperava. Essa foi a última vez que ouvi falar de Steeme até ontem à noite.

Eu não precisava preencher as lacunas. Simms já estava bem à minha frente.

— Então você *sabe* quem é o assassino.

— Tenho só um palpite. Tudo que sei é o que você sabe. O que *todo mundo* sabe. Explodiram a cara de um sujeito de algum jeito. Agora, uma senhorinha elfa *talvez* tenha matado o marido do mesmo jeito. Não tem mais ninguém lançando feitiços por aí e, mesmo se tivesse, este não é mais um mundo de feitiços. Talvez você não esteja procurando um assassino, Simms. Talvez esteja procurando uma arma. Mas vamos voltar para onde isso começou. Com um estranho que apareceu querendo enfiar a cidade no bolso. Eu não sou o problema aqui. Posso ter arrastado a merda para o seu tapete, mas deveríamos trabalhar juntos para descobrir quem foi que deixou o cocô no caminho, para começo de conversa.

Meu discurso era frágil como seda de cigarro e igualmente passível de virar fumaça, mas dava a Simms algo em que pensar.

— Thurston te contratou?

— Aham.

— E você está fazendo o investimento valer a pena?

Mexi o café com um Clayfield e tomei um gole. Não era nada ruim.

— Cá entre nós, não foi o melhor investimento que ele já fez.

Simms apoiou os cotovelos na mesa e enfiou a cabeça entre as mãos.

— Eu não tenho mais ninguém — falou. — O departamento inteiro está lambendo as botas desse tal de Niles, e não sei com quem posso falar. Não acredito que você tenha me contado uma verdade sequer desde o momento que entrou aqui, mas também não estou convencida de que não está do meu lado. Pelo menos ainda não. Vou te deixar ir embora. Se decidir que quer me dar uma ajuda, sabe onde me achar. Mas se eu sentir o menor cheiro de que você vai me ferrar ainda mais do que já fez, vou te trancar com Tippity e você vai implorar para ficar do meu lado de novo.

Apenas assenti. Depois de anos cometendo o mesmo erro, finalmente aprendera a ficar de boca fechada.

54

Quando abri os olhos, Hendricks estava sentado na minha cadeira, segurando uma das bolas de vidro contra a luz.

Eu precisava mesmo consertar aquela tranca.

— O que é isso? — perguntou ele, agitando a esfera para ver o líquido rosado se mexer.

— Cuidado, é ácido ou algo assim. Tippity usava para liberar a magia dos feéricos.

— Extraordinário.

— Se você diz…

— Posso ficar com uma?

Sem esperar por uma resposta, ele pôs a esfera de volta na bolsinha e enfiou no bolso.

— E aí, qual o plano? — perguntei.

— O plano, meu querido garoto, é um pouco da boa e velha espionagem. Quando Lance Niles chegou à cidade, a usina foi seu primeiro projeto. Os trabalhadores já estão lá, batendo cartão dia e noite. Fiz algumas perguntas, mas não consegui descobrir o que realmente acontece lá dentro.

— Então, como a gente entra?

— Que bom que você perguntou. Seria impossível eu me passar por um funcionário, mas há uma boa chance de você conseguir se infiltrar na usina durante uma mudança de turno e descobrir o que eles estão aprontando.

Não era a minha ideia favorita.

— A Companhia Niles sabe quem eu sou — falei. — E o julgamento de Tippity pôs a minha cara nos jornais. Não sou mais tão desconhecido quanto no passado.

— E é por isso que vamos fazer uma visitinha às súcubos — brincou ele. Bem, pelo menos achei que estivesse brincando.

— Levaria um tempo que não temos para eu me curar da cirurgia.

Hendricks deu um dos seus antigos sorrisos, cheio de charme e malandragem.

— Elas têm outras habilidades.

55

— Cavalheiros, que surpresa encantadora.

Exina beijou Hendricks na boca como uma amante esquecida. Talvez fosse o caso. Ou talvez só compartilhassem as mesmas opiniões e fossem criaturas sem inibições que passaram por muitas experiências juntos em tempos melhores.

Hendricks explicou o plano rapidamente a Exina, que nos conduziu pelo corredor e até a sala de cirurgia, onde Loq esperava. A sala ainda estava cheia de velas e cortinas de seda, mas também havia prateleiras de instrumentos cirúrgicos e drenos no chão, com manchas de ferrugem ou sangue.

Quando Exina me disse para sentar na cadeira de metal reservada aos pacientes, percebeu que eu estava tremendo.

— Ah, querido, não se preocupe. Não faremos nada permanente.

— Por enquanto — completou Loq. — Mas sei que você vai voltar.

Hendricks e as cirurgiãs ficaram parados ao meu redor, coçando o queixo.

— Elfo? — sugeriu Hendricks.

— A gente precisaria de muita pele extra — disse Loq.

— Estava pensando em licum — comentou Exina. — Depois da Coda, cada membro da espécie acabou com uma percentagem diferente de animal e humano. Se fizermos algumas mudanças importantes, ninguém vai questionar.

O grupo concordou. Eu ainda estava decidindo se deveria dar no pé.

— Eu vou ser um lobisomem? — perguntei.

Exina se virou para Loq.

— Dê uma olhada no gelo, amada. Veja o que temos sobrando.

A decisão final foi um licum *felino*.

Hendricks saiu para comprar vinho enquanto as súcubos providenciavam os preparativos. Assim que ele se foi, as doutoras me prenderam à cadeira. Loq disse que era para evitar que eu me mexesse demais e estragasse o trabalho, mas tenho quase certeza de que era só para zombarem de mim.

Exina se concentrou primeiro nos dentes. Entalhou duas presas de felino para que se encaixassem nos meus dentes de verdade. Loq cortou meu cabelo e pintou uma mecha ruiva bem na frente. Eu odiei, o que só fez as duas gostarem ainda mais.

— Eu adoraria mudar um dos seus olhos — disse Exina —, mas não temos tanto tempo assim. Vamos colocar um tapa-olho e deixar que os outros imaginem o que tem por baixo.

— Que surpresa — comentou Hendricks, voltando com uma boa variedade de bebidas. — Nunca achei que fosse do seu feitio deixar coisas a cargo da imaginação.

Exina lhe deu um tapa e um beijo.

Minhas sobrancelhas mal tinham crescido, então foi fácil cobri-las com pelo ruivo retirado de algum paciente anterior.

— Temos algum bigode de felino? — perguntou Exina. Elas pediram ao anão que verificasse, e ele encontrou alguns fios descartados no lixo, que foram grudados na minha barba por fazer. — Estão meio ralos, mas é a moda. O que mais?

— Garras, é claro — respondeu Hendricks com um sorriso maldoso.

— Só na mão esquerda — falei. — Se a situação complicar, vou precisar da direita funcionando.

Elas grudaram unhas pretas afiadas nas minhas.

— São caninas — comentou Loq —, mas eu lixei, então ninguém vai perceber a diferença a não ser que chegue perto. Então não tente arrancar os olhos de ninguém.

Elas não me deixaram olhar no espelho até terminarem. Detesto admitir, mas a qualidade do trabalho era impressionante. Sutil o suficiente para convencer, e fiquei realmente bem diferente de mim mesmo. Elas usaram cola para repuxar minha pele de uns jeitos estranhos que mudaram o formato do meu rosto e fizeram parecer que a Coda tinha deixado sua marca, mas de leve.

— Estamos quase lá — disse Hendricks, e tirou um uniforme da Companhia Niles da bolsa.

— De onde veio isso? — perguntei.

— Da lavanderia do Hotel Larone. Venho pensando em versões desse plano já faz algum tempo.

Elas prenderam um par de meias na parte de trás da minha cueca para parecer um cotoco de rabo.

— Só não deixe cair demais, rapaz, ou vai parecer outra coisa.

Loq enfiou um gorro na minha cabeça e puxou bastante, de forma que só a mecha ruiva aparecesse. Eu estava irreconhecível até para mim mesmo.

— Então, do que vamos chamá-lo? — perguntou Hendricks.

— Ele é o seu humano de estimação — respondeu Loq com um sorrisinho.

Eles estavam se divertindo demais.

— Eu já tive um gatinho — comentou Exina.

— E qual era o nome dele? — perguntou Hendricks.

— Montgomery Fitzwitch.

Hendricks assentiu.

— Monty para os mais chegados.

56

     Seguimos pela trilha no topo do monte Ramanak e encontramos um bosque que ainda estava de pé. Deitados entre as raízes grossas de um carvalho, eu e Hendricks víamos o portão principal da fábrica, disfarçados pela folhagem. Nosso plano era esperar a mudança de turno para que eu pudesse entrar com o novo grupo de trabalhadores.

     — Uma bebidinha? — perguntou Hendricks.

     — Claro. — Enfiei a mão no casaco e tirei um cantil prateado. Quando o estendi para Hendricks, ele estava com um cantil idêntico nas mãos. Nós rimos.

     — Não me diga que nunca te ensinei nada. — Ele tomou um gole. — O que você tem aí?

     — Uísque.

— Rum. Me dá um gole.

Trocamos de cantil e bebemos.

— O seu é melhor. Você ganhou desta vez, Fetch *Phillips*. — Ele deixou meu nome flutuar no ar como uma pipa. — Quando você voltou a usar esse nome?

— No dia em que me mudei para o escritório. O pintor perguntou que nome eu queria na porta e simplesmente saiu. Eu nasci Martin Phillips. Depois fui Martin Kane, em Weatherly. Aí, só Fetch. Pastor Fetch, por um tempo. Soldado Fetch depois. Quando tudo acabou e eu precisava de um novo nome para este novo mundo, usar o Phillips de novo me pareceu uma boa opção.

Ele pensou nisso por um tempo e engoliu a notícia com um gole de uísque.

— Você se lembra desse nome? Da sua juventude?

— Não. Li em documentos do Exército Humano quando tentaram me recrutar. — Eu não queria seguir por esse caminho, mas não sabia como desviar dele. — Era um relatório sobre o que aconteceu no condado de Elan. Fui identificado como o único sobrevivente. Definitivamente não me sentia mais um Martin, mas Phillips parecia combinar.

Hendricks me encarou. Seus lábios tremeram como se ele ensaiasse mil formas diferentes de responder.

O Exército Humano me dissera que Hendricks fora o responsável pelo que tinha acontecido com a minha família, os Phillips, em Elan. Ele deixara uma quimera livre, apesar de muitos avisos, e o monstro destruíra todo o vilarejo. Fora essa informação que me convencera a largar a Opus.

Agora, depois de tanto tempo, eu compreendia que ele cometera um erro tentando fazer a coisa certa. Ainda não conseguia acreditar que fosse o mesmo caso comigo.

Teria sido o momento perfeito para esclarecer tudo que aconteceu. Para começar a impossível tarefa de tentar seguir em frente. De pedir desculpas. Mas o momento passou. Eu senti sua passagem, como quando você olha pela janela e vê que o dia está ensolarado, mas as nuvens tomam o céu antes que você possa terminar de calçar os sapatos.

Hendricks só assentiu e disse:

— É, garoto. Acho que o nome combina muito com você.

Ouvimos um apito lá embaixo.

— É o primeiro toque — disse Hendricks. — Um aviso de que faltam dez minutos. O segundo toque significa troca de turno. Está pronto?

— Queria saber no que estou me metendo.

— A Companhia Niles está contratando tanta gente nova que você não vai ser o único perdido. Tente interagir o mínimo possível, mas, se tiver que falar com alguém, comente que é seu primeiro dia.

A cola já estava me dando coceira.

— O que exatamente tenho que procurar?

— Qualquer informação sobre o funcionamento da operação. Qual é o combustível? Quanta energia eles são capazes de produzir? Para que estão usando? Coisas assim.

Não era o tipo de pergunta que um trabalhador de chão de fábrica costumava fazer no primeiro dia de trabalho, mas eu entendi. Hendricks ajeitou meus bigodes e me deu um tapinha no ombro. Então, Monty saiu para o frio.

57

De perto, a usina era ainda maior. Parecia uma montanha de metal com janelinhas minúsculas e uma porta gigantesca. Eu me juntei à multidão reunida do lado de fora. Havia trabalhadores de inúmeras raças e tamanhos, todos com aquele olhar perdido de homens cujo corpo sempre foi mais valioso que sua mente. A multidão se afunilou conforme entrávamos, lado a lado, e tentei dar uma olhada em meio às pessoas para ver qual seria o meu primeiro teste.

Claustrofobia, parecia. Eu estava em um corredor com uma centena de outros brutamontes, lutando para chegar em mulheres com pranchetas que esperavam à frente. Cada trabalhador dizia seu sobrenome, um número de cinco dígitos e passava. Comecei a entrar em pânico, esperando tropeçar no primeiro obstáculo, mas então percebi que as mulheres só escreviam, não havia verificação. Isso significava que tinha menos a ver com segurança e mais com pagamento. Segui em frente.

— Fitzwitch. Três, dois, sete, oito, um.

Ela anotou sem nem erguer os olhos. Esperei uma resposta, mas alguém só me deu um empurrão nas costas para seguir em frente.

A sala em que entramos ocupava um quarto do edifício. Mesmo assim, era enorme. As paredes eram feitas de painéis de metal, assim como os tetos, que, alto, era equipado com muitas chaminés para filtrar a fumaça do ar. Havia bancos ao redor e portas que davam para outras salas, mas eu não conseguia entender nada daquilo. A maioria dos trabalhadores se dirigia à parede à direita, então segui um ogro musculoso que parecia saber o que estava fazendo. Ele pegou um par de óculos de segurança em uma prateleira. Fiz o mesmo. Depois, em uma longa mesa, pegamos dois pacotes embrulhados em papel.

Abri um pacote, que continha um pãozinho amanteigado com um ovo frito dentro. O ogro enfiou o sanduíche na boca e gemeu, satisfeito.

— Nunca tive um emprego que desse café da manhã — murmurou. — Acho que vou trabalhar aqui até morrer.

Assenti. Sorrir era difícil, com tanta cola na cara, então Montgomery Fitzwitch não seria dos mais sociáveis.

Depois de pegarem sanduíches de ovo, os trabalhadores ficaram parados por ali, aguardando a mudança de turno. Do outro lado da sala, um grupo de funcionários abria caixotes e transferia o conteúdo para carrinhos e transportadores. Eu não conseguia ver o que era nenhuma daquelas peças, mas ressoavam como metal pesado quando eram postas uma sobre a outra. Então, empurradas, atravessavam portas duplas ao norte.

Uma campainha alta e estridente soou, e a mudança de turno começou de verdade. Metade dos trabalhadores recém-chegados passou por uma porta na parede à esquerda, mas acompanhei o grupo que seguiu para a frente, entrando em outra sala enorme, repleta de fileiras de mesas longas e estreitas.

A essa altura eu já tinha visto metade do prédio. Dava para vislumbrar um pouco mais através das portas abertas para o leste. Ainda não sabia dizer do que se tratava o lugar, mas uma coisa estava clara: não era nenhuma usina elétrica.

Tratava-se de algum tipo de fábrica. Como era recente, a mudança de turno não corria de forma tão tranquila. Todo mundo se esforçava para trocar de estação de trabalho sem se machucar ou a alguém em volta. A confusão me ajudava a manter o disfarce, mas tornava impossível entender que tipo de trabalho era feito ali.

O grupo do turno anterior já tinha largado suas ferramentas, e ninguém as pegara ainda. Os carrinhos cheios de peças de metal ficavam de um lado da fileira, e engradados de madeira vazios, do outro. Caminhei ao longo de uma das mesas, fingindo que estava indo para algum lugar. As peças inacabadas contavam uma história. Era uma linha de montagem. Cilindros de madeira eram presos a canos de metal. Continuei e…

BANG.

A comoção veio do outro lado de mais uma porta fechada. Alguém gritava. Saí da sala de montagem e segui o barulho para uma área menor que brilhava como uma piscina de ferrugem. O lugar estava repleto de placas de cobre. Imensos retângulos de metal apoiados nas paredes, painéis menores empilhados e tirinhas pequenas cobriam as dezenas de estações de trabalho espalhadas pela sala.

Um grupo se formara em torno de um jovem lobisomem que estava caído no chão. Ele gritava desesperadamente, com as mãos cobrindo os olhos.

Uma porta se abriu atrás do grupo. Cabeças se viraram e as vozes baixaram. Até os gritos do rapaz diminuíram de volume. Alguém de autoridade entrou na sala.

— Vamos dar uma olhada nele — disse uma voz entediada e falsamente preocupada. Era um humano engravatado usando um daqueles ternos cinza-escuros que as pessoas da Companhia Niles gostavam de usar. Não havia muito mais a dizer sobre ele. Tinha aquele visual de barba feita e cabelo bem cortado que caras de escritório costumam ter, como se tivessem pedido ao barbeiro para eliminar qualquer traço de personalidade. — Vocês dois, peguem uma maca e levem o rapaz para a enfermaria.

Dois licum levantaram o rapaz e passaram por mim com ele, e a sala ficou estranhamente silenciosa. A multidão preocupada voltou para suas estações de trabalho. Achei uma mesa vazia e me sentei.

Na minha frente, havia uma tirinha de cobre, uma caixa de chumbo e algumas ferramentas. Elas me pareciam familiares, mas não consegui me lembrar de onde as vira antes: tesourinhas, um martelinho dourado, uma colher medidora estranha.

Só algumas pessoas tinham voltado para o trabalho. A maioria ainda estava em choque com o que acontecera, talvez se perguntando quem seria o próximo a perder um olho.

O homem de terno falou de novo:

— Você quer dizer alguma coisa?

Eu não conseguia ver com quem ele estava conversando. Quem quer que fosse, era mais baixo que as mesas.

— Eu avisei a vocês — disse a voz da pessoa baixa. Ele deu a volta pela sala e eu só conseguia ver a ponta das orelhas. O cara de terno o seguiu, sempre um passo atrás. — Essas coisas não são brinquedo. Vocês têm que tomar cuidado em cada passo. Uma fagulha pode custar um dedo ou até mesmo a vida.

A voz deu a volta na sala até passar pelo corredor à minha frente.

Era Victor Stricken.

Sua perna de metal havia sumido, e a outra estava imóvel. Ele usava uma cadeira de rodas agora, empurrada pelo engravatado, que parecia ainda mais infeliz que antes.

— Não apressem este trabalho. Cada cápsula precisa ser idêntica. Caso contrário, não caberá na arma de fogo.

Baixei os olhos para a folha de cobre e percebi onde tinha visto aquelas ferramentas: na casa de Victor, no vale Aaron, quando ele encheu as cápsulas com poeira do deserto e as enfiou na máquina.

A máquina: um cilindro de madeira com um cano de metal. Era isso que eles estavam montando na outra sala.

Observei as orelhas de Victor passarem pelo corredor enquanto ele instruía os trabalhadores sobre a melhor maneira de fazer a munição sem explodir nada. Eu tinha me sentido culpado por não destruir a arma. Achei que era o último desejo do seu criador. Mas cá estava ele, fazendo mais dela. Milhares dela.

— O que vocês estão fazendo logo será a arma mais letal deste mundo. Mas ela parece tão segura que as pessoas vão guardá-la no cinto ou debaixo do travesseiro. É seu trabalho garantir que esse pó só escape quando a pessoa usando a arma quiser. Não encarem essa responsabilidade de forma leviana.

Victor e o homem atrás dele se viraram para observar a sala. Os trabalhadores obedientes pegaram as ferramentas. Logo o ambiente foi preenchido pelo som de cortes e batidas, conforme o cobre era moldado em pequenas cápsulas.

Abri a caixa de chumbo. E lá estava a poeira vermelha. Eu presenciara o problema que uma colherzinha daquilo podia causar. Havia pó suficiente para matar mais de dez pessoas, só na minha mesa. Naquela sala, o suficiente para destruir um vilarejo. E nessa cidade? Quem poderia saber?

Victor foi retirado da sala por um corredor estreito. Um minuto depois, o homem de terno cinza-escuro voltou e saiu na direção em que o lobisomem machucado fora levado. Quando saiu do recinto, me levantei e desci o corredor. Alguns trabalhadores me observaram, mas não me importei. Se você finge saber aonde vai, raramente as pessoas falam qualquer coisa. Ainda mais aquelas que acabaram de receber um lembrete de como são dispensáveis.

O corredor tinha portas dos dois lados, e todas levavam a escritórios. Olhei em cada um deles, todos vazios, até chegar à última porta e ouvir Victor Stricken soltar o tipo de suspiro que alguém só dá quando está sozinho: exausto, desesperado e à beira das lágrimas. Entrei na sala e fechei a porta.

— Você está bem longe de casa, Vic.

Quando ergueu a cabeça, consegui dar uma boa olhada nele pela primeira vez. Torci para que a máscara de licum escondesse minha expressão.

Victor estava com dois dentes a menos e metade do rosto paralisado. Ainda usava seus couros de lobo, mas a cadeira de rodas era uma substituta ruim para a perna mecânica. Todos os brincos haviam sumido, e os buracos em que ficavam tinham sido rasgados. Arrancados à força. Adivinhei a história sem que ele precisasse me dizer uma palavra.

Ele não me reconheceu. Talvez fosse o disfarce. Talvez a tortura tivesse mexido com a sua cabeça.

— Você me pediu para destruir a primeira pistola, Vic. Por que diabos está aqui fabricando mais dela?

Isso despertou a memória dele. Victor deu uma risadinha quando percebeu quem eu era, mas já ouvi mais alegria em um cortejo funerário.

— Oi, sumido. Por que está todo arrumado assim?

— Ah, sabe como é. Comecei aparando a barba, acabei me empolgando e quando me dei conta estava perseguindo ratos e cagando numa caixa de areia. Mas o que foi que aconteceu com você?

Em vez de responder, ele baixou os olhos para as mãos e pela primeira vez notei que seus braços estavam amarrados à cadeira.

— O que você acha? Eles me arrastaram para fora do vale e me torturaram até que eu contasse como fazer essas coisas. Aí os filhos da puta me deram uma opção. Ou ficar lá, sem conseguir andar, ou voltar para Sunder e trabalhar para eles. — Ele babava um pouco. Provavelmente ainda se acostumando com os dentes a menos. — Na época não me pareceu que houvesse opção. Acho que seus ideais só te levam até um ponto, quando não têm as suas pernas para ajudar. — Ele balançou a cabeça. — Achei que eu fosse mais forte.

— Cacete, Vic. Ninguém te culparia.

— Você acredita mesmo nisso?

Eu queria acreditar. Sabia alguma coisa sobre ficar do lado do inimigo.

Vic se agitou na cadeira, forçando as amarras.

— Me tira dessa merda.

Eu me abaixei e tentei desamarrar os nós que o prendiam.

— Para que tudo isso? — perguntei.

— Tudo isso o quê?

— A fábrica. As máquinas.

— Para ter lucro, claro. Para começar. Mas ninguém começa a produzir armas se não estiver se preparando para uma guerra. Rápido, porra.

As unhas falsas na minha mão esquerda tornavam aquele trabalho impossível. Aí Vic começou a se balançar, agitando o corpo todo quase a ponto de capotar. Segurei a cadeira e o acalmei.

— Mas que merda, me desamarra! — berrou ele. Eu esperava que a fábrica fosse barulhenta o suficiente para abafar a voz dele, ou a gente teria companhia logo, logo.

— Vic, cuidado.

Peguei minha faca no cinto e cortei a corda. Ele arrancou os braços, se esticou e abriu um sorriso esgotado.

— Aaaah, bem melhor.

Ele conduziu a cadeira para fora da sala e eu só pude correr atrás dele.

— Vic, como eles estão fazendo tudo isso? — Ele desceu o corredor até entrar em uma porta à esquerda. Eu entrei atrás. — Sunder não tem energia de verdade desde a Coda. Eles têm que fundir e soldar o metal para fazer essas coisas. De onde estão tirando o combustível?

Estávamos no escritório de alguém. Vic parou na frente da escrivaninha e abriu todas as gavetas, procurando alguma coisa.

— De onde tiraram — respondeu ele. — Do mesmo lugar de sempre.

— Como assim?

— Aaaaaaah.

Ele encontrou o que estava procurando. Uma máquina. Uma das produzidas em massa bem ali. Erguendo-a junto ao peito, ele a acariciou como se fosse um bichinho amado. Não havia uma unha em seus dedos.

— Victor, vamos dar o fora daqui.

O goblin tirou os óculos e me encarou com os olhos distantes. Não sei que pedaço dele continuava ali, mas era só um eco do Victor durão que dividira o ensopado comigo.

Passos vieram pelo corredor. Passaram pela sala onde estávamos até o lugar onde Victor deveria estar.

— Victor? — chamou a voz. Não preocupada. Só irritada.

O goblin abriu outro sorriso macabro.

— Como meu velho sempre dizia — ele girou a engrenagem da máquina com força, produzindo um som que lembrava um brinquedo de criança —, hoje é sempre um bom dia para deixar de ser um babaca.

Os passos voltaram. Pararam na nossa porta.

Não havia para onde correr.

— Mas que merda foi essa, Victor? — A voz do cara do terno cinza parou bem ao meu lado. — Você cegou um dos nossos funcionários. Talvez tenha matado o rapaz. — Ele não tinha notado que as mãos de Victor estavam livres. Também não tinha notado o que elas seguravam. O cara virou para mim. — E o que você está fazendo aqui? — Era impossível saber o que se passava em sua mente. O rosto e a voz dele eram inescrutavelmente uniformes. — Quem diabos é você?

Eu nunca vi tanta coisa acontecer ao mesmo tempo.

Uma explosão de som ecoou pelas paredes da salinha. Fiquei surdo. Tudo que ouvia era um zumbido agudo, como se alguém tivesse prendido um diapasão nas minhas orelhas.

Ao mesmo tempo, sangue e massa cinzenta explodiram da cabeça do homem parado ao meu lado. O sangue pintou as paredes e o teto e tudo em volta. Meu corpo ficou em choque. Senti o ímpeto de chorar.

Victor segurava a máquina. A reveladora espiral de fumaça flutuava diante de seu rosto. Os lábios dele se moviam, mas eu não conseguia ouvi-lo. Ele articulou de novo:

Corre.

Eu obedeci.

Saí cambaleando da sala e voltei para o corredor. O chão estava escorregadio por causa do sangue. Quando me virei, todos estavam me encarando. Mais engravatados no fim do corredor. Eles me olhavam com a certeza de que eu era o culpado. Dei um passo à frente. Eles gritaram. Um se aproximou de mim. A expressão dele foi da raiva ao medo. Outra explosão atrás de mim. O engravatado caiu de joelhos com as mãos no peito. Todo mundo correu. Eu também corri. Tropecei, ainda surdo. Desorientado. Alguém pisou nos meus dedos. Eu me levantei. Alguém agarrou meu ombro. Outra pessoa tentando fugir? Não. Era outro engravatado, que me deu um soco na cara. Seus dedos estavam cheios de anéis, que cortaram minha pele. Revidei o soco. Com mais força. Então, me deixei ser levado pela multidão. Saímos por onde entramos. Passamos pela sala de munição, pela sala de montagem e pela mesa de café da manhã até o mundo exterior. Alguns trabalhadores pararam ali. Outros subiram a colina. Eu os segui.

※

Odeio correr. Não fui feito para isso. A minha velha dor no peito odeia ainda mais.

Quando cheguei ao topo do monte Ramanak, lidava com uma dúzia de dores diferentes. Peguei a primeira rua conhecida, achei uma taverna, entrei direto no banheiro e lavei o rosto até tirar todo o sangue, os bigodes e as sobrancelhas ruivas. Joguei fora o tapa-olho e a imitação idiota de rabo. Arranquei a parte de cima do uniforme. Estava só com uma camiseta branca por baixo, então ia congelar, mas era melhor do que ser identificado como alguém da fábrica.

Não era perfeito, mas, à primeira vista, eu não parecia o mesmo cara que entrara ali correndo. Saí da taverna e fui para oeste — morrendo de frio e com sangue ainda escorrendo da testa.

Máquinas.

Uma fábrica inteira de pistolas e cápsulas cheias de pó. Eu achava que a minha era especial. Não era mais. A Companhia Niles estava pronta para torná-las tão comuns quanto chaves de casa.

Todos esperávamos algo novo. Finalmente esse algo chegara. O futuro era agora, e era de estourar os miolos.

O engravatado que o diga.

58

Estava quente na sala de cirurgia. Sem camisa, eu deixava que as duas súcubos, uma de cada lado, costurassem os cortes no meu rosto. Cheguei arfando e sangrando, fazendo um show e reclamando da explosão de Victor Stricken, mas as coisas haviam se acalmado. Eu estava sentado na cama, e Hendricks estava em uma mesa próxima, observando mapas e papéis espalhados.

Eu tinha conseguido contar, enquanto lutava para recuperar o fôlego, a maior parte da história. Hendricks estava feliz com as novidades que eu trouxera, mas enojado pelas ações da Companhia Niles.

As cirurgiãs costuraram minha testa no ponto em que o cara me socou. Então me deitei, elas fizeram carinho nos meus cabelos e Hendricks me parabenizou pelo trabalho bem-feito.

Era gostoso. Melhor do que subir minhas escadas aos tropeços e cair na cama sozinho e sangrando, como de costume.

O ano entrou com um copo de uísque quente misturado com mel e ervas, e eu me sentei para beber. Exina foi retirar os equipamentos cirúrgicos sujos, mas Loq ficou ao meu lado na cama baixa.

Antigamente eu desconfiaria de uma súcubo assim tão próxima. Mas estávamos no mundo pós-Coda, então me permiti relaxar com ela aninhada ao meu peito. Era mais agradável do que remédios e quase conseguia afastar as lembranças da cabeça do engravatado explodindo.

— Estamos fazendo um progresso incrível — disse Hendricks —, mas isso só resolve uma parte do quebra-cabeça. Você tem certeza de que eles não estavam fazendo as partes da arma lá também?

— Pelo que vi, estavam só montando. As peças vinham de outro lugar. Cabos de madeira e canos de metal. Folhas de cobre para a munição. Poeira do deserto. Mil coisas.

— É no metal que estou mais interessado. Para forjar isso eles precisariam de mais energia do que existe em Sunder City.

— Talvez estejam trazendo de fora da cidade. Vi muitos caminhões na estrada.

— No início, é possível, mas estão falando de acender os postes da rua Principal de novo. Deve haver algum suprimento de energia que desconhecemos escondido na cidade. Estão comprando tudo que podem: ferrarias, moinhos, quarteirões residenciais inteiros. Compraram até o estádio. É óbvio que têm planos maiores para a cidade além de só fazer armas.

— O estádio?

Hendricks examinou um dos mapas roubados.

— A leste da rua Principal, logo a sul dos arcos. Não é lá que fica?

— Agora é. — Pedi licença, saí do abraço de Loq e me aproximei da mesa. — Mas é onde ficava a primeira fornalha subterrânea. Não foi você que me contou isso?

Ele esfregou a testa.

— Ah, sim. Você tem razão. Eu tinha esquecido.

— Perguntei ao goblin de onde a fábrica estava tirando energia, e ele respondeu que do mesmo lugar de sempre.

Hendricks olhou para o ponto no mapa que marcava a localização do estádio.

— Você acha que ele está falando da primeira fornalha?

Semanas antes, quando eu estivera por lá com Warren, o estádio estava abandonado. Quando voltei para testar a máquina no manequim, alguém estava revirando a terra.

— Tem algum tipo de construção acontecendo por lá — comentei.

— Mas o fogo se apagou junto com a Coda.

— Eu sei, mas... — Pensei nos feéricos da igreja. Eles estavam mortos havia seis longos anos, mas quando Tippity abriu a cabeça deles, ainda havia um pedacinho de magia vivo lá dentro. — Talvez ainda tenha alguma coisa lá embaixo.

— Como o quê?

— Como os feéricos. A magia se foi, mas seus corpos ainda guardam um pedaço do espírito.

— Você acha que as chamas podem ter deixado algo para trás? Uma sombra do seu poder?

— E a Companhia Niles está escavando para encontrar.

Hendricks riu e ficou de pé em um pulo, me dando um tapa nas costas.

— Isso é ótimo, garoto. Muito bom. Temos nosso próximo alvo. Muito bem, muito bem!

Aquele era um momento de parar o mundo. O que mais eu poderia querer? Um trabalho bem-feito. Um enigma resolvido. Uma bebida quente. Uma mulher bonita na cama e um bom amigo ao meu lado. Deixe que o tempo pare. Jogue uma âncora em torno do sol. Tranque as janelas para a vida nunca mais entrar.

Nós paramos, sim. Trancamos as portas e bebemos para celebrar a missão bem-sucedida. Hendricks e Exina desapareceram em outro cômodo. Aparentemente eu estava certo e os dois tinham algum tipo de passado juntos. Loq não pareceu se incomodar que ele saísse com sua parceira. Imagino que uma súcubo seria o último tipo de criatura que teria problemas com coisas assim. Ela ficou comigo no colchão e se esforçou ao máximo para me fazer esquecer goblins torturados e paredes pintadas de sangue.

Fico feliz por termos parado. Só por um momento.

Antes que os horrores nos atingissem com força total.

59

Dormimos até o meio do dia e fizemos nossos planos para a noite. Uma hora antes do pôr do sol, eu e Hendricks seguimos para o centro. As moças me consertaram direitinho, e o anão até lavou minhas roupas. Nós comemos bem. Bebemos vinho. O ar estava frio, mas, pela primeira vez naquele inverno, eu gostei da sensação.

Estávamos em uma parte ruim da cidade, mas isso não nos impediu de curtir o que víamos. Risadas cascateavam dos bares e amantes bêbados se beijavam nas ruas. Passamos por uma janela que emitia a delicada música de um piano e por um grupo de crianças jogando bolas de neve.

Eu havia caminhado por aquelas ruas quase toda a minha vida adulta. Todos os dias desde a Coda. Mas naquela noite as coisas pareciam diferentes. Eu parecia diferente.

Procurava por algo quando fui com Hendricks para a Opus, mas não encontrei. Então busquei esse algo no Exército, o que se provou um erro. Até esperei que esse algo surgisse quando escrevi *Faz-tudo* na minha porta. Não sei do que chamá-lo, mas esse algo não vem com um uniforme, não vem com uma causa e certamente não vem quando você está sozinho e simplesmente tenta manter a mente ocupada o bastante para não causar danos demais a si mesmo. Talvez seja um sentimento que não se pode ter em tempo real. Só em retrospecto. Em lembranças.

— Por que você me deixou entrar na Opus? — perguntei.

Fiquei surpreso que essa pergunta tenha saído. A maior parte dos meus pensamentos jamais fazia a corajosa jornada do cérebro à língua. Acho que eu estava relaxado. Pela primeira vez em muito tempo eu não tomava cuidado com tudo que dizia.

Hendricks não pareceu tão surpreso.

— Como assim?

— Bom, nenhum humano tinha entrado na Opus antes. Então, por que eu?

— O que você acha?

Mas que merda, Hendricks. Não havia nada que ele gostasse mais do que responder a uma pergunta com outra.

— Sei lá.

— Ah, o que é isso! O que você acha? Sua força sem igual? Seu intelecto brilhante? Seu famoso bom humor?

Já estava arrependido da minha pergunta.

— Bom, alguém me falou que tinha a ver com criar alianças. Mostrar aos humanos que poderíamos trabalhar juntos... alguma coisa assim.

— Interessante. — Ele assentiu, pensativo, como se a ideia só tivesse passado pela mente dele naquela hora. — Depois de algum tempo, acho que vi valor nessa abordagem. Mas não foi por isso que aconteceu. Não de verdade. Você quer saber por que eu realmente te alistei na Opus?

Ele parou. Eu também.

— Quero.

Ele me encarou com aqueles olhos verde-claros centenários.

— Porque você pediu. E como era meu amigo, aceitei seu pedido. Só isso. — Ele deve ter percebido que eu esperava algo mais. — Tudo que aconteceu com você foi fruto das suas escolhas. Você escolheu sair de Weatherly. Escolheu entrar na Opus. Escolheu nos deixar e entrar no Exército. Esses são os fatos. Se estiver procurando por algum significado maior por trás de qualquer coisa, só há um lugar em que buscar.

Ele voltou a andar, a bengala estalando alegremente no chão.

— Continuo sem ter conhecido mais nenhum — comentou.

— Nenhum o quê?

— Weatherista. Ou wheateriano? Sabe, vocês são tão raros por aqui que nem temos um nome para chamá-los.

— Você acha que talvez haja outras pessoas que saíram de Weatherly.

— Deve haver. Eu só nunca encontrei nenhuma. Sempre quis, especialmente depois de conhecer você.

Eu não sabia se aquilo era um elogio ou se deveria me preparar para um insulto.

— Por quê?

— Porque você é estranho, mestre Fetch, mas não sei o quanto dessa estranheza é sua e o quanto tem a ver com o lugar de onde veio. Não tenho com quem compará-lo. Teoricamente sou o maior diplomata do mundo. Conheço todos os apertos de mão dos anões e quais palavras evitar com cada espécie de licum, mas com você, nunca houve uma forma de saber o que pode te tirar do sério.

Pensar em mim mesmo como alguém de Weatherly não me agradava. Mesmo enquanto estava lá, eu me sentia um intruso. Mas não posso negar o fato de que o lugar tinha uma influência em mim.

— O que me torna tão estranho?

Outro de seus sorrisos secretos que nunca seriam totalmente explicados.

— A forma como tantas coisas parecem te chocar. Pensei que isso passaria com o tempo. Não se lembra de como Amari brincava com você? Era tão fácil te deixar nervoso.

Era a primeira vez que ele mencionava o nome dela, e aquela palavra matou a conversa na hora.

Senti que Hendricks esperava uma resposta, mas não conseguia me lembrar muito bem do que estávamos falando antes. Seguimos em silêncio até o limite sul da cidade.

O estádio surgiu antes do que eu esperava. Estava iluminado com os mesmos holofotes da última vez, mas agora havia muitos, muitos mais. O lugar se transformara em um canteiro de obras. Tendas de lona, engradados com equipamentos e trabalhadores uniformizados preenchiam o espaço.

Entramos sorrateiramente em um beco escuro para observar sem ser vistos. Eu mastigava um Clayfield e Hendricks fumava seu cachimbo.

— Você tinha razão, garoto. Tem algum tipo de operação acontecendo aqui.

— Está ainda maior do que na última vez em que vi. O que você acha que eles estão fazendo?

— Ainda não sei. Talvez Montgomery Fitzwitch possa descobrir.

— Eu... Eu realmente não quero tentar esse truque de novo.

Por sorte, Hendricks riu.

— Não, não. Aqui é muito mais perigoso que a fábrica. Mais protegido. Você pode até entrar, mas duvido que consiga sair. Precisamos de mais informações. Vamos seguir um dos trabalhadores na hora da saída até que ele esteja bem afastado. Aí, fazemos uma emboscada e interrogamos o sortudo.

Não pude deixar de sorrir com aquela ideia. Era ridícula. Mas eu estava fazendo muitas coisas ridículas recentemente, e dessa vez estaria acompanhado pelo meu mentor.

— Temos que esperar pelo candidato certo — disse ele. — Precisamos de alguém lento. Alguém que esteja sozinho.

Aquele lugar não era como a fábrica, em que grandes grupos de funcionários trocavam de turno ao mesmo tempo. Aqui as pessoas estavam sempre entrando e saindo. Depois de um tempo, um gnomo coxo atravessou os portões e se afastou do grupo, seguindo para noroeste.

— É agora — disse Hendricks, pousando a mão no meu ombro. — Vamos manter distância enquanto pudermos. Não tenha medo de me deixar para trás se ele começar a se apressar. Não tenho mais a mesma vitalidade de antes.

— E aí? Vamos seguir o cara até em casa?

— Espero que não. Ele pode ter uma família ou morar em algum apartamento lotado. Temos que atacá-lo em um beco e fingir que é um assalto. Tente fazer a informação surgir como se fosse por acidente. Não queremos que os chefes dele saibam o que estamos fazendo.

Era loucura. Eu estava prestes a seguir um gnomo indefeso voltando do trabalho, mas valia a pena porque estava fazendo com Hendricks: um homem que podia transformar uma xícara de chá em aventura. Tive que segurar os risinhos de animação enquanto seguíamos pelas ruas, observando o alvo, prontos para o espetáculo.

Hendricks escolhera nosso alvo por muitos motivos. Para começo de conversa, ele tinha pernas curtas e mancava, então até os velhos ossos de Eliah conseguiam acompanhá-lo. Ele estava sozinho, o que significava que a gente não precisaria esperar ele se despedir de colegas. Além disso, ele estava indo para oeste.

Havia *algumas* áreas boas na parte oeste da cidade, mas eram bairros que se mantinham perto da rua Principal. Nosso amigo seguia direto para os limites da cidade. Se o gnomo morava para aqueles lados, teríamos muito tempo para emboscá-lo em ruas vazias até lá.

Não poderia ser mais fácil. O gnomo estava, inclusive, resfriado, então, quando Hendricks sentiu uma cãibra na perna e tivemos que parar por um minuto, um acesso de espirros do nosso alvo permitiu que o alcançássemos de novo.

Depois de quinze minutos, o gnomo pegou um atalho por um beco estreito entre dois armazéns, a chance perfeita para atacarmos.

— Rápido — disse Hendricks. — Corra ao redor do prédio e bloqueie o caminho dele do outro lado. Eu o sigo por aqui.

Fiz o que ele mandou, mas, querendo economizar um pouco de tempo da viagem, cortei caminho por dentro do armazém. O espaço parecia abandonado, mas não estava vazio. A luz que passava pelos buracos no telhado era pouca, então acabei batendo as canelas em algum tipo de máquina esquecida logo que entrei. Foi uma dor dos infernos, mas até achei meio engraçado. Era tudo tão estúpido. Derrubei uma pilha de lixo e tropecei em um cano velho que caiu em uma pilha de latas. Eu não poderia ter feito mais barulho nem se tentasse.

O gnomo era tão lento que, quando saí do outro lado, ainda tive tempo de abotoar o casaco, levantar a gola para cobrir minha boca e puxar o chapéu por cima dos olhos. Peguei minha faca e entrei no personagem. Aí, virei a esquina.

O gnomo parou. Ele já estava nervoso porque tinha ouvido o barulhão que fiz no armazém. Hendricks andava sem a bengala para não fazer barulho, mas voltara a usá-la para nos alcançar. O gnomo olhou de um para o outro, com os olhos arregalados de medo.

— Por favor — disse ele —, eu não tenho nada.

Ele estava tremendo. Isso meio que acabava com a graça. Por sorte, Hendricks começou.

— Não foi isso que me falaram. Pela cidade, dizem que a Companhia Niles paga muito bem.

Ele estava fingindo uma voz grossa idiota. Ainda bem que minha gola cobria meu sorriso.

— Não! — protestou o gnomo. — Não para mim. Eu sou só um cavador.

— Um cavador? — Hendricks piscou para mim como se tivéssemos descoberto algo importante. — Não minta para mim, homenzinho. Por que vocês estão cavando no estádio?

O lábio inferior do gnomo tremeu, mas a voz tinha sumido.

— Responda — ameacei. — Ou a gente vai... a gente vai... te pendurar de cabeça para baixo e... te sacudir até o dinheiro cair.

O gnomo olhava para mim, então não viu Hendricks segurar o riso. Eu não estava fazendo um trabalho tão bom assim com o diálogo.

— Eu só... — soltou a pobre vítima — ... só passo o que me mandam. Comecei hoje! Ainda nem me pagaram.

— Não acredito em você — disse Hendricks, de novo no personagem e se aproximando. — Cadê o dinheiro?

— Eu não tenho dinheiro! — berrou ele.

Olhei para Hendricks, tentando descobrir qual seria nosso próximo passo. Enquanto meu olhar estava alto, o gnomo chutou minha canela bem no lugar em que eu tinha acabado de bater lá dentro do armazém.

— Porcaria!

Ele chutou a bengala de Hendricks, que caiu de lado. Tentei agarrar o gnomo, mas ele escorregou por entre meus braços. E quero dizer *escorregou* mesmo. Estava molhado, ou viscoso, de alguma forma. Tentei segui-lo e tropecei em Hendricks, que ainda estava sem fôlego no chão.

Nossa vítima desapareceu na esquina.

— Eliah, você está bem?

— Só um pouco dolorido, meu garoto.

Estendi a mão para ajudá-lo a se levantar e Hendricks soltou uma risada histérica. Não consegui me segurar e fiz o mesmo. Era ridículo. Lágrimas corriam pelas minhas bochechas quando Hendricks enfim agarrou minha mão para se apoiar.

— *Argh*. O que é isso? — Ele limpou os dedos no casaco. — Você caiu em alguma coisa?

— Foi o nosso carinha. Ele estava... escorregadio.

Hendricks observou minhas mangas, por onde o gnomo escorregara. O tecido estava manchado com algo translúcido, denso e grudento. Hendricks pegou um pouco da substância com a ponta de um dedo e o ergueu para perto dos olhos.

— É algum tipo de gel?

— Mais ou menos. — Ele fungou, depois pensou por um tempo. — Acende seu isqueiro.

Hendricks limpou meus braços e meu peito, tentando coletar toda a meleca que conseguisse. Peguei o isqueiro e o acendi, enquanto Hendricks posicionava a mão a alguns centímetros da chama.

— Fique parado — ordenou.

Hendricks pôs a mão na chama e a manteve ali.

— É à prova de fogo — falei.

Hendricks assobiou, impressionado.

— É claro que é. É saliva de dragão. — Hendricks moveu o dedo pela chama. — Mas onde diabos a Companhia Niles conseguiu isso?

60

Parecia que alguém estava de sacanagem comigo. Estávamos de volta ao lugar em que o anão desdentado viera me contar sobre dragões, procurando exatamente a coisa que eu tinha falado para ele que não existia. Mas dessa vez eu acreditava e Hendricks era o cínico.

— Fetch, quando foi a última vez que você viu um dragão?

— Na noite da Coda.

— Exatamente. Niles deve ter encontrado um estoque de saliva anterior à Coda.

— Eu sei. Mas vale dar uma olhada, não?

Nós olhamos. Percorremos as unidades de armazenamento e os silos por uma hora. Às vezes, batíamos nas laterais deles ou abríamos portas enferrujadas para espiar os espaços sempre vazios e desinteressantes.

O sol se pôs, a noite esfriou, nossos cantis ficaram vazios. Pedi desculpas a Hendricks por ter desperdiçado seu tempo.

— Não, não. É uma ideia e ainda pode nos render frutos.

Eu achava que ele só estava sendo gentil comigo, mas insisti.

Nós nos separamos e andamos pela região por mais meia hora até que ouvi Hendricks me chamar. Quando o encontrei, ele segurava um objeto opaco que parecia uma unha do pé gigante feita de vidro.

— Escama de dragão — disse Hendricks.

— Tem certeza?

— Não. Elas eram coloridas, mesmo fora do corpo da criatura. Vibrantes e espelhadas. Tão fortes que podiam virar armaduras. Isso é... — Ele partiu um canto. — É quebradiço, como ossos secos. Mas tem o formato certo, então talvez...

A gente olhou em volta. Estava escuro demais. Quieto demais. Era o último lugar em que você esperaria encontrar um animal lendário como um dragão.

— O anão disse que ouviu um dragão — disse Hendricks. — Bem, vamos voltar para aquele exato lugar e esperar mais um pouco. Talvez a gente escute a mesma coisa.

No caminho, Hendricks apontou para um barril de metal largado no chão.

— Pegue isso.

Coloquei o barril no nosso ponto de partida e Hendricks me entregou uma nota de bronze.

— Compre mais daquele uísque e algo para comer. Sopa, talvez? Sopa seria bom. Vou acender uma fogueira enquanto te espero.

Peguei o dinheiro e o deixei procurando lenha. Quando voltei, trazia uma garrafa grande de bebida e duas latas de canja de galinha. Hendricks estava sentado ao lado do barril, fumando o cachimbo e encarando as chamas.

Eu me sentei, entreguei o jantar a ele e abri o uísque. Era forte e terroso e só o cheiro já me esquentou. Tomei um gole e Hendricks fez o mesmo.

O fogo estalava.

— Onde você achou essa madeira toda? — perguntei.

— Quebrei engradados velhos ou achei nas pilhas de lixo. Eu não respiraria muito fundo se fosse você, garoto. Tinha uns pedaços que pareciam meio tóxicos.

A sopa estava quente e nós bebericamos as latas com cuidado. O fogo queimava com força. Não havia nenhuma luz acesa em volta, só as estrelas e uma lua fina. Nós poderíamos estar em qualquer lugar. Nas estradas selvagens de Gaila ou acampando em Groves. Dava para imaginar os cavalos amarrados ao nosso lado ou uma equipe inteira de pastores esperando além da próxima colina. Era bom imaginar essas coisas, em vez de pensar na realidade. Em vez de Eliah Hendricks, alto chanceler, líder da Opus, agachado próximo a uma pilha de lixo fumegante na cidade mais suja do mundo.

Ele terminou a sopa e virou mais um gole de uísque. Depois examinou a garrafa.

— Você deve estar pensando que seria melhor eu dar uma segurada nisso, depois do que aconteceu.

Depois *do quê*? Ele estava falando daquela noite? Da última vez em que eu o vira antes da Coda?

— Como assim?

— Olha só para mim, Fetch. Eu fiz *de tudo*. Por centenas de anos eu comi, bebi, fodi e dancei por todos os cantos deste mundo. Forcei meu corpo até o inferno e de volta porque eu sabia que conseguia aguentar. Mas agora, sem a magia para impedir os efeitos da fumaça e do veneno, meu passado está voltando para me assombrar. Agora que a magia se foi, estou sendo arrastado antes da hora.

— Talvez não. Existem outros médicos. Talvez ainda haja alguma forma de reverter as coisas.

— Achei que você não acreditasse nisso, sr. Faz-tudo. — Não consegui interpretar seu tom de voz. — Só estou dizendo que, apesar de isso certamente não estar ajudando, de jeito nenhum vou parar agora. Se este for o fim, então vou dançar até que ele chegue, como sempre fiz. Com uísque, vinho, tabaco, mel e música.

Ele inclinou a cabeça para trás e berrou algumas notas para se aquecer. Sua voz estava mais rouca do que antes, mas ainda era doce, e ele cantou o início de uma música de bebedeira dos anões que costumávamos cantar na estrada.

Nós a ouvimos pela primeira vez em uma taverna do interior, e se tornou nossa música favorita por muitos meses. Sempre que os dias pareciam longos demais, ou a jornada, muito difícil, um de nós começava. O início era com a letra tradicional, mas logo começávamos a inventar nossos próprios versos.

"Ah, Vera vive com sua cabeleira a pentear
Ainda mais impressionante é o que ela anda a ocultar.
Debaixo da saia um susto está a aguardar.
Que linda mulher é a Vera."

Nada resumia Hendricks tão bem quanto o fato de que ele falava mais de dez idiomas, tocava inúmeros instrumentos, cantava como uma sereia e *aquela* era sua música favorita.

Tomei mais um gole do uísque para afogar a vergonha sempre presente e continuei a próxima estrofe.

"Ah, Penny tem a pele tão rara
É como fazer amor com uma arraia.
Mais que um encontro, uma viagem para a praia!
Que linda mulher é a Penny."

Hendricks gargalhou e aumentou ainda mais o volume da voz.

"Ah, Fetch é um rapaz que adora brigar.
Enfrenta dez fortões só pra despertar.

Talvez ele se anime mais se transaaaaaaaaar!"

Sua voz aguda vibrou no ar e eu o acompanhei no último verso.

"Aaaaah, que lindo garoto é o Fetch!"

Nossa risada ecoou pelas paredes de tijolos dos armazéns. Pombos fugiram dos telhados. Hendricks encarava o céu noturno e a luz da fogueira transformava seu rosto naquele que eu conhecia tão bem. Perfeito, malandro, sem um traço de medo ou preocupação. Não conseguia acreditar que estava ali com ele. Não só porque ele praticamente voltara dos mortos, mas porque eu ainda não entendia como, de todas as pessoas do mundo, ele queria perder tempo comigo.

Sempre me senti assim. Mesmo antes de todas as coisas ruins. Me sentia assim ainda mais agora. Não podia dizer isso a ele, é claro que não. Então só falei:

— Senti saudade disso.

Ele tirou os olhos das estrelas.

— Eu também, meu garoto.

Nós bebemos a sopa. Um milhão de pensamentos fragmentados preenchiam minha cabeça. Todas as coisas que nunca falara ao longo daqueles seis anos porque não achei que houvesse ninguém ao meu redor que quisesse ouvir.

— É só que... — Desejei, não pela primeira vez, ter o talento de Hendricks com as palavras. — É bom ter alguém que me conhece de verdade.

Hendricks olhou para a fogueira e não consegui identificar o que ele estava pensando.

— Deixa eu te contar um negócio.

Ele baixou a lata de sopa e limpou a mão nas calças. Então, se inclinou e tamborilou o indicador na minha testa.

— Essa confusão aqui é toda sua. — Ele bateu na própria cabeça. — E esse redemoinho de loucura aqui é todo meu. Nós temos nossas longas conversas e nossos segredos, nossos anos de aventuras lado a lado, mas, por mais que a gente tente... — Ele espalmou a mão e apertou minha cabeça como se fosse partir meu crânio. — Nunca vamos conseguir ultrapassar essa barreira. Eu nunca vou entrar na sua cabeça e você nunca vai saber de verdade o que está acontecendo na minha. Essa é a nossa maldição, garoto. A maldição de cada um de nós neste mundo. — Ele afastou a mão e seus olhos verdes brilharam. — Todos nós estamos sozinhos.

Então, o dragão rugiu.

61

Ficamos de pé em um salto.

— Ouviu isso? — perguntei.

— Sou velho, não surdo, garoto. Por aqui.

Largamos a fogueira e seguimos na direção do som. Os prédios gemiam na brisa, mas de resto a noite estava silenciosa de novo. Nada parecia estranho. Eram os mesmos armazéns que a gente passara o dia todo explorando. Hendricks bateu com uma pedra na parede de metal de um silo e começou a cantar o mais alto que pôde:

— Ah, Kelly é um rapaz com pés tão gigantes...

O eco da sua voz reverberou ao nosso redor.

— Que a terra toda treme com seus passos dançantes...

— GROARRR.

O som vinha de uma pequena cabana anexa a uma das antigas fábricas. Era um escritoriozinho de capataz, sem janelas e com um grande cadeado na porta.

— Você sabe abrir um desses? — perguntou Hendricks.

— Claro. Mas não precisa.

A cabana de madeira era tão velha que chutei a parede ao lado da porta e a prancha de madeira inteira se soltou. Soquei outra prancha e dei uma olhada lá dentro.

— Tem escadas descendo. — Chutei mais algumas placas até abrir um buraco grande o suficiente para passarmos. — Vamos. Cuidado com os pregos.

Nós dois acendemos os isqueiros. No escritório, tudo estava coberto de poeira, mas o chão estava cheio de pegadas que passavam por um alçapão e desciam escadas de metal.

Segui na frente pelo túnel apertado que parecia ter sido construído recentemente: a terra sob nossos pés estava solta e formava nuvens quando andávamos, o que provocou um acesso de tosse em Hendricks. A poeira só assentou quando saímos do túnel e entramos em uma sala imensa.

Antes da Coda, maquinário mágico cobria o chão de pedra: o tipo de equipamento que teria sido usado para aterrar o pântano, fazer as fundações da cidade e cavar o canal. Era tudo tecnologia anã, que ficou ultrapassada com as décadas ou simplesmente desnecessária depois do fim dos trabalhos. Provavelmente havia uma entrada maior em algum outro lugar: essa parte devia ter sido adicionada para que as pessoas pudessem entrar e sair sem ser vistas.

— Fetch, ouça.

Eu só ouvia pingos de água. Mas de repente... uma respiração. Um ronco profundo e rascante que vinha das sombras, no outro lado daquele lugar.

Lancei a Hendricks um olhar que questionava se ele achava mesmo que aquela era uma boa ideia. Ele deu de ombros, o que nos fez rir, então continuamos andando.

O lugar era imenso. Nossos isqueiros mal iluminavam o caminho, e quanto mais perto chegávamos da respiração, mais estranha ela soava. Era um chiado arfante e seco.

Quando a escuridão bramiu de medo, dei um salto para trás. Hendricks continuou firme, com um olhar que eu só vira poucas vezes antes.

Na maioria das vezes, Hendricks caminhava pelo mundo com um ar inabalável de graça e relaxamento, como se desse uma festa glamorosa onde quer que estivesse. Quanto mais terrível a situação, mais tranquilo ele parecia. Seu comportamento caloroso era capaz de mudar o tom de tensas conversas diplomáticas, devolver espadas às bainhas e afastar multidões prontas para se revoltar. Outros líderes se gabavam, e Hendricks ria, cantava e bancava o bobo.

Porém, de vez em quando, o mundo ia longe demais.

Hendricks sabia o que encontraríamos antes que a luz atingisse os olhos do dragão.

Era um dragão tradicional: criado do corpo de um lagarto voador nas planícies Bruto. A cabeça do dragão era do tamanho de um bondinho de Sunder, mas parecia pequena pelo que fora feito com ela.

Onde as asas deveriam estar, só havia dois cotocos ensanguentados. Quem fizera aquilo não tinha as mãos cuidadosas das súcubos. Os cortes eram desiguais e ossos afiados despontavam das costas da criatura. Mesmo que tivesse as asas, o dragão não poderia ir a lugar algum. Correntes envolviam todo o corpo dele, prendendo-o ao chão.

As escamas eram iguais à que encontramos do lado de fora: descoloridas, opacas e frágeis. Em muitos lugares não havia nada, e a carne por baixo estava machucada e apodrecida.

A boca do dragão estava aberta. Antigamente, aquele teria sido um sinal para que saíssemos correndo se não quiséssemos virar cinzas. Mas agora ela não estava aberta em um ataque. Não estava nem aberta de propósito. Havia uma engenhoca presa entre os dentes embotados do dragão, com várias molas que mantinham o maxilar aberto, como uma armadilha de urso ao contrário. Havia tubos entrando na boca do animal, passando pelas gengivas e pendurados nos lábios até caírem em um barril de metal.

— O que estão fazendo com ele? — perguntei.

— Tirando sua saliva da forma mais cruel possível.

As garras dele haviam sido removidas e seus braços estavam presos. Eu não conseguia ver o rabo. Talvez o cirurgião tivesse cortado também.

Aquilo me lembrou de um menino em Weatherly que pegou um lagarto no jardim e queria transformá-lo em animal de estimação. Claro que o lagarto discordava. Então, quando o menino o tirava da caixa, sempre o segurava com força demais. Aí alguém disse ao menino que, se o rabo do lagarto fosse arrancado, um novo cresceria no lugar.

O rabo não saiu fácil, então o menino pegou uma faca. A coisa toda me deixou enjoado, mas eu não queria perder a oportunidade de ver o rabo do lagarto crescer de volta, então fiquei por ali para assistir.

A cauda não voltou a crescer. No fim, aquele era um tipo diferente de lagarto. Mas ele parou de tentar escapar.

Hendricks se aproximou do dragão e apoiou a mão na lateral da cara dele. O animal não tentou se afastar. Dragões são espertos. Ele sabia que não havia sido Hendricks que o prendera ali.

Eliah apoiou a testa na criatura, acariciou suas escamas e fechou os olhos. Os olhos do dragão se fecharam também.

Hendricks chorou. Não alto, mas seu peito arfava e o rosto estava coberto de lágrimas. Ele estendeu as mãos e encontrou um dos parafusos que mantinham a estrutura na boca do dragão aberta. Ele girou o parafuso, tirou e procurou outro. Dei a volta e fiz o mesmo.

Os parafusos saíram cobertos de sangue, mas os ferimentos eram tão antigos que aquilo não pareceu causar dor ao dragão. Ele já estava acostumado a sofrer de formas que eu sequer seria capaz de imaginar. O animal fechou a mandíbula devagar e gemeu. Hendricks manteve a mão na lateral da cabeça dele.

— O que a gente faz agora? — perguntei. — Tiramos as correntes e descemos com ele pela rua Principal?

Hendricks limpou o rosto na manga.

— Eu não sei como o mantêm vivo nem como o alimentam, mas isso não é natural. Não tem mais nada que a gente possa fazer.

Hendricks puxou a faca. Eu puxei a minha. Hendricks se afastou para uma das laterais e eu fui para a outra. A carne sob o pescoço do dragão já estava macia e úmida. A faca entrou fácil, e o dragão não tentou lutar. Cruzamos as lâminas até nossas mãos se tocarem, então juntos empurramos para cima. A última respiração do dragão atingiu nossos pulsos, quente e aliviada.

Tiramos as facas e ficamos parados ao lado do corpo de um animal milagroso que havia sido reduzido a um pedaço de carne apodrecido.

Tomei coragem e olhei para Hendricks. Quase dava para ver o sangue bombeando pelo seu corpo, cheio de ódio. Suas mãos tremiam.

Então, um som distante veio do leste. O clangor de metal em metal.

Hendricks limpou a faca nas roupas, guardou a lâmina e começou a andar na direção do barulho.

62

Eu sentia cheiro de enxofre. Fumaça velha. Talvez eu tivesse razão. Talvez a Companhia Niles tivesse descoberto algo lá embaixo por acidente. Algum elemento nas rochas, ou algum sedimento que restara dos velhos tempos que, agora, usavam para gerar energia.

Seguíamos por outro túnel, em declive. Hendricks estava cheio de energia e tomava a frente com sua bengala.

— O que são esses tubos? — perguntei.

Correndo pelo teto havia seis canos de níquel, cada um do diâmetro de um prato.

— Eram usados para levar o fogo até a superfície. As explosões que Fintack Ro viu nos pântanos eram só pequenos bolsões de gás, se comparados às fornalhas subterrâneas. Para desfrutar toda essa energia, os fundadores tiveram que cavar nas profundezas da terra e instalar esses canos.

No fim do túnel, encontramos uma jaula de metal do tamanho do meu escritório. Havia correntes nos quatro cantos que subiam até o teto e desapareciam sob o chão. O som de metal vinha de algum ponto mais abaixo de nós.

— Mas o que diabos eles mantêm aí?

Hendricks se aproximou da jaula e abriu uma porta recortada no metal.

— É um elevador — explicou. — Tecnologia antiga dos gnomos.

Hendricks entrou. Eu parei na beirada e olhei para baixo. O piso da jaula era feito da mesma grade de metal que as paredes, então dava para ver o abismo lá embaixo.

— De jeito nenhum — falei.

Hendricks bateu a bengala no piso e o negócio inteiro chacoalhou como se fosse se desmanchar.

— Os gnomos não brincam em serviço, garoto. Eles fazem essas coisas há centenas de anos. É mais seguro do que andar pela rua Principal.

Ninguém mais teria me convencido. Talvez Amari, mas só. Pus um dos pés na gaiola instável e entrei sem me soltar das paredes. Hendricks gargalhou.

— Se seus clientes te vissem agora, você nunca mais arrumaria trabalho nessa cidade.

Eu já estava me arrependendo de ter comido tanto no jantar. Havia um barril no canto da cabine, o qual agarrei para me segurar. Hendricks fechou a porta.

— Pronto, garoto?

— De jeito nenhum.

— Ótimo. Vamos nessa.

Ele acionou uma alavanca acima da porta que soltou a trava de uma grande engrenagem. Havia muitas delas no teto, e elas começaram a girar, fazendo as correntes passarem entre elas. Estávamos descendo em um ritmo constante para as profundezas.

— Quanto tempo vai levar?

— Não tenho ideia. Relaxe e aproveite a viagem.

Aquela era uma sugestão impossível. Agarrei o barril com força, embora não houvesse motivo lógico além de me dar a falsa ilusão de ter algum controle. Hendricks se sentou no chão com a bengala no colo.

A jaula descia devagar, o que não me incomodava, mas meu coração batia um milhão de vezes por minuto e todas as partes do meu corpo pareciam prestes a fazer uma festa-surpresa. Eu precisava me distrair.

— O que faremos quando chegarmos lá embaixo? — perguntei.

— Depende.

— Do quê?

— Do que eles estiverem fazendo.

Hendricks estava de olhos fechados. A jaula continuou descendo e chacoalhando por mais um minuto.

— A gente deveria falar com Baxter — sugeri. — Pode ser que nos ajude.

— Talvez.

Mais alguns minutos se passaram enquanto avançávamos no escuro. As engrenagens chiavam e as correntes tilintavam, às vezes engasgando. Sempre que isso acontecia, por um momento a jaula se inclinava ligeiramente para o lado, dava um sacolejo e voltava ao normal. Eu queria gritar. Hendricks apenas sorria para si mesmo, de olhos fechados, como um marinheiro experiente navegando em meio a uma tempestade.

Quanto mais ele se mantinha em silêncio e quanto mais descíamos, mais ocupada minha mente ficava: cheia de loucura, vergonha e de todas aquelas perguntas que desejei fazer todos os dias de todos os anos que passamos separados. Elas rolavam pela minha mente, uma após a outra, como os rostos dos passageiros em uma janela de trem. Depois de um tempo, meus nervos trêmulos e o barulho das correntes se tornaram demais para mim e deixei que uma parte da loucura escapasse da minha mente para a língua.

— Você viu Amari?

Por que tudo parecia tão quieto de repente?

— Só uma vez depois que você foi embora — respondeu ele, por fim. — Eu estava com problemas em Farra Glades, terra natal dela, então pedi sua ajuda. Uma pena você não estar conosco. Você teria adorado. Ela teria adorado ter você lá. Foi uma das poucas viagens que ela fez. Depois que financiaram o hospital dela, ela passou a ficar quase o tempo todo em Sunder.

— Você nunca a encontrou aqui?

— Não. Engraçado, né? Você passou tantos anos apaixonado por ela, choramingando com o seu uísque sempre que ela estava longe. Aí, bem quando ela ia se mudar para Sunder de vez, você montou no cavalo e a deixou para trás. Mas acho que ela compreendia seus motivos para partir.

Sério? Eu nem sabia se *eu* compreendia meus motivos.

— Como assim?

— Contei a ela o que aconteceu quando você era criança. A história da quimera. Ela concordou que era um impulso bobo e equivocado, mas compreendia mesmo assim. — Os olhos dele ainda estavam fechados e a única coisa que se movia era a boca cheia de cicatrizes, erguida em um sorriso malandro. — Vocês, humanos, têm tão pouco tempo para crescer. Aí acabam se apressando. É por isso que nunca conseguimos trazer vocês para a Opus. Simplesmente não conseguem ver o mundo como nós.

— Bom, estamos todos no mesmo barco agora, né?

As palavras pareciam amargas, e eram. Eu não gostava de ouvir ninguém dizer que eu era igual aos outros humanos. Nem Hendricks.

Ele abriu os olhos. O sorriso não sumiu, só ficou mais condescendente.

— Onde ela está?

Eu engasguei. Ele percebeu.

— Amari — especificou ele.

Na mansão de Lark. No salão principal. Eu sou dono do prédio.

Eu falei isso com orgulho. Foi um erro. Ele teve que se segurar para não cair na risada.

— Ah, Fetch, você não mudou nada. — Ele inclinou a cabeça para o lado. — Eu gostaria de vê-la.

Ele falou isso como se me pedisse permissão. Como se esperasse minha resposta. Mas eu não conseguiria responder. Ninguém tinha entrado lá. *Ninguém.*

Mas Hendricks a conhecia há mais tempo que eu. Foi ele quem nos apresentou, afinal. Havia uma boa chance de que, para ela, a relação entre eles fosse mais importante do que a nossa.

Então por que eu não queria levá-lo lá mesmo assim? Eu ainda a queria só para mim? Sim. Não gostava disso, mas não podia fingir que não era verdade. Mas era mais do que isso. Depois de vê-lo zombar de mim por ter comprado a mansão, eu estava com medo do que ele diria quando visse o que fiz.

Crack!

A corrente prendeu na engrenagem e balançou a jaula com ainda mais força do que antes. O barril quase caiu, e tive que abraçá-lo para mantê-lo de pé.

— Merda!

A minha cara fez Hendricks ter um ataque de risos. O barril rolou para cá e para lá e algo úmido escorreu por baixo da tampa. Quando o elevador se estabilizou de novo, dei uma olhada.

O barril estava quase cheio de saliva de dragão, grossa e densa.

— É impressão minha ou as coisas estão ficando meio quentes? — comentou Hendricks.

Enfim, o elevador parou e Hendricks ficou de pé. Ele tinha razão, estava quente ali. Claro também. Abri o portão, apoiei os pés em terra firme e respirei fundo algumas vezes para acalmar o estômago.

— Vamos, garoto. Tem luz à frente.

O barulho de metal estava mais alto. Mais próximo. Seguimos. Os canos de níquel chegavam até ali e continuavam pelo teto.

— O que são esses calombos? — perguntei. De tempos em tempos, o metal se alargava como se algo estivesse preso lá dentro.

— Ventiladores. Eles faziam o fogo correr a um ritmo constante, forçando-o para as forjas e fornalhas que construíram a cidade. Funcionavam, mas não eram confiáveis. Por isso, Sunder migrou para a magia algumas décadas mais tarde.

— Victor Stricken me contou sobre isso. Disse que usavam portais para mandar o fogo para a superfície.

— Sim, bem mais eficiente. Quando a Coda aconteceu, todos esses canos já não funcionavam, e o fogo era totalmente transferido por magia.

Estiquei a mão e toquei um dos canos. Estava ardendo. Puxei os dedos rápido antes de me queimar, mas, mesmo assim, senti a pele começar a formigar.

— Eliah.

Mas ele já tinha saído do túnel e ido na direção de uma sala abobadada com saídas para todas as direções. Canos seguiam para todos os lados, todos emanando calor.

— Mas que lugar é esse? — perguntei.

— Acho que era algum ponto de manutenção antigamente. Olhe aqui… — Hendricks tirou uma lona de cima de uma pilha de barris de metal. Cada um continha algum tipo de ventilador. — É um dos que usavam no primeiro sistema. Imagino que eles guardavam os extras aqui, caso alguma peça no caminho precisasse ser trocada no caminho. Entende como a magia tornou tudo mais fácil? Um mago habilidoso seria capaz de mudar o fluxo de energia sem sequer pisar aqui embaixo.

Ele continuou falando, mas eu não conseguia evitar a sensação de que algo naqueles ventiladores não combinava com a história.

— Eliah, esses parecem novinhos.

Ele não conseguia me ouvir com toda aquela barulheira. Era ensurdecedora, vinda da saída que também emitia aquela luz tremeluzente. Alcancei Hendricks quando ele saiu para uma sala gigantesca, com teto alto e plataformas de metal encaixadas no piso de pedra. Havia um elevador no outro extremo da sala, com a porta aberta.

Subi em uma das plataformas de metal e senti uma brisa quente no queixo. O piso era perfurado. As plataformas eram feitas de uma trama de metal em formato hexagonal. Baixei os olhos para um buraco que acabava em... *Impossível.*

Caí de joelhos.

Impossível.

— Eliah. — Eu estava tremendo. — Eliah, veja!

Ele se aproximou, parou ao meu lado e arfou.

Eu ria como um louco. Chorava também, ao mesmo tempo, incapaz de compreender a beleza que meus olhos testemunhavam. Um milagre inacreditável e celestial.

Impossível.

As chamas das fornalhas subterrâneas de Sunder City ainda queimavam sob nossos pés.

63

Eu estava de quatro, sentindo o metal quente nos meus dedos e o ar ascendente no rosto. Lá embaixo, um poço infinito de chamas se estendia em todas as direções. Nas paredes rochosas do abismo, lava derretida escorria de cavidades e explodia ao entrar em contato com o gás natural, que subia como pássaros alaranjados levantando voo.

Cada sopro de ar quente que tocava meu rosto era como um desejo sendo concedido, voando para salvar a vida de alguém lá em cima.

Todos aqueles lares gelados e cozinhas vazias ficariam cheios de novo.

Era o fim.

— Eles conseguiram — falei.

— Conseguiram o quê?

— Acender as fornalhas de novo.

Hendricks bufou.

— Improvável, meu garoto. Pelo que parece, as fornalhas não se apagaram em momento algum.

A ideia tentou atravessar minha cabeça dura como uma faca cega cortando um pedaço de queijo gelado.

— A Coda acabou com as fornalhas.

— Parece que não. Só acabou com a magia que levava o fogo à superfície.

Claro. Os ventiladores mecânicos haviam sido substituídos pela tecnologia mágica. Quando a Coda aconteceu, os lampiões, fábricas e toda a maldita cidade dependiam dos portais, não dos canos. Quando o rio congelou e os magos perderam seus poderes, os portais se fecharam e as chamas ficaram presas ali embaixo.

— Mas... mas alguém devia saber.

— Quem pensaria em vir aqui verificar? Perdemos tudo em um instante. Amigos. Famílias. Feéricos. Com tudo isso desaparecendo para sempre, quem imaginaria que com as fornalhas seria diferente?

Ele tinha razão. Ninguém nunca questionou aquilo porque fazia muito sentido. Elfos de centenas de anos morreram nas ruas. Dragões caíram dos céus. A maioria das pessoas estava aprendendo a viver em um mundo em que seus próprios corpos não funcionavam mais direito, então o que levaria alguém a verificar se o fogo sob a cidade era a exceção? As chamas estavam lá o tempo todo, rugindo sob as ruas, até alguém se dar ao trabalho de vir dar uma olhada.

Algo chamara a atenção de Hendricks. Ele se afastou enquanto eu continuava falando.

— A Companhia Niles deve ter descoberto isso de alguma forma. É por isso que estão aqui. É por isso que estão construindo coisas. Já estão usando esse poder. Sim. Eles cobrem os trabalhadores com saliva de dragão para que possam chegar lá embaixo, perto das chamas. Estão usando esse poder sem contar a ninguém mais que ele existe. — A mão de Hendricks estava quase tocando em um dos canos. Ele embrulhou a palma na manga e tocou o metal. Uma fração de segundo depois, a retirou. — Está quente.

Tudo aconteceria exatamente como Thurston falou. As luzes e os empregos. O aquecimento em todas as casas. Sunder City estava viva de novo.

Eu queria gritar. Queria jogar o chapéu para os céus como um idiota no palco. Estava sorrindo tanto que parecia que minhas bochechas iam se partir ao meio.

Mas por que Hendricks parecia tão irritado?

— Eliah, essa é uma boa notícia.

Ele bateu os nós dos dedos no cano.

— Para quem? A Companhia Niles já convenceu todo mundo que essa energia é deles. Você viu como eles operam. Sabe quais são as intenções deles. Você entregaria todo esse poder a eles só para poder acender a lareira de novo?

— Não. Claro que não. Então a gente pode fazer o que você falou. Vamos denunciá-los. Vamos falar com Baxter, trazemos umas câmeras até aqui e publicamos as fotos nos jornais. As pessoas vão...

— As pessoas não vão ligar. Não com suas casas aquecidas e os trens funcionando. Não se puderem comprar automóveis e armas de fogo impressionantes. Ninguém vai abrir mão disso por vontade própria. Não aqui. — Ele se abaixou e tentou levantar uma picareta. — Temos que impedi-los. Destrua tudo isso. Agora. — Hendricks não conseguia tirar a ferramenta do chão. — Me ajude, garoto.

Peguei a picareta das mãos dele.

— O que vamos fazer?

— Vamos começar nosso trabalho. Sabemos como estão conseguindo a energia. Sabemos para que estão usando. Agora é hora de impedi-los.

— Mas...

— Destrua o cano.

— Hendricks...

— Não deve ter muitos deles funcionando. Fazer um buraco nesse vai diminuir bastante a velocidade deles.

— Mas eles vão acender a cidade de novo.

— Eles estão construindo armas. Todo o resto é um efeito colateral. Um cala-boca. Essas fornalhas não pertencem a eles. Essa cidade não pertence a eles, mas pertencerá, se não fizermos algo. Isto aqui é só o Exército Humano com uma cara nova. Isto é a Mortales. Foram essas pessoas que acabaram com tudo. Elas declararam guerra contra tudo que havia de bom no mundo, e agora você vai deixá-las ficar com o prêmio? As fornalhas ainda estarão aqui quando a Niles estiver acabada. Você pode ter seu futuro, garoto, mas não antes disso.

Eu ergui a picareta.

— Eu... Eu não acho que...

— Fetch, você precisa fazer isso. Porque eu não consigo.

— Eu...

— Qual é? Por que acha que estou aqui? Por que acha que *você* está aqui?

— Talvez nós...

Minha mente sempre foi lenta demais. Vagarosa. Trava como um motor ruim sob a mais ligeira pressão. Fiquei parado, congelado, procurando uma maneira de argumentar com ele, ou uma maneira de me convencer de que ele estava certo, mas minha cabeça estava cheia de dores e ruído branco.

— Fetch, você vai ficar do lado de quem dessa vez? Do deles ou do meu?

A picareta fez um arco no ar. Foi difícil tirá-la do chão, mas quando consegui erguê-la acima da cabeça, seu próprio peso a fez bater com força no cano. Assim que a ponta afiada perfurou o níquel, eu e Hendricks fomos jogados para trás com a explosão de fogo que surgiu do ponto de impacto.

A pressão fez o buraco no metal aumentar e o fogo se ergueu até o teto, por onde se espalhou como se fosse líquido, fazendo fumaça e cinzas tomarem o ar. Hendricks se levantou antes de mim.

— É melhor irmos agora, garoto.

Lutei para me levantar, e voltamos por onde viemos, mas havia vozes à nossa frente: gritando umas com as outras, alertadas pelo estrondo.

— Por aqui! — chamou Hendricks, indo para o elevador. Segui logo atrás, respirando o ar quente e tomado por fumaça.

Entramos na jaula suspensa. Era como a outra e me deixou igualmente enjoado.

— Feche a porta e puxe a corrente — ordenou Hendricks, e eu obedeci.

Tinha voltado a simplesmente seguir ordens. Mais fácil assim. Nada de considerar ou pensar nas minhas opções, só assentir e fazer o que me diziam. Puxei a porta até ela se fechar e agarrei a corrente. Quando a puxei, a jaula toda desceu.

— Merda. Direção errada.

A gravidade assumira o controle e a jaula desceu com um estrondo. Puxei a corrente com tanta força que a palma das minhas mãos ficou esfolada. Hendricks enfiou a bengala no mecanismo, e o elevador finalmente parou.

— Tudo bem? — perguntou ele.

— Aham.

— Ótimo. Para cima, por favor.

Mudei para outra corrente e puxei. Voltamos a subir. A sala de onde acabáramos de sair voltou à vista, mas agora havia alguém à nossa espera.

Era um humano de calças cinza-escuras. Outro brutamontes genérico da Companhia Niles. Camisa branca. Sem gravata nem blazer. Nas mãos, segurava uma das máquinas produzidas em massa.

— Parem! — gritou ele. Eu puxei a corrente de novo. Nós subimos, deixando para trás o homem que erguia o braço.

Pop.

Vi um brilho e uma nuvem de fumaça, então a parede surgiu no lugar dele e continuamos a subir. Puxei a corrente com toda a força que eu tinha para nos levar à superfície.

— Parece que as novas pistolas já foram distribuídas para os homens de Thurston — falei para Hendricks. Ele não respondeu. Quando olhei para trás, ele estava caído no chão da jaula. — Não!

Soltei a corrente. Paramos, mas não descemos. Eu virei Hendricks, que gemeu. Já era alguma coisa. Ele era a primeira pessoa que eu conhecia que não tinha apagado completamente assim que fora atingido pela máquina.

— Mas que merda, Eliah, você está bem?

— Com certeza não.

Havia um buraco no ombro do seu paletó. Eu o levantei e vi que sangue já manchava a camisa dele.

Essas malditas balas. Com virotes e flechas, o ferimento ao menos ficava contido até que você os removesse.

— Parece tão ruim quanto a dor que eu estou sentindo? — perguntou ele.

— Tá doendo muito?

— Pra cacete.

— Então, sim, parece tão ruim quanto a sua dor.

Tirei o casaco e depois a camisa, que usei para envolver o ombro dele. O sangue manchou o tecido imediatamente. Enfiei um Clayfield na boca de Hendricks.

— Mastigue isso.

Ele obedeceu. Como eu já não tinha mais ideias, segurei a mão dele e a apertei. Ele retribuiu o gesto. Então, soltei meu amigo, agarrei a corrente e a puxei com toda a minha força até chegarmos à luz.

64

Abri a porta do elevador e olhei em volta: estávamos em um lugar totalmente desconhecido. Era um armazém. Havia caixotes de metal para todos os lados, empilhados até o teto. As paredes eram de concreto. O chão também.

Ajudei Hendricks a sair da jaula e o deitei no chão. O ferimento ainda sangrava muito e ele precisaria de atendimento médico em breve. Seu corpo suportara coisas demais. Ele tremia, e sua pele estava pálida e úmida.

Tentei identificar em que parte da cidade estávamos, mas o passeio pelo subterrâneo acabara com meu senso de direção.

— Faça algo com o elevador primeiro — disse Hendricks. — Não queremos que eles nos sigam.

Dei mais dois Clayfields para ele, então peguei um pé de cabra e prendi a porta da jaula para que não fosse possível descer.

— Talvez tenha algo aqui que ajude a parar esse sangramento.

Fui até um dos grandes caixotes. Só para mexer a tampa precisei usar as duas mãos. Quando olhei o que havia ali dentro, entendi o motivo.

— Merda.

— O que foi? — gemeu Hendricks.

— Está cheio de poeira do deserto. — O que eu tinha visto na fábrica não era nada. Naquele caixote havia o suficiente para encher centenas de balas. Olhei em volta e vi centenas de caixotes como aquele. — Com o que tem de explosivos aqui, dá pra varrer Sunder do mapa. É melhor a gente dar o fora.

A única resposta de Hendricks foi um gemido. Agarrei seus braços e a bengala e meio sem jeito marchei até o outro lado do armazém procurando qualquer maneira de fugir. Só tinha que dar uma olhada na rua. Para me localizar. Aí... aí o quê?

Havia uma porta quadrada na parede oposta, quase da altura do prédio. Apoiei as costas nela e a empurrei, mas ela mal se moveu. Talvez estivesse trancada pelo outro lado. Uma brisa fresca soprou pela fresta, a liberdade chamando.

Então vi uma porta menor, na lateral. Já estava encostada. Perfeito. Corri até lá e a chutei.

Mas aquela porta não dava para a rua. Dava para um escritório. Um escritório em que estavam três homens de terno cinza-escuro e um de terno marrom.

— Sr. Phillips? — Era Thurston Niles. Ele estava com a cara mais confusa do mundo, um charuto pendurado nos lábios.

Um dos outros homens enfiava a mão em um bolso estranho costurado no interior do paletó cinza-escuro, e dava para ver o cabo pistola aparecendo. Eu desejei que minha máquina não estivesse guardada lá no túmulo de Hendricks.

Revirei o cérebro em busca de uma boa desculpa. Não havia para onde fugir. Estávamos presos.

Os olhos de Thurston recaíram sobre Hendricks.

— Esse é o Deamar?

Olhei para baixo. Bom, acho que sim.

— Aham. — Entrei na sala. Havia uma mesa ao lado da janela com alguns papéis por cima, então deixei o corpo mole de Hendricks ali. — Eu o persegui pelos túneis abaixo da cidade. Não tenho ideia do que estava planejando. — Hendricks gorgolejou um rosnado maldoso, interpretando perfeitamente um vilão. — Eu o atingi no ombro e ele perdeu muito sangue. Teria deixado o maldito para morrer lá embaixo, mas imaginei que você tivesse umas perguntas para ele.

Olhei de novo para os rostos bem barbeados e sérios ao meu redor. Os engravatados estavam se coçando para pegar as armas escondidas, mas Thurston ergueu os braços em comemoração.

— Muito bem! Sabia que podia confiar em você. Sim, muito bem. Vamos tratar de não deixar o filho da mãe morrer antes de descobrirmos para quem ele trabalha.

Os engravatados continuaram com a mesma cara, mas baixaram a mão das armas.

— Acho que é melhor levá-lo ao centro médico, então — falei. — Não sei quanto tempo mais ele vai durar.

— Não, não, não. — Thurston me deu um tapinha no ombro como um tio orgulhoso. — Vou chamar um dos meus médicos para cá.

Hendricks deixou a cabeça rolar para o lado. Ainda estava acordado.

— Tem certeza? — insisti. — Consigo levá-lo ao centro médico rapidinho.

— Meus médicos são os melhores, sr. Phillips. Se quer saber como consertar um homem, o melhor exercício é destruí-lo.

Minha mente preencheu as lacunas com Victor Stricken. Sem unhas. Sem dentes. Orelhas rasgadas.

Thurston se virou para o trio de seguranças.

— Chamem Anderson. Preciso dele aqui bem rápido e com seus instrumentos.

O engravatado mais alto foi pegar o telefone, mas antes ele começou a tocar.

Eles não deviam receber muitas ligações, porque isso deixou os homens nervosos. Eu fiquei nervoso também. O altão pegou o telefone como se fosse um ornamento delicado e ergueu o fone lentamente.

Ninguém falou nada enquanto ele ouvia. Não havia nada a ler no seu rosto irritantemente plácido.

— Sim — disse ele. — Temos um intruso aqui. Com o homem que o capturou.

A ligação estava vindo lá de baixo. Minha história viraria cinzas em dois segundos, então eu só tinha um segundo para tomar uma atitude.

Dei um soco bem na garganta de Thurston Niles. Ele se engasgou e eu completei com outra porrada no nariz. Não tive tempo de confirmar se ele estava caído, porque o trio de dedo nervoso já estava em movimento. Infelizmente para eles, as armas estavam guardadas na parte de dentro dos paletós, e a bengala de Hendricks já estava na minha mão.

Acertei o primeiro na lateral do rosto, exatamente como Hendricks fizera comigo quando nos encontramos. O golpe baixou a cabeça do homem bem na altura de um chute, e não perdi a oportunidade. Eu o usei como bola, e ele caiu desmaiado no chão.

O mais alto ainda estava com o telefone nas mãos, então fui atrás do outro. Corri até ele e o empurrei com o ombro para a parede. Ouvi um *crack* satisfatório quando sua cabeça bateu nos tijolos, e completei com uma cotovelada na cara que deixou as pernas dele tão bambas que pareciam macarrão cozido.

O altão largou o telefone e recuou até o canto mais distante da sala, enfim conseguindo tirar a pistola do bolso oculto. Eu não conseguiria chegar até ele a tempo, e daquela distância ele teria que ser muito vesgo para não me acertar. Ergui a bengala, pronto para tacá-la, mas sabendo que não faria muita diferença comparada ao poder da máquina de matar. Então ouvi.

— LARGUE A ARMA!

Eu e o altão nos viramos. Era Hendricks. Não tão desmaiado quanto parecera. Estava sentado na beirada da mesa, com Thurston Niles preso entre as pernas. O nariz de Thurston era uma cachoeira de sangue. Seu paletó estava aberto e Hendricks segurava a pistola que até poucos segundos antes mantivera escondida ali.

Agora estava encostada na têmpora do homem mais poderoso da cidade.

— Eu falei para largar — disse Hendricks, com rispidez. — A não ser que vocês queiram ficar sem emprego.

O altão levou um segundo para pensar. Foi um segundo a mais do que Hendricks desejava, e ele então ergueu a arma de Thurston e apontou para o altão.

A mesma explosão de doer os ouvidos. A mesma fumacinha. O peito do altão cuspiu uma golfada de sangue e ele caiu na parede. Pôs as mãos no buraco no peito, como se pudesse segurar a vida lá dentro. Mas, julgando pela pintura abstrata na parede atrás dele, o buraco em suas costas era ainda maior.

Peguei as armas dos outros dois engravatados e falei para não tentarem nada. Eles não pareciam dispostos a isso, mas pareceu a coisa certa a dizer naquela situação.

Hendricks estava com a pistola apontada para a cabeça de Thurston de novo. Por algum motivo, Thurston sorria.

O sangue pingava do nariz para a boca e para o peito, manchando o terno de aparência cara. Hendricks o segurava pelo cabelo grisalho, mas ele parecia mais feliz do que eu jamais o vira antes.

— Muito bem, sr. Phillips. Eu sabia que tinha razão a seu respeito. — Ele lambeu o sangue dos lábios úmidos. — Estava começando a ficar decepcionado com essa cidade. Mas parece que há alguns lutadores aqui, afinal.

Hendricks puxou a cabeça dele para trás. Isso só o fez sorrir ainda mais.

— Precisamos de um automóvel. Você tem um aqui?

— Temos, sim. Bem pensado, sr. Phillips. Sigam-me.

Ele se levantou, sem nem precisar de aviso para manter as mãos para o alto. Eu estava segurando uma arma em cada mão, apontadas para os homens no chão.

— Vocês dois, de pé.

Só tive que pedir com educação e eles obedeceram. Hendricks já tinha mostrado o que aconteceria se fôssemos contrariados.

Saímos todos do escritório e Thurston se aproximou de uma alavanca de metal na parede.

— Espera! — gritei.

Ele se virou, todo inocente.

— É só o mecanismo da porta, sr. Phillips. Algo que trouxemos de uma de nossas fábricas em Braid. Posso?

Olhei para Hendricks em busca de confirmação, mas ele mal tinha energia para ficar de pé.

— Vai.

Thurston puxou a alavanca e o prédio inteiro chacoalhou com correntes se movendo. A porta gigantesca se abriu devagar, deixando o ar frio e a luz da manhã entrar.

— Aí está, sr. Phillips. Seu automóvel.

Eu esperava algo como o carrinho que Linda e eu usamos na estrada. Talvez até um tipo chamativo como o que Yael dirigia. Mas não. A entrada inteira do armazém estava ocupada por um grande caminhão. Talvez fosse o mesmo que quase me atropelara, e a Tippity, naquela noite.

Era do tamanho de um prédio pequeno. Largo demais para a maioria das ruas da cidade de Sunder. Não era um veículo de fuga dos sonhos, mas era tudo o que tínhamos.

— Venham para cá — mandei, levando Thurston e seus brutamontes feridos até a parede externa para que Hendricks pudesse manter a pistola apontada para eles da janela do passageiro. — Entra.

Hendricks subiu na cabine, parecendo não ter um pingo de sangue no corpo. Depois de entrar no caminhão, apontou a arma para Thurston e os outros da janela enquanto eu corria para o outro lado e subia no banco do motorista.

— Você sabe dirigir? — perguntou Hendricks.

— Andei praticando. — Procurei o interruptor que ligaria o automóvel, mas não achei. Mexi em outras várias peças, mas nada fez o caminhão despertar. — Mas não era nada assim.

— Segure a alavanca abaixo do volante e puxe para você — gritou Thurston, sendo irritantemente prestativo.

Fiz o que ele falou e o veículo estremeceu como um urso despertando na primavera. Pus o pé no pedal e o caminhão deu um salto para a frente. Estávamos prontos.

— Pronto?

Hendricks estava com a arma apoiada na moldura da janela. Mordia o lábio, com os olhos ainda fixos no rosto sorridente e ensanguentado de Thurston.

— Só um segundo — falou, e soltou o ar para estabilizar a mão e dar o tiro.

Não dei a ele um segundo. Enfiei o pé no pedal e o caminhão foi catapultado para a estrada. Hendricks girou para me olhar, furioso, mas eu não tinha tempo para me preocupar com isso. Estava atrás do volante de uma máquina tão perigosa quanto uma pistola, mas dez vezes mais difícil de controlar.

— Vá até as cirurgiãs — disse Hendricks enquanto o caminhão quicava no meio-fio.

— Vou tentar, mas nem sei onde estamos.

Procurei desesperadamente placas nas ruas, derrubando caixas de correio e postes pelo caminho. Quando tentei fazer uma curva fechada demais, o caminhão engasgou. Pela janela, consegui ver a parede pintada da gráfica de Sunder City. Estávamos no final da rua Riley.

— Estamos do outro lado da cidade — falei, raspando a lateral do caminhão pela parede até conseguir fazê-lo andar de novo.

— Vamos para a sua casa, então.

— Arriscado demais. Que tal o Fosso?

Os pneus bateram no meio-fio, quase nos derrubando, e Hendricks gemeu de dor.

— Achei que você nunca fosse pedir.

65

Fui quicando com o caminhão pela rua Riley, derrubando placas de restaurantes e raspando contra paredes em uma chuva de fagulhas e farpas. Hendricks pressionava o ferimento.

— Pegue a Seis — falou.

— Mas o Fosso é na Oito.

— Talvez fique muito na cara se deixarmos o caminhão estacionado na frente do bar.

— Tá bom, vamos para a Seis.

Quando chegamos à esquina, tentei virar à esquerda, mas estávamos indo rápido demais. A frente do caminhão bateu na calçada e nos jogou direto na lateral de uma loja de esquina.

Não era como levar um soco. Quando alguém te dá um soco, você é o objeto parado. Aquilo era como estar dentro do punho que atinge alguém. A parada brusca fez todos os meus ossos se chocarem e meu nariz bateu no volante com tanta força que sangue imediatamente cobriu meu peito.

Hendricks quicou no painel, e os cacos do para-brisa cobriram sua cabeça. Aí ele caiu de volta ao assento, desacordado.

— Hendricks?

Nada.

Desci do caminhão. Estávamos na rua Seis e, como era cedo, senti a temperatura congelante. Não havia ninguém na rua, mas eu sabia que logo haveria. Com força, abri a porta de Hendricks. Ele estava apagado e tinha novos cortes no rosto por conta do vidro quebrado. Eu o peguei no colo e o carreguei pela rua como uma noiva. Entrei em um beco estreito. Meus braços ardiam. Minha respiração estava entrecortada pelo sangue.

Merda.

Eu havia deixado as pistolas no caminhão. Tinha quase certeza de que Hendricks largara a dele lá também. Girei, tentado voltar para pegá-las, mas era arriscado demais. Trinquei os dentes e continuei andando o mais rápido que podia.

Chegamos na Sete. Dei uma olhada, torcendo para não haver testemunhas. Só um garotinho entregando jornais, olhando na direção do caminhão.

Atravessei a rua e alcancei, quase perdendo o equilíbrio, a segurança da calçada enlameada que eu conhecia como a palma da mão. Passara horas ali, naqueles primeiros dias, esvaziando baldes de água suja e jogando o lixo fora. O cheiro continuava igualzinho.

Chutei a porta dos fundos do Fosso até Boris aparecer.

Primeiro, ele ficou com raiva. Depois, preocupado. Ele não morava em Sunder antes da Coda, então não tivera o prazer de conhecer Hendricks em seu auge. Mas não importava. Boris tinha um coração bom e viu que eu precisava de ajuda.

— Meu amigo está machucado e tem gente querendo nos matar. Podemos nos esconder aqui? Só por um tempinho?

Boris nem parou para pensar. Pegou Hendricks dos meus braços e nos tirou do frio.

66

Boris carregou Hendricks para a cozinha e o deitou em cima de um saco de farinha. Ele ainda respirava, e os cortes na cabeça não eram tão graves. Boris me entregou alguns curativos e fez sinal para que eu esperasse.

Uma das razões pelas quais eu gostava tanto do Fosso era que Boris nunca era rigoroso quanto ao horário de fechamento. Enquanto houvesse uma triste alma querendo beber em vez de ir para casa sozinha, ele não via problema em manter o bar aberto.

Boris quebrou essa tradição ao entrar no salão e expulsar os últimos clientes enquanto esperávamos nos fundos. A camisa que enrolei no ombro de Hendricks estava solta e ensopada. Tirei o pano, limpei o ferimento o melhor que pude, depois cobri com bandagens limpas. Não demorou muito para que o sangue as manchasse de novo.

— Onde estamos?

Seus olhos se abriram devagar.

— No Fosso. Assim que Boris tirar todo mundo, vou chamar as cirurgiãs para resolver isso.

Ele puxou o curativo do ombro para dar uma olhada.

— Nada sério. Só um pouco de pele e músculo. Vou ficar bem.

Ele tentou se levantar.

— Eliah, fica deitado. Você precisa descansar.

Ele não discutiu, então entreguei o último Clayfield como recompensa. Quando Boris voltou e indicou que a barra estava limpa, fui para o salão e usei o telefone público para falar com as cirurgiãs.

O anão atendeu.

— Hendricks foi ferido. Está com um buraco feio no ombro e sangrando para cacete. Diga às moças para virem para o Fosso, na esquina da Oito com a Principal.

Ele me assegurou que as súcubos chegariam em menos de uma hora.

Quando me virei, Boris estava atrás do bar com uma garrafa de seiva de tariço.

— Essa não é a prioridade, Boris.

Ele apontou de volta para a cozinha e deu de ombros com uma expressão de *Não foi ideia minha.*

Acho que fazia sentido.

Antes que eu sequer conseguisse fechar as cortinas, Hendricks saiu da cozinha aos tropeços para se juntar a nós. Estava se arrastando pelas paredes, seguindo para uma das mesas.

— Você está se esforçando para morrer? — perguntei.

— Claro que não. Isso é coisa sua. Cadê minha bebida?

Ele se sentou relaxado em um banco e se apoiou em uma pilastra. Boris pôs dois drinques na mesa.

— Vamos, garoto. Você não vai resolver o meu problema só com essa sua cara de sério.

Sentei de frente para ele. Pegamos nossas bebidas e fizemos um brinde.

Aquilo parecia algum tipo de piada cruel. Quanto tempo eu passara sonhando com uma noite assim? Estar de volta ao Fosso com Hendricks, aproveitando boas bebidas e conversas. Era tudo que eu queria. Quase. Não era para ele ter uma cara nova e um buraco no ombro que formava uma poça de sangue no chão.

— Exina e Loq estão vindo.

— Ótimo. Só espero que a pele do meu braço segure os pontos melhor que a da minha cara.

Eu estava preocupado com a mesma coisa, na verdade. Um ferimento assim não seria nada antigamente, mas o novo corpo dele já estava com dificuldade antes de arrumar um vazamento.

— Tem algum Clayfield aí atrás? — perguntei para Boris.

O banshee tirou um maço de trás do bar, deixou no meio da mesa, depois voltou para a cozinha. Eu e Hendricks pegamos um cada.

— Eles vão vir atrás da gente — falei.

— E é por isso que temos que ir atrás deles primeiro.

Quase dei uma risada. Ele estava caindo aos pedaços. Eu não conseguia dizer qual dos meus ferimentos doía mais. Éramos a dupla de rebeldes mais triste da história, e ele queria atacar.

— E fazer o quê?

Hendricks se inclinou para a frente, apoiou os cotovelos na mesa e tomou um longo gole de seiva queimada.

— Destruir tudo. — Não havia brilho em seu olhar. Nem ironia. Ele falava totalmente sério. — Eu te falei que já viajei por todo esse continente. Sei como é a vida depois da Coda. Nem tudo está perdido, nem de longe. Mas estará se a gente não brigar por este mundo. Pelo mundo real. Pelo *velho* mundo. — Seus olhos entravam e saíam de foco, mas sua voz ficava mais forte a cada palavra. — Eu estava errado sobre esse lugar. Estava errado por defendê-lo. Por alimentá-lo. É um veneno. Como isso! — Ele deu um tapa no copo sobre a mesa, que se estilhaçou no chão. — Quando meu corpo era forte, o veneno não importava. Eu conseguia controlá-lo. Um pouco de uísque e tabaco não eram nada comparados aos séculos na minha alma. Agora? Olhe só para mim, garoto. Estou à beira da morte.

— Você só precisa descansar. Vamos sair da cidade. Quando estiver melhor, podemos...

— Não temos tempo! O mundo inteiro está tão doente quanto eu, e esta cidade é o veneno. Podíamos conter Sunder quando éramos fortes. Mas, sem magia, este lugar está drenando nosso sangue. Afasta os agricultores da terra, os médicos de suas comunidades. Ele nos faz esquecer das coisas que precisamos proteger. Nossas tradições. Nossas conexões. Lá fora, longe daqui, há um mundo esperando para renascer, mas isso só vai acontecer se sairmos e lutarmos por ele. Nós *vamos* dar um jeito de seguir em frente, prometo para você, mas não enquanto Sunder estiver de pé.

Eu não sabia para onde olhar. Não conseguia acreditar no que ele dizia. Achei que ele só queria parar a Companhia Niles. Garantir que a cidade permanecesse nas mãos de seu povo. Mas isso?

— Sunder é a opção fácil — continuou ele, com raiva. — A solução de curto prazo. Se continuar sugando a alma de Archetellos, será nossa derrocada. Temos que destruir este lugar, Fetch. Eu e você. É nosso dever. É como vamos compensar tudo que fizemos a este mundo. Todos os nossos erros. É o trabalho mais importante que vamos fazer.

Seus olhos estavam cheios de determinação. Claros. Inabaláveis. Certos sobre a tarefa que tinham à frente. Ele não queria apenas impedir que Sunder caísse no controle da Companhia Niles. Queria destruí-la completamente. A rua Principal, o Fosso, a Câmara dos Ministros e a mansão do governador. Eu nem sabia como processar essa ideia. Era loucura.

Hendricks me encarou no fundo dos olhos. Me lendo. Me desafiando. Eu o encarei de volta, mas não podia fingir concordar com ele. Tudo o que sentia era medo e incerteza. Eu o observei me observando. Vi sua decepção. Pior ainda, vi sua frustrada falta de surpresa.

— E Baxter? — falei. — Podemos contar o que a Companhia Niles pretende fazer. Podemos nos certificar de que a cidade controle as fornalhas e as use para... para fazer o que você achar que precisa ser feito. Esta cidade não precisa ser um veneno. Se fizermos as coisas do jeito certo, podemos...

Ele estava balançando a cabeça, rindo baixinho.

— Para alguém que espera tão pouco de si mesmo, você tem fé demais nas pessoas. Todas as criaturas, especialmente os humanos, têm uma inabilidade terrível de ver além de suas necessidades imediatas. Todos temos nossos ideais. Nossas crenças sobre o que defendemos. Nosso *código de honra*. Mas quando deixam um pote de comida na nossa frente, todos agimos como os animais que realmente somos.

— Eu não acho que você acredite nisso de verdade.

— Por que você esperaria que qualquer outra pessoa fosse melhor que você? Está carregando aquela sua máquina de matar para todo lado, não? Você me falou que te pediram para destruí-la. Mas não fez isso, e por causa disso outras pessoas morreram. Agora, o que acha que vai acontecer quando começarem a vender essas coisas em toda esquina? De início, quando as pessoas virem o que elas fazem, vão ficar horrorizadas. E com razão. Quem vai querer ter uma coisa assim em casa? Com suas crianças? Mas aí seu vizinho compra uma. Você vê a arma enfiada no cinto dele na rua. Aí você começa a se sentir inseguro. Então pensa que precisa de uma também. As pessoas vão comprar essas coisas direto da saída da fábrica, pode acreditar. Então, o que este lugar vai se tornar? O que este mundo vai se tornar, quando estivermos todos preparados para uma guerra de uns contra os outros? Como vamos nos recuperar disso?

Eu não tinha resposta. Não discuti, não tinha como. Certamente ele tinha razão, mas eu não conseguia acreditar que destruir a cidade era a única forma de seguir.

— Eliah, moro nesta cidade já faz seis anos. Sei que parece ruim, mas tem gente boa aqui, e se a gente...

— Você só está falando isso porque não sabe o que faria sem este lugar. Você tem uma incapacidade frustrante de olhar além de seus sentimentos, sempre teve. Tomou decisões perigosas e imprudentes porque queria ir atrás de uma garota, ou porque estava de coração partido, ou porque achava que alguém queria te ferrar. Mas tudo que sempre quis foi parecer um *homem*, e é o que esta cidade te dá. Quem você seria sem ela? Não tenho ideia, mas não importa. Estou te dando uma chance, uma chance única na sua vida, de fazer o que é o melhor para as outras pessoas.

Eu não tinha nada a dizer. Não podia discutir. Mas também não podia concordar com ele.

Então ele soltou uma risada terrível de quem sabe de tudo.

— Eu estava errado — falou.

— Sobre o quê?

— Sobre o que falei na fogueira. — Ele estendeu a mão e bateu a ponta do dedo na minha testa. — No fim, eu sei exatamente o que está se passando na sua cabeça.

Ele se deitou no banco e fechou os olhos. Depois de alguns minutos, começou a roncar. Fiquei ali sentado e o encarei até as cirurgiás chegarem.

— Ele vai ficar bem? — perguntei.

— A pele dele não gosta de pontos, mas vamos dar um jeito — disse Exina. — Foi com aquela máquina de que vocês estavam falando? A que estão produzindo na fábrica?

Assenti e deixei que elas cuidassem de Hendricks. Saí para caminhar nas sombras, de cabeça baixa e mantendo o casaco bem fechado por cima do peito nu e sujo de sangue. Eu precisava de roupas novas, mas não podia ir para casa. Precisava de ajuda. Precisava conversar com alguém. E, principalmente, precisava convencer Hendricks de que a alma de Sunder City podia ser salva.

Só precisava convencer a mim mesmo disso primeiro.

67

A porta dos fundos da casa dos Steeme estava destrancada. Pouca coisa mudara. Os detetives esperavam que Carissa voltasse para casa em algum momento, sem imaginar que ela já estava em Lipha e, com sorte, sentada com a prima em alguma praia por lá.

Harold era menor do que eu, mas achei uma camisa que cabia. Peguei calças novas e um casaco preto e estendi as roupas na cama. Pendurei o coldre na maçaneta e tomei um banho. A água que escorreu pelos meus pés era vermelho-escura: cheia de terra e sangue seco. Quando me sequei, encontrei incontáveis pontos de dor, e era uma tarefa impossível descobrir de onde cada corte ou mancha roxa tinha vindo.

— Bom, essa é nova.

Linda Rosemary estava parada à porta do banheiro com o canivete na mão. Enrolei a toalha em torno da cintura.

— O que você está fazendo aqui? — perguntei.

— Esperando uma assassina voltar. Ou um cúmplice. Qual dos dois eu peguei?

— Me dá um minuto para me vestir e eu te explico tudo.

— Não.

— O quê?

— Você pode se vestir, mas eu não vou a lugar nenhum. Não confio em você o suficiente para achar que não vai pular da janela como veio ao mundo.

— Tudo bem. Minhas roupas estão aí fora.

Voltamos para o quarto. Linda ficou encostada na parede, com os olhos no chão, sem me deixar sozinho, mas sem querer tornar a situação mais desconfortável do que era necessário. Terminei de me secar.

— Simms pediu que você fizesse isso? — perguntei.

— Aham.

— Bom, é uma perda de tempo. Carissa Steeme entrou em uma carruagem e não vai voltar.

— Como você sabe disso?

— Fui eu que a coloquei na carruagem.

— O quê? — Ela se virou, chocada, então percebeu que eu ainda não tinha colocado a calça e se virou para longe com um choque similar. — Você não vai nem tentar mentir para mim?

— Não.

— Por quê?

— Porque não importa.

— Importa para mim. Quero Simms do meu lado. Eu preciso encontrar um emprego de verdade antes que essa cidade me destrua.

— Não vai sobrar cidade para te dar um trabalho se eu não decidir o que fazer a seguir.

Vesti a calça e a camisa, e ela parou de desviar os olhos.

— Você encontrou seu sabotador?

— Aham.

— Quem era?

Eu ainda não tinha compreendido bem Linda Rosemary. Ela continha muitas facetas para vislumbrar ao mesmo tempo. Arrisquei.

— Eliah Hendricks.

Ela teve dificuldade para engolir essa informação. Não a culpei.

— O alto chanceler?

— Aham. Ele é um velho amigo meu.

— Você está de sacanagem.

— Eu sei. Também nunca fez muito sentido para mim.

— Onde ele está?

— Por quê? Quer conhecê-lo?

Outra aposta, mas eu estava começando a ver minha próxima jogada. Hendricks passara muito tempo sozinho. É claro que ele pensaria que acabar com a cidade seria uma boa ideia, e eu nunca fui muito bom em fazê-lo mudar de ideia sobre nada. Mas e se a gente tivesse um novo grupo de pessoas inteligentes? Como antigamente, quando a gente ficava sentado no jardim da mansão do governador e discutia as melhores formas de viver, servir e governar. Linda. Baxter. Hendricks. Eu, em um grau menor de importância. Tinha certeza de que se eu desse a Eliah a possibilidade de discutir com seus amigos de copo e um pouco de filosofia para questionar, conseguiríamos pensar num jeito de sair disso juntos.

— No Fosso — falei. — Um bar na Oito com a Principal. Vai parecer que está fechado, mas se você disser que eu te mandei, vão te deixar entrar.

— Mas por quê?

— Porque ainda há fogo embaixo dessa cidade, e a Companhia Niles está tentando controlar essa energia. Precisamos pensar em uma maneira de impedi-los que não envolva a destruição da cidade.

— Essa é uma opção?

— Para algumas pessoas.

— Que merda.

— Pois é.

— Mas aonde você vai?

— Procurar alguns amigos. Mas eu te encontro por lá em breve.

— Espera. Como é que eu vou saber que você não está só tentando me tirar do seu pé?

— Não tem como. Mas vale o risco, não vale? Você me deixa ir embora, mas tem a chance de conhecer o alto chanceler Eliah Hendricks. Não foi a busca por um milagre que te trouxe até aqui?

68

    Eu não sabia onde Baxter morava, então tive que esperar que chegasse em um dos seus trabalhos principais. Com tudo que estava acontecendo, imaginei que passaria mais tempo na Casa dos Ministros do que no museu. Fiquei agachado na entrada do Prim Hall, onde teria uma boa visão de sua chegada.

    Sentado ao meu lado estava um trombadinha magricelo. Expliquei o que eu queria que ele fizesse e o menino só precisou ouvir uma vez. Enquanto esperávamos Baxter chegar, ele não disse uma palavra. Era o funcionário perfeito.

    Quando a inconfundível silhueta de Baxter apareceu na esquina, dei o sinal para o menino. Ele rapidamente cruzou com Baxter antes que chegasse à colina.

Talvez houvesse maneiras mais fáceis de fazer isso, mas todas dariam a Baxter tempo para avisar outras pessoas. Eu era um fugitivo; os homens de Thurston estavam procurando por mim, assim como a polícia. Queria confiar mais em Baxter. Queria poder confiar em qualquer um. Mas eu já tinha ferrado gente demais para pedir qualquer tipo de lealdade.

O menino entregou a mensagem e Baxter olhou para mim, distante demais para que eu pudesse ler sua expressão. Disse algo para o menino, depois levou um intervalo impressionantemente curto para tomar uma decisão e se aproximar.

O menino veio correndo à frente de Baxter e, quando entreguei as moedas, ele parou. Era como se ele quisesse dizer algo, mas não tivesse certeza de que devia. Achei que ele poderia estar refletindo se deveria pedir ou não mais dinheiro.

— Foi mal, só tenho isso.

O menino balançou a cabeça e saiu correndo. Parecia que eu era uma decepção ambulante mesmo.

Antes que Baxter chegasse até mim, eu entrei.

O Prim Hall tinha fechado com a Coda. Talvez não oficialmente, mas ninguém marcara uma apresentação ali desde então.

As primeiras fileiras de assentos tinham sido arrancadas e queimadas no meio do lugar. A cratera negra deixada estava cheia de lixo, bem no lugar em que aquela incrível trompista se sentava. Eu me apoiei na parede e Baxter se aproximou, tirando a neve do casaco.

— Sinceramente, Fetch. Não posso permitir que me vejam com você. Thurston basicamente pôs um preço na sua cabeça.

— Como estão as coisas com o novo irmão Niles? Os planos dele certamente te deram uma injeção de ânimo. Você era um demoniozinho triste na última vez que te vi.

— Sim. É muito animador — Baxter respondeu, sem qualquer sinal de empolgação. — Em breve, o aquecimento vai voltar para todas as casas e a cidade estará viva de novo.

— E você acha que temos que agradecer à Companhia Niles por isso?

— Quem mais?

Baxter era difícil de ler. Sua expressão era tão transparente quanto um tijolo.

— Baxter, as fornalhas debaixo da cidade ainda estão ardendo. Sempre estiveram. Niles só está trazendo o fogo à superfície e aplicando a marca dele por cima. Estão vendendo nossa própria energia de volta pra gente, tudo para poderem usar...

Baxter baixou a cabeça, e eu parei de falar.

— Como você descobriu?

Merda.

Eu sabia que Niles não podia estar fazendo tudo sozinho, mas nunca achei que Baxter nos venderia assim.

— Sério, Bax? Você vai entregar a cidade inteira pra esse cara? A gente poderia ter usado o poder das fornalhas sem eles.

— Isso não é verdade! Nós não tínhamos nada, Fetch. Mesmo se soubéssemos que o fogo continuava lá, o que não era o caso, a tecnologia estava perdida. Eu não conseguia cinco homens para preencher buracos nas ruas ano passado, e agora temos centenas de trabalhadores consertando canos, construindo novos negócios e voltando para casa com comida, dinheiro e propósito. Isso era tudo que eu queria, muito mais do que esperava, e mais ninguém seria capaz de fazer isso acontecer.

Baxter sempre fora de uma honestidade mórbida. Uma das brincadeiras favoritas de Amari era fazê-lo contar uma piada. Mesmo quando tentava demonstrar alegria, suas palavras sempre pareciam sérias. E agora que Baxter falava sobre sonhos realizados, havia certo desespero nelas. Suas mãos estavam fechadas em punhos, e os dentes, trincados em um sorriso afiado.

Pensei no que Hendricks dissera: como eu havia ligado minha identidade à cidade de tal forma que não conseguia imaginar deixá-la para trás. Eu tinha a sensação de que ele diria algo semelhante sobre nossa querida criatura demoníaca.

— Se isso é verdade, então por que não contar às pessoas? Por que todas as mentiras?

Baxter deu de ombros.

— Porque Niles queria. E até eu conhecer outra pessoa capaz de trazer caminhões e ferramentas para a cidade, alguém que saiba como consertar canos e trazer o fogo para a superfície, não vejo problemas em dar a ele o que quiser.

— Então é assim que a gente trabalha nesta cidade agora? Entregando tudo para quem quer que assine um cheque?

Baxter parecia ter levado um tapa.

— Sempre foi assim, Fetch! Qual é o seu problema, porra? Esqueceu onde estamos? É assim que Sunder é. É por isso que sobrevivemos. Porque quem tem mais força chega ao topo. Agora temos um futuro. Finalmente. Por que você está se importando tanto com os métodos agora?

Abri a boca, mas nenhuma resposta saiu. *Por que* aquilo era importante para mim? Tentei repassar a voz de Hendricks na minha cabeça. Deixar que suas palavras me convencessem, de novo, de que aquilo tudo era errado.

— Fui até a fábrica — falei. — A que construíram em cima do cadáver da reserva Brisak. Você sabe o que estão fazendo lá?

— Sim.

— E isso te parece uma boa ideia?

— Que outra escolha eu tenho, Fetch? Você vai sair e construir casas? Pagar salários? Não é um acordo perfeito, mas não tínhamos nada a oferecer. Sunder estava morrendo. Agora não está mais. Não entende o que isso significa? Você, mais do que qualquer outra pessoa, deveria agradecer Niles de joelhos pelo que ele está fazendo. É o primeiro homem que encontrei que efetivamente tem a chance de consertar a merda que você fez.

Isso doeu mais do que eu esperava, mas não podia culpar Baxter pelas palavras. Na verdade, eu tinha dificuldade em discordar de tudo que estava falando. Todos nós queríamos seguir em frente, e essa era a única oferta real que tínhamos recebido. Melhor do que tentar nos agarrar ao passado com unhas e dentes, como Edmund Rye. Ou como Harold Steeme e sua juventude roubada. Ou...

— Baxter, tem uma coisa que você precisa saber...

Uma porta se abriu na parede a oeste. Eu me virei. Thurston Niles estava atrás de mim.

Ele tinha trocado de terno, mas o nariz ainda estava vermelho e inchado, e havia manchas roxas em volta dos olhos. Apesar de tudo, ele parecia feliz em me ver.

— Olá, Fetch! Como anda o caso?

Havia uma sombra diminuta com uma expressão arrependida escondida atrás de Niles. Era meu trombadinha quieto, esperando seu segundo pagamento. Devia ter sido isso que Baxter falou para ele antes de vir comigo, devia ter prometido mais algumas moedas se ele contasse a Thurston sobre meu paradeiro.

— Oi, Niles. — Recuei, me afastando dos dois, descendo as escadas em direção ao palco. — Obrigado por me emprestar seu automóvel. Pode buscá-lo na rua Seis, do lado de fora da venda da esquina. Bom, um pouco do lado de dentro também. Talvez seja bom dar uma olhada nos freios.

— Você mentiu para mim.

— Eu não queria ser deixado de fora. Você estava mentindo para todo mundo da cidade. Baxter também. Eu queria participar!

Eu tinha sido imprudente, mas não a ponto de não ter avaliado as saídas do lugar antes de entrar.

— Está na hora de termos uma conversinha, sr. Phillips.

— Gostaria que isso fosse possível, Niles, mas ainda tenho algumas coisas para resolver.

Pulei do último degrau para o palco. Havia uma saída à esquerda — o lugar de onde eu vira os músicos saindo, tantos anos atrás. Estava seguindo para a porta, mas Cyran, o ogro, a abriu primeiro.

Tentei empurrar seu peito com o ombro, mas tudo que consegui foi quicar para trás. Era como tentar empurrar uma geladeira recheada de chumbo. Ele me deu um soco com o punho de ferro e eu caí como um filhote de cervo bêbado.

Mas eu não seria levado assim tão fácil. Ele tentou me agarrar, mas me afastei dos seus dedos grossos, deixando o casaco barato rasgado nas mãos dele e tirando os braços das mangas enquanto ficava de pé. Corri mais rápido do que jamais correra antes, ignorando a velha dor no peito. Cyran era durão, porém lento, e o despistei na esquina seguinte ao pular um muro e atravessar um mercado abandonado.

Corri até chegar ao Fosso, usando todos os becos e ruelas que passara a maior parte da vida mapeando. Entrei com tudo pela porta dos fundos e fui para o bar, mas Boris era o único ali. Ele deu de ombros, como se dissesse: *Eles foram embora.*

69

Boris me explicou as coisas da melhor forma que pôde. As cirurgiãs remendaram Hendricks, depois Linda chegou e as três levaram meu amigo embora. Não deixaram recado, então liguei para o consultório. O anão atendeu, depois passou o telefone para Exina.

— Ele não está aqui.

— Mas vocês acabaram de levá-lo.

— Eu sei, mas a gente não conseguiu forçá-lo a ficar parado. Ele saiu com aquela sua amiga felina.

— Para onde?

— Não sei, nem quero saber.

Ela falava com um tom de voz tenso e frustrado que eu não tinha ouvido antes.

— Será que é melhor eu ir para aí? A gente pode sentar e pensar, aí...

— Não. Nós temos um negócio aqui e não podemos nos envolver com esses joguinhos de vocês. Se quiser pagar pelos nossos serviços, traga dinheiro. Se não, nem precisa aparecer.

Ela desligou.

Ouvi o tom de discagem e considerei se ela estava dizendo a verdade ou não. Talvez estivesse mesmo de saco cheio de ser arrastada para nossos planos sem ser consultada. Talvez tenha entendido qual era o objetivo final de Hendricks e percebeu que era hora de dar o fora. Ou, talvez, Hendricks tivesse pedido que ela mentisse. Talvez estivessem todos lá: Eliah, Linda e as súcubos, traçando seus próximos passos sem mim. De qualquer forma, eu estava sozinho. De novo. Como sempre.

Comecei a me sentir um pouco louco, como se quisesse quebrar as coisas.

Liguei para o escritório da Linda. Ninguém atendeu, mas fui até lá de qualquer maneira. Era uma tentativa desesperada, mas Boris queria reabrir o bar e eu não tinha para onde ir.

Quando cheguei à praça Cinco Sombras, a antiga floricultura estava escura. A porta estava trancada e não havia sinal de ninguém.

Eu não podia ir para casa. Nem procurar a polícia. Carissa estava muito longe e Hendricks desaparecera com Linda. As cirurgiãs não queriam me ver e Baxter já tentara me entregar ao novo chefe. Eu não tinha para onde ir e não estava seguro nas ruas. Um policial, ou um engravatado da Niles, poderia cruzar meu caminho a qualquer momento.

Eu estava ofegante, mas não sabia dizer se era pela dor física ou pelo pânico. Hendricks me abandonara. Assim que vira que eu tinha dúvidas sobre o plano, tinha me largado.

Eu achava que ele tinha voltado por causa da nossa amizade. Porque sentira minha falta. Talvez não fosse nada disso. Talvez ele só soubesse que eu era um brutamontes obediente que ele podia controlar, agora que seu próprio corpo vinha parando de funcionar.

Assim que Linda chegou, ele me trocou. Senti vontade de arremessar um tijolo na janela dela.

O céu estava escuro. Pedras de granizo batiam nos telhados de zinco enquanto eu estava sob o toldo e tentava imaginar qualquer lugar na cidade em que talvez fosse bem-vindo. Sonhei com um bom quarto de hotel, um chuveiro quente, mas o único dinheiro que tinha era um troco qualquer, e Sunder desprezava caridade. Além disso, eu era um homem procurado. Qualquer empresário inteligente me entregaria a uma das partes interessadas em troca de recompensa.

Eu precisava de um lugar barato, onde as pessoas não tivessem o hábito de ajudar a polícia. Um canto escuro, de uma rua escura, que não quisesse chamar atenção.

Um lugar como a Foice.

Fui me escondendo pelas ruas laterais, xingando baixinho e chutando pedrinhas de granizo pelo caminho. Estava furioso por ter sido deixado para trás. De coração partido. Tudo que eu queria era uma chance de fazer Hendricks mudar de ideia.

As coisas estavam boas novamente. Durante alguns dias. Aquele homem, nesta cidade. Agora ele estava com outra pessoa, arquitetando um plano para roubar o futuro de Sunder, e eu ficara de fora. Estava cheio de adrenalina, emoção e angústia. Não tinha sido convidado para a festa. Fora expulso do grupo da galera legal. Continuei tentando forçar meu cérebro a voltar às coisas que importavam, como os planos de Hendricks para a cidade e se aquilo estava certo, mas meu coração continuava me questionando por que meu amigo não me queria por perto.

A rua da Foice estava quieta. Não pacífica. Nunca era pacífico por aqui. Havia uma tensão silenciosa e paciente, como se todo o perigo estivesse apenas esperando as nuvens se dissiparem. Eu não tinha mais medo disso. Era parte disso. Só mais uma gota de veneno na garrafa.

O cassino metálico de Sampson parecia decadente, mesmo em comparação aos vizinhos. Era o último lugar em que alguém me procuraria, se eu conseguisse convencê-los a me deixar ficar.

— Eita. — O segurança ergueu o braço para bloquear minha passagem. — Quantas você tomou, amigo?

— Nenhuma.

— Sério?

— É por isso que estou aqui. Vou ficar bem mais calmo quando tiver alguma coisa esfriando o sangue.

Ele torceu o nariz.

— Você não vai me arrumar problema, vai?

Respirei fundo para me controlar.

— Não, pode deixar. Só quero sair do frio. Por favor.

Eu gostaria de dizer que estava fingindo essa vulnerabilidade, mas a verdade é que, se ele recusasse, era capaz de eu cair no choro ali mesmo.

— Tá bom, pode entrar.

Não estava muito mais quente lá dentro, mas pelo menos estava protegido do vento e da chuva. Tinha ainda menos clientes que da última vez. Sampson contava recibos na sua mesa de sempre e não percebeu minha presença até eu parar ao seu lado.

— Posso me sentar?

Ele parecia tão cansado quanto eu me sentia.

— Você vai se comportar?

— Por que as pessoas ficam me perguntando isso?

— Vai?

— Vou. Prometo.

— Então pode se sentar.

Eu não consegui esconder meu alívio ao me jogar na cadeira ao lado dele.

— O que podemos te servir, sr. Phillips?

— Bom... Estou meio sem dinheiro.

— Então pode ir embora.

— Por favor. Aqui... — Virei os bolsos na mesa, deixando cair um monte de moedas e notas amassadas como uma criança na cantina da escola. Uma moeda de bronze e algumas de cobre. — Preciso de um lugar pra ficar. Tem gente atrás de mim.

— Você mal tem dinheiro para uma bebida, mas está pedindo uma bebida, um quarto e proteção?

— Vou ficar te devendo.

— Você não quer isso, sr. Phillips.

— Pode pedir meus serviços sempre que precisar.

— Eu já vi como você procede em seus serviços, e não me parece que me seriam muito úteis. Além disso, pela forma que está falando, eu ficaria surpreso se você durasse até o fim da semana.

Não dava para contestar. Se eu fosse ele, já teria me chutado de lá.

— Só uma ou duas noites. Por favor. Ficarei quieto e não vou fazer bagunça. Não preciso de mais nada, só de um lugar para dormir e pensar.

— Isso aqui é uma empresa, sr. Phillips. E já estamos com dificuldade para ficar de portas abertas sem recorrer a pagamentos em promessas vãs e palhaçadas.

Quase dei um soco na mesa, mas me segurei. Se fizesse isso, estaria tudo acabado. Engoli a raiva e o encarei sem piscar.

— Um dia, você vai ter um daqueles trabalhos. Um daqueles que precisam ser feitos e ninguém quer fazer. Alguma coisa perigosa demais. Terrível demais. Perigosa demais para usar seus próprios funcionários. É aí que você vai ligar para mim. Não importa o que seja, eu vou fazer.

Ele afagou a mecha no centro do cavanhaque.

— Alguém sabe que você está aqui?

— Só as pessoas que estão aqui.

Ele jogou uma chave na mesa.

— Então desapareça. Agora.

70

O quarto valia o que paguei por ele: um único colchão duro, coberto por um lençol rasgado e um cobertor de lã áspero. Nenhum carpete, uma poltrona sem uma das pernas no canto e uma janelinha minúscula que dava para uma parede de tijolos.

Era mais seguro do que estar nas ruas, mas me senti ansioso desde o primeiro momento em que fechei a porta. Como se sentisse falta de alguma coisa. De tudo.

Eu me deitei na cama e fechei os olhos. Estava mais do que exausto, mas fiquei horas me revirando nos lençóis e implorando por alívio, até que o sono misericordiosamente me deixou descansar.

Entramos no quarto do hotel aos tropeços. Bêbados. Rindo. Eu desejava seus lábios a cada segundo em que não estavam junto aos meus. Ela fechou a porta, abriu uma garrafa de vinho e serviu duas taças.

— Isso é... a cama? — perguntei.

Era uma cesta cheia de folhas que ocupava um terço do quarto.

— É um somiê feérico. É assim que eu durmo em casa. É difícil achar um dos bons em Sunder, porque não há folhas suficientes para mantê-lo fresco. É tão gostoso voltar para uma cama de verdade.

Ela pulou de costas no somiê e as folhas a engolfaram em uma explosão de verde e marrom. O aroma de uma floresta depois da chuva invadiu o quarto. Baixei os olhos para Amari, o vestido embolado nas coxas, o sorriso tonto e o cabelo bagunçado, em vez do coque arrumado de sempre.

Eu me debrucei por cima dela e meus joelhos afundaram em volta do seu corpo. Enfiei o braço pelas folhas e a abracei. Só conseguia olhar nos olhos dela por um momento. Era real demais. Ela riu, apoiou a mão na minha bochecha e levou minha boca à sua.

As folhas se moviam conosco. Ao nosso redor, por cima de nós. As roupas se perderam na folhagem. Era como se mergulhássemos em um casulo. Nós nos misturamos, os membros como vinhas, a ponta dos dedos dela suave como pétalas e firme como pedra. A respiração dela na minha boca, úmida e doce. Lábios me percorrendo como uma cachoeira. Rolamos um por cima do outro, ofegando sob um mar de verde.

Aí a pele dela endureceu sob meus dedos. Sua respiração acelerou e ela me agarrou, as unhas afundando nas minhas costas, os braços apertando meu corpo, e ela... congelou.

Eu não me mexi, não ousaria. Com o luar fraco que entrava pela janela, eu mal conseguia ver seu rosto. Ela era uma estátua. A textura de madeira cobria suas pálpebras fechadas. Suas pernas, em volta da minha cintura, estavam imóveis. Por alguns estranhíssimos segundos, ela não passava de uma escultura de madeira sólida. Não ousei me mover. Temia que, se me mexesse, poderia quebrar algo nela (ou em mim).

Aí ela voltou.

Seu corpo derreteu sob o meu. A maciez de sua pele voltou e ela suspirou no meu ombro. Eu ria de assombro e de alívio.

— Desculpa — falou ela. — Acontece às vezes.

Eu a beijei. Foi um beijo bom. Nosso último beijo.

A última coisa boa que fiz.

71

Não havia relógios no meu quarto, nem uma vista para o céu. Eu não fazia ideia de que horas eram quando acordei. Não sabia nem que dia era. Tinha dormido por cinco minutos ou cinco meses?

Dei uma olhada pelo corredor. Um silêncio mortal. Nenhum sinal de vida, só uma tolha dobrada. Eu a peguei e saí andando. Todas as outras portas estavam fechadas. Cheguei a um beco sem saída. Dei meia-volta e segui para o outro lado, onde, enfim, encontrei uma porta com a placa BANHEIRO. Lá dentro, embora houvesse muito espaço, o chuveiro e o vaso eram tão próximos que seria possível usar os dois ao mesmo tempo se você estivesse particularmente apressado.

Não era o meu caso. Eu tinha todo o tempo do mundo. Meus amigos estavam se escondendo. Eles não precisavam mais de mim. Não havia nada que eu pudesse fazer além de esperar que meus inimigos me encontrassem.

Eu me lavei e vesti as mesmas roupas imundas, depois desci o corredor e voltei para o salão do Sampson. Nada de música. Nada de clientes. O lugar estava fechado e todos os funcionários se reuniam em volta do bar. Aquilo me lembrou dos velhos tempos no Fosso: um ritual especial dos empregados que serviam aos clientes, mas não ganhavam o suficiente para beber em nenhum outro lugar, então o trabalho acabava virando seu bar também.

Phara, a garçonete que me servira a seiva queimada quando estive lá pela primeira vez, abraçava o segurança da porta. Alguns anões crupiês e um segurança grandão estavam sentados em banquetas, e um licum felino, que lavava os pratos, estava recostado na parede. Todos rodeavam um radinho prateado, ouvindo com tanta atenção que não notaram quando me aproximei, peguei um copo e me servi de uma dose dupla da garrafa mais próxima. A atenção deles estava fixa na caixa prateada.

— ... ainda inexplicado. O departamento de polícia ainda não emitiu uma declaração oficial, mas testemunhas afirmam que foi uma questão de segundos. Até agora, uma pessoa ficou ferida: o jovem policial que estava de plantão. Ele segue em estado grave.

— O que houve? — perguntei.

O lavador de pratos foi o único que virou a cabeça.

— Quem é você?

— Um hóspede. O que aconteceu?

— Alguém ajudou aquele bruxo bizarro a escapar — respondeu o cara da porta. — Tippy.

— Tippity? Como? Ele não estava na Goela?

— Aham — disse Phara. — Mas usaram algum tipo de feitiço.

Ah, que ótimo. Mais uma vez a história da magia. Se as pessoas já não estivessem surtando com os perigosos lançadores de feitiços zanzando pela cidade com novas magias, aquilo as levaria ao limite.

Imaginei se não era uma campanha de desinformação promovida pela Companhia Niles. Uma forma de manter todos com medo dos magos para, assim, venderem mais pistolas.

— O que foi dessa vez? Mais clarões de fogo?

— Não — respondeu o lavador de pratos, enchendo o próprio copo. — Parece que uma árvore inteira simplesmente brotou do chão. Ela destruiu as paredes da Goela, e Tippity saiu de lá subindo pelo tronco. Parece loucura.

— Parece incrível — disse Phara.

— Deve ter sido algum cúmplice — disse o cara da porta. — Vai saber quantos mais ele tem por aí!

Parei de ouvir. Minhas orelhas estavam zumbindo. O chão parecia líquido sob meus pés.

Tippity não tinha cúmplices. Era um solitário, como eu. A polícia limpara tudo da farmácia dele. Todos os corações de feéricos e todas as bolinhas que ele fizera; as esferas de vidro cheias de ácido necessárias para libertar a magia.

Todas, exceto uma.

O dia em que acordei com Hendricks no meu escritório. Ele tinha uma das esferas nas mãos, que observava contra a luz, agitando o ácido. Quando ele me pediu para ficar com ela, eu deixei.

Aí, uma árvore brota do chão, do nada.

Saí correndo para a porta e disparei rua abaixo.

72

O portão fora aberto à força. Havia pegadas de lama nos degraus. O cadeado estava quebrado. A porta, derrubada. O vestíbulo, coberto de lascas.

Não era para ninguém vir aqui. Ninguém além de mim.

Entrei e havia dois conjuntos de pegadas no chão. As sangrentas eram minhas: deixadas pelos meus pés descalços e ensanguentados na noite em que voltei pela primeira vez depois da Coda. As outras eram novas, de lama, deixadas pelo homem que deveria ser meu amigo. Eu as segui pelo chão, mantendo os olhos baixos até chegar ao lugar onde meu amor estava esperando.

Um gemido escapou dos meus lábios quando levantei a cabeça.

Amari.

O corpo estava no lugar de sempre, mas o chão ao seu redor estava coberto de serragem e restos curvos de madeira. Seus braços ainda envolviam a cintura. Os dedos, tão delicados. Seu peito. Seus ombros. Seu pescoço...

Eu gritei enquanto absorvia todo o horror do que Hendricks fizera.

O rosto de Amari não existia mais. Fora arrombado. Dava para ver através da cabeça dela. Tudo dilacerado. Rompido. Destruído. Uma das orelhas ainda estava no lugar, mas a outra jazia em pedaços no chão. Onde estavam seus lábios? Seu narizinho? Aquelas bochechas? Para onde ela tinha ido?

Eu me ajoelhei entre os escombros e passei os dedos por seus restos mortais. Peguei o maior pedaço. Um olho me encarou. O olho dela.

Não. Não. Meu Deus, não.

Eu a abracei. Apoiei a cabeça nos ângulos afiados do que restava de seu crânio. Lágrimas escorreram pelas minhas bochechas para o oco de seu pescoço. Os cabelos dela quebravam sob meus dedos como folhas de outono, e pedaços da sua pele se soltavam nas minhas mãos trêmulas. Ela se desfazia ao meu toque, e esmaguei seu corpo em um milhão de pedacinhos. Todos vazios. Todos frios. Ela se dissolvia em pó e, a cada respiração, eu a soprava mais para longe.

Eu estava sozinho.

Ela partira havia seis anos, mas mantive seu corpo em segurança. Só por via das dúvidas. E eu tinha razão, porque alguma partezinha dela restara. Um coração brilhante cheio de poder. Cheio de vida. Até que Hendricks a transformou em uma arma para libertar Rick Tippity da prisão.

Encontrei a bochecha de Amari no chão e a encostei na minha. Estava áspera e fria, mas ainda era bom tocá-la.

Toc. Toc, toc.

Ergui os olhos para a sombra no patamar do segundo andar e rugi:

— COMO VOCÊ PÔDE FAZER ISSO COM ELA?

A sombra balançou a cabeça.

— Como *eu* pude fazer isso? E o que você fez com ela, garoto? Mantendo-a aqui, desse jeito, por tanto tempo. Presa e vestida como uma boneca. Por acaso você não respeita...

— Eu a mantinha segura!

— Você a mantinha aqui por VOCÊ! Porque só assim a teria para si. Eu sabia que você era fraco, mas nunca imaginei que pudesse ser tão cruel. Especialmente com ela.

— Eu estava protegendo Amari! Caso a magia voltasse.

Então, outra sombra surgiu ao lado da primeira.

— Mas a magia não vai voltar — retrucou Linda. — Nunca. Você me disse isso tantas vezes, Fetch. Por que mantinha essa moça aqui à espera de um dia que nunca vai chegar?

— Eu... Eu...

Hendricks se apoiou na amurada.

— O que você pensou, garoto? Que ela voltaria à vida, com o corpo partido, todo cheio de rachaduras, pinos e cola, e te agradeceria por isso? Que finalmente fugiria com você? — As palavras dele me atingiam como facas. — Em todo esse tempo, com tudo que você fez, como é possível que ainda não tenha crescido?

— Mas... mas Tippity encontrou a luz dentro deles. Dentro dela. Poderíamos usar isso para...

— Ela estava morta — disse uma terceira sombra. — Todos estavam. Eu te falei isso mil vezes, mas você não quis ouvir. Só queria que eu fosse o vilão, para que você pudesse ser o herói. — Os óculos de Tippity brilhavam no escuro. — Os feéricos se foram. Eu só peguei a última centelha do que restava. Não havia nada vivo nela, nem em qualquer um dos outros. Você me culpou por seguir em frente, enquanto estava aqui, abraçadinho com um cadáver.

Ela me cobria inteiro. Farpas nas roupas, serragem nas mãos. Tão seca. Tão frágil. Morta.

— Garoto, não podemos voltar no tempo. Não dá para trazer o passado para o presente, por mais que a gente queira. Mas podemos criar um futuro novo. Ainda quero fazer isso com a sua ajuda. Se você estiver pronto.

Minhas bochechas ardiam. Meu peito doía. Minhas mãos queriam armas, mas eu estava sem a máquina. Só tinha uma faca. Puxei a lâmina sem pensar. Fazia coisas sem pensar havia tanto tempo, por que começaria agora?

— Eu te disse — falou Tippity.

Hendricks baixou a cabeça.

— É, disse mesmo.

Algo caiu lá de cima. Ouvi o som de vidro se estilhaçando. Uma garrafinha branca caíra aos meus pés. O cheiro me lembrava o do pó de acordar que eu e Tippity tínhamos usado na volta da igreja. Porém, devia ser do outro tipo, porque, quando meu nariz realmente absorveu o odor, minhas pernas se dobraram e bati com a cabeça no chão.

73

A droga demorou a passar. Eu estava na cadeia. No centro. A única coisa na cela era um banco de pedra gelado. Não conseguia me mover, mas conseguia sentir. Conseguia pensar. E conseguia lembrar.

Também conseguia entreouvir o que os policiais diziam sobre mim. Aparentemente, eu fora largado na porta da delegacia e, quando Simms ficou sabendo, deu ordens bem claras para que me mantivessem preso até que ela pudesse lidar comigo pessoalmente.

De certa forma, fiquei feliz por ter sido excluído de tudo aquilo. Por estar preso em um lugar onde não poderia causar mais problemas. O mundo real era confuso demais. Lidar com a realidade era difícil demais. Fazer merda era fácil demais.

Depois de um tempo, quando consegui virar a cabeça, vi que tinha vizinhos: três magos de expressões sérias na cela em frente. Algumas horas mais tarde, recuperei um controle suficiente da língua e dos lábios para tentar falar alguma coisa:

— Porrrrr que voxêsss tão presossss?

Eles contaram que ficariam três noites ali por conta da nova política de Sunder contra práticas mágicas não liberadas.

— A gente só estava fazendo uns experimentos — disse o mais baixo do trio.

Os outros dois já não tinham ido com a minha cara e se recusavam a contribuir com nada além de resmungos.

— Que tipo de experimentos?

Eu não tinha capacidade nem vontade de me levantar.

— Vaga-lumes. Era um velho truque dos magos. A gente usava o pouquinho de eletricidade dos bichos para acender velas ou brincar com as crianças. Quando ouvimos o que Tippity estava fazendo com os feéricos, pensamos em outros lugares em que poderia haver magia escondida. Jim aqui comentou sobre os vaga-lumes, então pensamos em esmagá-los e ver se conseguiríamos fazer alguma coisa interessante com as luzes.

— Isso é possível?

— Provavelmente não. Era só uma ideia. Estávamos pegando vários deles no que sobrou da reserva Brisak quando uns caras de terno perguntaram o que a gente estava fazendo. Quando contamos, eles ligaram para a polícia e acabamos aqui.

Então Thurston e a polícia estavam, de fato, trabalhando juntos naquele ataque contra a magia ilegal inspirado em Tippity. Alguns dias antes, a ideia me deixaria puto. Mas eu já tinha me envolvido em questões maiores. Dei de ombros e voltei a dormir.

Outro dia passou pela minha janela sem me dar confiança. De manhã, o policial nervoso entrou. Aquele que me pegara no chão de casa e entrara no escritório de Simms enquanto eu estava na delegacia. Ele se aproximou da minha cela e me entregou a pior xícara de café que já tomei.

— Simms te mandou fazer isso, né?

— Recebi ordens de não dizer nada sobre nada a você, senhor.

— Eu sou seu prisioneiro, rapaz. É melhor parar de me chamar de *senhor* ou sua fama de mau ficará comprometida.

— Sim... Hum, sim.

Aquele era durão, com certeza. Um cabo de vassoura com cerdas ruivas na ponta e um sorriso resiliente.

— Qual é o seu nome mesmo?

— Recebi ordens de não dizer nada sobre nada a você, senhor.

— Não acho que estavam falando do seu nome, rapaz.

Ele pensou nisso por uns bons dez segundos.

— Cabo Bath, sen... Cabo Bath.

— Prazer em conhecê-lo, cabo Bath. Alguma notícia sobre o paradeiro de Tippity? A polícia já sabem quem o tirou da Goela?

— Recebi ordens de não di...

— Eu sei que você recebeu! Então vai se foder, Bath. Até amanhã. Mal posso esperar pela minha próxima xícara de mijo fraco.

Ele me deixou lá. O mago conversador também parou de falar. O mundo do lado de fora estava quieto. Tudo que eu ouvia era o som ocasional de obras conforme outra peça arquitetônica da Niles surgia na cidade.

Fiquei imaginando o que Hendricks estava fazendo com Linda e Tippity. Os dois tinham concordado com o plano dele? Estavam trabalhando para derrubar Niles junto com a porcaria daquela cidade toda?

Hendricks vinha usando a mansão do governador como base. Eu me perguntei se eles ainda estariam lá. Eu poderia contar isso ao cabo Bath e ver o que aconteceria, mas isso seria meter meu nariz naquela merda de novo, que era exatamente o que decidi não fazer.

Fiquei pensando no buraco que abri naquele cano e no quanto ele teria atrasado a Companhia Niles. Talvez nem um pouco. Talvez muito. Talvez eu só tenha condenado algum cidadão inocente a permanecer no escuro. Uma casa ficaria aquecimento. Um negócio faliria. Quando começava a me sentir mal, tentava me lembrar de que, em breve, nada daquilo importaria, porque meu velho amigo pretendia acabar com absolutamente tudo.

Hendricks já tinha um plano, disso eu tinha certeza. Ele não era de fazer grandes promessas sem ter como cumprir. De alguma forma, ele já sabia como destruiria a cidade.

Mas não era mais problema meu. Eu tinha sido excluído. O que quer que fizessem, só dependia deles, e eu só teria que esperar para ver.

Ao pôr do sol, uma barata veio andando pelo chão, subiu no meu pé e pela perna. Tentei chutá-la para longe, mas a nojentinha se segurou.

Tirei o chapéu e bati na filha da mãe.

BANG!

Dei um pulo. Na sala ao lado, onde ficavam os policiais, um grito se transformou em choro abafado. Os magos todos ficaram de pé. Fumaça e pó adentraram a área das celas, junto com Linda Rosemary.

Ela carregava o canivete em uma das mãos e um molho de chaves na outra. Viera me buscar. Hendricks devia ter mudado de ideia.

— Linda, o que está acontecendo? Você...

Ela se virou para os magos.

— Cavalheiros, estou aqui em nome de Rick Tippity. Nós declaramos guerra contra Sunder City e precisamos de soldados dispostos a lutar por nossa causa. Acreditamos que vocês foram aprisionados injustamente por uma empresa privada, um inimigo que está no controle da cidade e das pessoas. Estou aqui para libertá-los. Vocês não têm obrigação de se juntar a nós, mas, se fizerem isso, estamos prontos para lhes dar poder. Temos armas esperando por vocês, aliados que precisam de sua ajuda e um mundo para ser salvo. — Ela virou a chave e a porta se abriu. — Senhores, a escolha é de vocês.

Eles nem precisaram pensar sobre o assunto. Saíram da cela e apertaram a mão dela um por um. Ela entregou um papelzinho a um deles.

— Esse é o endereço. Sigam para lá o quanto antes. Tenho mais uma questão a resolver aqui primeiro.

Os magos saíram correndo. Linda finalmente se virou para mim. Ela estava com um olhar distante enquanto enfiava a chave na fechadura.

— Linda, eu...

— O que vai ser?

A chave estava na sua mão, na fechadura, mas ela não tinha girado. Ainda não.

— Você vai mesmo fazer isso? — perguntei.

— Isso o quê?

Ela estava me sacaneando, gostando de ter todo aquele poder.

— Olha, eu concordava em parar a Companhia Niles, mas...

— Concordava?

Ela me pegou de surpresa. Até aquele momento, eu estava me enganando a acreditar que concordara com parte do plano de Hendricks. Que precisávamos impedir a Companhia Niles, apesar do quanto estivessem ajudando as pessoas, mas destruir a cidade seria ir longe demais.

Mas eu tinha passado tempo demais aqui. Com os doentes e machucados. Com os que nunca conseguiam arrumar emprego. Com famílias desfeitas e sem esperança. Talvez Hendricks tivesse razão, talvez eu não conseguisse ver o panorama completo. Talvez não quisesse. Talvez eu quisesse olhar de perto todos os detalhes mais feios.

— Não — admiti. — No fundo, não. Já vi gente demais sofrer demais.

— Você viu as pessoas daqui, só isso. Não sabe como é no resto do mundo.

— Tem razão, não sei. Mas não posso deixar vocês destruírem a cidade. É loucura.

— Esta cidade é uma loucura. Você não consegue ver isso porque faz parte dela. Eu quase deixei que ela me levasse também, até Hendricks me lembrar de que existe outra maneira. Sem Sunder, o resto do mundo terá uma chance.

— Mas podemos trabalhar de dentro para fora. Podemos melhorar este lugar.

— Você sabe o que recebi outro dia? Uma carta da cidade me dizendo para parar de trabalhar, porque o que faço estava promovendo comportamento ilegal. Dizia que era perigoso. A carta me disse a mesma merda que você me falou na primeira vez que nos encontramos, mas agora virou lei. Eu compreendo por que você quer se agarrar a este lugar. A cidade te alimenta, e você alimenta a cidade. Mas estou pronta para vê-la queimar.

Ela disse tudo isso tão séria. Tão clara. Quase conseguia esconder a incerteza por trás.

— Linda, a gente pode encontrar outra maneira. Tem...

— Ele me contou sobre você. *Tudo*.

Merda.

— Eu... eu sinto muito. Eu...

— Eu entendo. Você precisava matar o monstro que matou sua família. Era pessoal. Certo? Mais importante que política ou moral. Não te culpo por isso, de verdade. — Ela tirou a chave da fechadura. — Mas por causa do que você fez, a *minha* família morreu. Você é a minha quimera, Fetch Phillips. Não vou te matar, mas também não tenho que te deixar sair dessa cela.

E então ela foi embora.

74

Um tempo depois, Bath voltou. Após o encontro com Linda Rosemary, seu rosto estava todo arranhado. Ele olhou para as celas, fez algumas anotações e foi embora. Voltei a dormir.

— Curioso — disse uma voz do outro lado das barras. Eu me sentei e encarei o olhar fixo e o rosto quadrado de Thurston Niles. — Eles te deixaram para trás. Eu não esperava por isso.

Nem me incomodei em levantar.

— Pois é.

— Como está indo aquele trabalho? Aquele em que você deveria achar o assassino do meu irmão. Aquele em que eu te paguei adiantado.

— Eu te disse, não trabalho para humanos.

— Você não trabalha para ninguém. Simms e Thatch não querem mais nada contigo. Seus amigos rebeldes também não te querem por perto. O que houve? Bem quando estava começando a ficar interessante.

Thurston estava acostumado a ser intocável. Eu já tinha visto como as pessoas o bajulavam sem questionar, só porque ele gostava de esbanjar dinheiro por aí. Talvez por isso ele tenha se impressionado tanto quando ousei quebrar seu nariz.

— Na última vez que te ofereci minha amizade, você esnobou minha oferta — continuou ele. — Talvez você tenha tido tempo para reconsiderar.

Ele parecia tão bonzinho quando nos encontramos em sua casa: um irmão enlutado, tentando se recuperar. Agora, eu podia ver o que Hendricks tanto temia. Thurston usava seu ego como uma armadura de ouro. Seu ar de superioridade cheirava a perfume barato.

Não. Aquele homem nunca deveria ter as rédeas da minha cidade. Mas eu arruinara qualquer chance de detê-lo.

— Estou bem sozinho, obrigado. É mais seguro aqui. Melhor do que nas ruas, quando todo mundo começar a carregar suas pistolas no cinto.

Thurston deu uma risadinha.

— Você tem razão, mas pelo menos estarão preparadas caso mais radicais como Deamar apareçam. — Ele parou bem nas barras. — Qual é o plano dele?

Dei de ombros.

— Não sei.

— Sabe, sim. Por que você ficaria correndo por aí, matando dragões e invadindo fábricas, se não soubesse?

— Talvez tenha sido por isso que fui com ele, para descobrir qual era o seu plano.

— Talvez você só fale merda.

— Talvez você é que esteja cagando.

— Chega. Eu gosto de você, sr. Phillips. Sempre disse isso. Mas meu tempo é precioso. Me diga o que Deamar quer e aí poderemos começar a trabalhar juntos. De verdade, desta vez. Sem mentiras.

Não consegui me segurar e sorri.

Um humano queria que eu traísse o líder da Opus e ficasse do lado dele. *De novo.*

Era a coisa mais impossível que eu já tinha ouvido. Ele poderia arrancar meus dentes e cortar meus dedos dos pés, mas de jeito nenhum eu deixaria isso acontecer. Esse erro foi martelado na minha cabeça como uma viga de aço. Passei todos os dias dos últimos seis anos me arrependendo de uma coisa, e Thurston achava que poderia me fazer cometer o mesmo erro *pedindo com jeitinho*? Era a coisa mais engraçada que eu já tinha ouvido.

— Hum, acho que vou passar, Niles. Mas obrigado pela visita.

Um homem diferente se irritaria. Mas não Niles. Raiva, culpa, aluguel e impostos eram preocupações para outras pessoas.

— Se você mudar de ideia e quiser entrar em contato comigo — respondeu ele —, vou avisar ao cabo que é para deixar você me ligar.

— Melhor não esperar sentado, Thurston. Há muitos outros peixes no mar.

Ele deu uma risadinha.

— Se ao menos você soubesse o quanto, na verdade, seu lago é pequeno, sr. Phillips, talvez reconsiderasse suas atitudes em relação aos seus. Queira você aceitar ou não, os humanos já eram donos desta cidade muito antes da minha chegada. Você é humano. Um dos homens mais humanos que já conheci. Talvez um dia dê um passeio fora de Sunder e veja como é a vida sem homens como eu para te manter em segurança.

Ele foi embora, e decidi bem ali que, apesar das advertências de Niles, meu tempo em Sunder acabara. Chega. Eu já tinha feito o bastante. Uma guerra estava prestes a estourar ali e eu não estava interessado em ver nenhum dos lados vencê-la.

Alguns erros não podem ser cometidos duas vezes. Eu nunca conseguiria entregar informações sobre Hendricks a um homem como Thurston Niles. Não importava o que estivesse em jogo. Eliah tinha uma história parecida. Quando eu não passava de uma criança, ele protegera um monstro que acabou matando a minha família. Quando ouviu histórias sobre mim, anos depois, veio me procurar. Cuidou de mim e me adotou como seu pupilo. Aí *eu* me revoltei. Me voltei contra ele. Me tornei seu novo monstro. Mas ele me deixou partir, e esse erro foi ainda maior que o primeiro.

Sunder agora era o monstro de Hendricks: uma besta selvagem e egoísta como o mundo jamais vira. Ele tinha que impedi-la. A história já mostrara a ele o que acontecia quando ele deixava criaturas assim livres.

E por que eu ficaria em seu caminho? Estava de saco cheio de Sunder. Sem Amari, qual era o objetivo? Se os policiais me deixassem sair algum dia, eu voltaria para casa, juntaria minhas poucas posses e daria o fora da cidade. Hendricks podia explodi-la ou Thurston podia transformá-la em uma fortaleza, e isso não me dizia respeito. Não mais. Fechei os olhos para tudo aquilo.

Na manhã seguinte as explosões começaram.

75

A primeira aconteceu perto do nascer do sol, depois mais duas ao longo do dia. Vozes vieram e passaram, falando alto na sala ao lado. Eu não conseguia entender o que diziam, mas todos os policiais falam do mesmo jeito quando estão assustados: engrossando a voz e aumentando o volume.

Fechei os olhos e tentei aproveitar o fato de que não era mais problema meu.

— Thurston esperava que você já tivesse ligado a essa altura. Não sei se ele está impressionado ou puto.

Simms estava parada do lado de fora da minha cela.

— Então, agora você também está no bolso dele, detetive. Deve ser bem apertado aí dentro.

— Não. Não estou mesmo. — Simms se aproximou bem das barras. — Não gosto do que ele está fazendo com a cidade, mas sei escolher minhas batalhas. Tippity e Rosemary estão destruindo tudo: sabotagem, incêndios, roubos. Precisamos impedi-los. Agora. Vou me preocupar com Thurston depois.

— Boa tentativa, Simms, mas sei como isso funciona. Você me convence a te contar tudo, aí vai e repete palavra por palavra para Thurston, certo? Aposto que ele está aí do lado de fora, ouvindo tudo.

— Não. — Ela tirou uma chave do bolso, enfiou na fechadura e girou. — Eu te conheço o bastante pra saber que não vai me contar nada, então, não vou nem pedir.

Ela me entregou minha jaqueta do uniforme da Opus com forro de pele que eu não via fazia semanas. Era gostoso tê-la nos meus ombros de novo.

— Você veio até aqui só para me libertar?

— Eu estava vindo para cá recrutar os guardas em serviço, mas senti um chamado no meu coração e resolvi te soltar também. Não faça com que eu me arrependa.

— Recrutar os guardas para quê?

— Para a batalha. Os policiais estão morrendo lá fora, Fetch. Precisamos de todo mundo trabalhando junto. Qualquer ajuda que a gente conseguir. Não sei o que fazer e não sei em quem confiar.

Eu nunca tinha visto Simms daquele jeito. Ela parecia assustada de verdade. O que poderia estar acontecendo para deixar a detetive tão apavorada?

Outra explosão imensa ao longe. Dava para sentir o cheiro de fumaça. Pessoas gritavam.

— Simms, o que diabos está acontecendo?

76

Saímos para a rua, e o cheiro de queimado só piorou. Torres de fumaça preta espiralavam para as nuvens. Não tinha mais ninguém na rua além de Simms, Bath e eu. A detetive deu ordens ao cabo:

— Pegue a rota leste até a delegacia e chame qualquer policial na Grove, Tar ou perto da praça. Estou indo pelo oeste. A gente se encontra em meia hora.

Bath assentiu e saiu correndo obedientemente.

— De algum jeito, Tippity conseguiu mais daquele negócio dos feéricos — explicou Simms. — Eles estão com um arsenal inteiro de feitiços elementais.

Hendricks tinha usado o poder de Amari para libertar Tippity porque, naquele momento, era tudo que ele tinha. Uma única alma feérica e uma única esfera de vidro. Mas as utilizou para libertar o homem que conseguiria fazer mais. Tippity devia ter levado Hendricks até a igreja. Talvez Linda também. Todos juntos, coletando o poder de todos os corpos de feéricos que puderam encontrar.

Estava muito frio fora da cadeia. Enfiei as mãos nos bolsos, mas logo as tirei. Um dos meus dedos voltou sangrando. Enfiei a mão de volta com cuidado e tirei o embrulho de couro que continha os cacos do chifre de unicórnio.

— Tudo começou há algumas horas — continuou Simms. — Aqueles magos se tornaram soldados de Deamar, mas não são os únicos. Mais pessoas se juntaram à causa dele. Não sabemos quantos deles existem ou o que estão planejando, mas estão atacando todos os lugares em que a Companhia Niles tem negócios.

Subi a rua, me afastando de Simms e de tudo aquilo.

— Fetch, como assim? Ajuda a gente! Você não devia ficar sozinho por aí!

Não olhei para trás. Não era minha batalha. Não era minha cidade. Não mais.

Eu só precisava fazer uma última coisa antes.

Saí da rua Onze para a avenida Parro e vi que toda aquela região estava deserta. O parquinho normalmente ficava lotado de crianças à tarde, mas todas tinham se escondido. Então, duas figuras surgiram aos tropeços por detrás de uma cerca-viva. Eram dois adolescentes, um menino e uma menina. Os cabelos e as roupas estavam cobertos de cinzas e terra. Ela chorava. Ele parecia mais perdido do que eu jamais vira ninguém na vida.

Eles deviam ter sido pegos perto demais de um dos feitiços de Tippity. O rapaz olhou para mim como se pedisse ajuda, mas eu não tinha nada a oferecer. Nem mesmo um bom conselho. Estava prestes a continuar andando quando uma porta se abriu do outro lado da rua e dois rostos pálidos apareceram.

— Entrem aqui!

Pareciam mãe e filha. Sátiras, acho.

— Não é seguro! — disse a mais velha. O casal saiu correndo, de mãos dadas, agradecido, pelo menos, por alguém lhes dizer o que fazer.

Eles entraram, mas a mais nova continuou olhando para mim.

— Venha!

Ela acenou, me chamando.

— Izzy — brigou a mãe baixinho. Ela obviamente sabia julgar melhor o caráter das pessoas que a filha. Mas Izzy lançou um daqueles olhares que só garotinhas corajosas têm, e a mãe relutantemente manteve a porta aberta.

— Você vem? — perguntou para mim.

Eu só fiquei ali parado. Por um momento, achei que estava nevando de novo, mas eram cinzas. Flutuando de algum incêndio a algumas ruas de distância.

— Não — respondi. — Mas obrigado.

E continuei andando.

77

Warren me dera seu endereço meses atrás, e eu ainda guardava o papel na carteira. Era um sobradinho simpático no nordeste da cidade, a alguns quarteirões da travessa Sir William Kingsley. Bati na porta e uma gnoma atendeu.

— Perdão pelo incômodo. O Warren está?

Ela era pequenina e gordinha, com um avental marrom amarrado na cintura, e fez uma expressão que só é possível quando você tem bochechas do tamanho de tomates maduros: um meio-termo entre um sorriso e uma carranca, o rosto todo encolhido em si mesmo.

— Não, não está — respondeu ela. — Lamento dizer, mas ele faleceu.

O quê?

Você já se viu, repentina e assustadoramente, no momento presente? Largado no aqui e no agora? Tudo que isso faz é destacar o fato de que você passa o tempo todo em outro lugar.

Lá estava eu. De pé, na varanda de um sobrado de tijolos vermelhos para o qual fora convidado muitas vezes e que nunca visitara. Nem uma vez sequer. Havia uma mulher na minha frente. Ela estava vestida de preto. Era a esposa de Warren. Ele mencionara a esposa para mim. Muitas vezes. Eu nunca a conheci. Nunca nem perguntei sobre ela. E lá estava ela.

— Sinto muito — falei. Então, dei as costas e desci os degraus.

— Você é o Fetch?

Sua voz era cálida. Sabe quando você é criança e sempre tem, do seu grupo de amigos, uma mãe que é a melhor? Bom, aquela mulher sempre seria aquela mãe.

— Sou.

Olhei para trás e ela fez aquela expressão de novo, bem no meio-termo entre choro e sorriso.

— Venho tentando te ligar — comentou ela.

— Ah, perdão. — O sol da tarde batia no telhado e derretia a neve, fazendo uma cortina de gotas d'água cair entre nós. — Por quê?

— Porque a gente gostaria que você tivesse participado do funeral. Com todos os outros amigos dele. Sinto muito que você tenha perdido.

Tentei pensar em algo para dizer, mas tudo parecia tão óbvio. Sinto muito? É claro que eu sentia muito. Que eu gostaria de ter participado? É claro que eu gostaria de ter participado.

Certo?

— Você quer entrar? — perguntou ela.

— Quero. Quero, sim.

Era aconchegante. A casa não tinha muitos cômodos, mas todos eram decorados com bastante atenção aos detalhes. Eu estava sentado em uma poltrona verde com um paninho de crochê que me abraçava como uma tia bêbada. O nome da anfitriã era Hildra, e ela estava em uma cadeira de madeira retorcida que não combinava nem um pouco com os outros móveis da sala. Estávamos cercados de porta-retratos feitos à mão com pinturas de bebês e estatuetas de porcelana de gatinhos e chalés.

Hildra parecia toda feita de maçãs: bochechas, olhos, queixos, peito e barriga. O xale preto do luto que envolvia sua cabeça só acentuava o rosto redondo. Até sua expressão de tristeza era quase um sorriso.

Estávamos cada um com um copinho de cristal contendo uma dose de aguardente caseira, e ela me observava de um jeito que estava me deixando desconfortável.

— Quando ele... Quando aconteceu?

— Semana passada. Foi o coração, no final. Se esforçando demais para manter o corpo funcionando. Você sabe como Warren era, não parava. — Será que eu conhecia Warren? Acho que sim. Um pouco. — Tentei ligar para o seu escritório, mas você não atendeu. Mandei um telegrama também.

— Infelizmente eu não passo em casa já faz um tempo. Arrumei uns problemas.

— Warren dizia isso de você. Sempre se encrencando. Ele disse que, na primeira vez que te viu, você estava apanhando de um ciclope, e que só piorou a partir daí.

Ela tinha razão. Na ocasião seguinte, levei um virote de besta. Depois, Warren me encontrou amarrado em uma cadeira no meu escritório.

— Warren me salvou algumas vezes — falei.

— Bom, então você vai ter que tomar mais cuidado agora. — Eu tomei um golinho da aguardente. Hildra virou a dose dela de uma vez e pegou a garrafa. — Esse negócio não é feito pra saborear, não. Faço aqui no quintal. Por favor, pode beber.

Eu virei a dose e ela encheu nossos copos de novo.

— Você já ouviu falar do que a Companhia Niles está fazendo? — perguntei. — Que está abrindo uma usina de energia nova?

— Ah, ouvi uns boatos. Só acredito vendo.

— Eu já vi. Parece que as fornalhas vão entrar em operação de novo. O suficiente para conseguir fazer aquela fábrica de cerâmica funcionar, aposto. Você ainda é dona da fábrica?

Ela assentiu.

— Alguém dessa empresa veio ao funeral e tentou comprar nossos negócios. Não vou te insultar repetindo o que falei para ele.

— Ótimo. Não abra mão da fábrica.

— Você acha mesmo que eles vão fazer o que estão falando?

— Acho que têm uma chance melhor do que já achei possível.

O único problema era Hendricks. E Linda e Tippity e aqueles magos e quem quer que eles tivessem convencido a se engajar naquela cruzada. Será que conseguiriam vencer as pistolas de Thurston? Eu não queria estar por perto para descobrir, e não queria que Hildra estivesse também.

— É melhor você sair da cidade por um tempo. Tem um pessoal que odeia a Companhia Niles ainda mais do que você, e eles estão criando uma confusão danada. A cidade toda está em perigo. É melhor ficar longe por um tempo e voltar quando tudo acabar.

Ela me deu outro daqueles sorrisos-carranca indecifráveis.

— Sr. Phillips, este é o meu lar. É o *nosso* lar. Mesmo que eu quisesse ir embora, sou mais velha que meu marido. Meu corpo está tão doente quanto o dele. Vou ficar nesta cidade até o fim.

Peguei o embrulho de couro no bolso e pus em cima da mesa, ao lado da garrafa de aguardente.

— Vim aqui porque queria trazer isto para o seu marido. Peço perdão por chegar tarde demais.

— O que é?

Ela abriu o embrulho, revelando os cacos opacos de vidro roxo.

— Chifre de unicórnio. Sei que parece ridículo e não tenho ideia de que vá te ajudar, mas era ideia de Warren, não minha. Parece que Rick Tippity achava que poderia transformar isso em algum tipo de poção curativa. Você pode tentar, se quiser. Espero que ajude.

Hildra se recostou na cadeira, parecendo surpresa pela primeira vez. Tão quieta. Sem nem sorrir. Sua boquinha bem desenhada estava aberta.

Eu me preparei para o ataque. Esperei que ela gritasse. Que me perguntasse por que não havia trazido aquilo semanas antes, quando ainda havia tempo de salvar o marido. De lhe dar uma chance. Eu estava pronto para os gritos. Eu merecia.

Só que ela começou a rir. Não apenas rir. Gargalhar. Arfando e apertando a barriga, com lágrimas escorrendo pelas bochechas. Apontando para mim e batendo nas coxas gordas com a palma das mãos. Fiquei ali parado, pálido, me perguntando onde estava a piada que eu claramente havia perdido.

— Ele sabia. ELE SABIA! — As risadas sacudiam o corpo dela como uma carruagem em uma estrada esburacada. — Warren sempre disse isso. Você está, *sim*, procurando magia. — Ela apontou o dedo gordinho para a minha cara. — Olha só como está todo sério. Você é igualzinho ao que ele contava. Todo tenso. Sempre emburrado. Mas, no fundo — ela me cutucou no peito —, você é um sonhador.

A risada dela se transformou em tosse e ela teve que beber mais da aguardente para parar.

— Olha, Hildra, eu só sabia que ele estava procurando por isso. Não estou dizendo que ache que vá adiantar, mas…

Ela bufou e eu achei que ia sair aguardente pelo seu nariz.

— Você é tão emburrado! Por que o fato de eu achar que você está procurando a magia te deixa tão irritado?

— Porque eu não estou.

— MAS POR QUE NÃO? — A risada parou. As estatuetas de porcelana tremeram nas prateleiras. — O que mais você vai fazer, sr. Fetch Phillips? Continuar por aí, sem fazer nada, fingindo que se importa em tornar as coisas melhores?

— Olha, eu não sei o que Warren te contou sobre mim.

— Ele me contou o suficiente. Você acha que quer morrer? Meu marido não teve escolha. Mas até o fim, ele nunca parou de tentar melhorar a minha vida. A vida dos amigos dele. E ele estava doente. Você não está.

— Isso significa que tenho que tentar fazer alguma coisa ridícula?

— Você acha que é ridículo lutar por algo melhor? Você não tem ideia de como está sendo ridículo. Andando por aí de cara feia, como se carregasse o mundo nas costas, e o tempo todo com um milagre escondido no bolso. — Ela pegou um caco pequeno da pilha e o separou na mesa, depois embrulhou o restante de volta. — Talvez isso aqui não passe de vidro. Talvez a magia tenha sumido de verdade e em breve todo mundo no mundo morrerá. Mas e se tiver uma forma de mudar isso e você nem tentar, porque está com medo de parecer bobo?

— Há homens mais apropriados do que eu para tentar fazer isso.

— É claro que sim. Talvez você possa ajudá-los. Talvez você tente e não consiga e, no fim, isso não faça diferença para ninguém. E daí? — Ela estendeu o embrulho para mim. — Vou pegar um pedacinho disso e ver o que posso fazer por mim. Você pode ficar com o resto. Warren não ia querer desperdiçar se estivesse vivo. Me prometa que não fará isso.

Pus o embrulho de volta no bolso.

— Prometo.

Estendi a mão para o meu copo de aguardente, mas Hildra o tirou de perto.

— Você não acabou de me falar para sair da cidade porque alguma coisa ruim vai acontecer?

Engoli em seco.

— Sim.

— Você pode fazer alguma coisa para impedir?

— Não sei.

— Pode tentar?

— Bom... posso.

— Então por que não faria isso?

Quinze minutos depois, eu estava no cemitério Gilded. Atravessei por entre os túmulos, entrei na cripta e empurrei a tampa do caixão.

Ainda estava lá. A minha máquina. Com mais uma cápsula de poeira do deserto esperando para ser disparada.

Pus a pistola no coldre e marchei para a guerra.

78

O dia desapareceu e outra noite de inverno chegou para sufocar a cidade. O ar cheio de fumaça trazia vozes em pânico de uma rua para a próxima. Olhos espiavam por trás de cortinas, se perguntando se era mais seguro permanecer em casa ou estar lá fora, buscando uma resposta sobre o que estava acontecendo.

A delegacia estava cercada: guardas de rua de ar tímido, detetives querendo subir na vida e um capitão de cara vermelha sofrendo sob a pressão. Subi as escadas ouvindo trechos das conversas. Donos de negócios exigindo proteção. Líderes de comunidade reunindo informações para levar de volta aos seus bairros. Não era nada comparado ao caos lá dentro.

Atravessei as portas logo à frente de um menino de recados que estava voltando com um relatório. Um grupo de oficiais superiores se reuniu em torno dele para ouvir a atualização sobre o estado das coisas na cidade. Nenhuma das notícias parecia boa: um prédio destruído aqui, um incêndio fora de controle em outro lugar. Pequenas equipes haviam sido enviadas para ajudar os civis ou coletar informações mais precisas. Aparentemente, ninguém entendia o que estava acontecendo, nem tinha ideia de como controlar a situação.

Eu não era o único que pensava assim. Um dos engravatados da Niles estava gritando com Simms, exigindo que a polícia fosse enviada para proteger um ativo particularmente valioso da empresa. Eu tentava chamar a atenção da detetive quando alguém pousou a mão pesada no meu ombro e me girou.

— Seu filho da mãe!

Tentei recuar. Em geral, quando alguém me segurava e me chamava de coisas desse tipo, logo depois vinha um soco. Mas os braços envolveram minhas costas e me apertaram. Quando consegui respirar, constatei o infame mau hálito do sargento Richie Kites.

— Alguém acabou de explodir a prisão. Achei que você ainda estivesse lá. Como escapou?

— Fui liberado por bom comportamento.

— Porra nenhuma.

— Simms me soltou.

— Gostava mais da sua primeira resposta.

Indiquei o engravatado de terno cinza que gritava com ela.

— Por que os capangas da Companhia Niles estão vindo pedir a ajuda de vocês? Eles não têm armas suficientes?

— Que armas?

— A fábrica na reserva Brisak está cheia de máquinas de matar. Centenas delas.

— Deve ter sido por isso que foi o primeiro alvo de Tippity. O prédio todo está coberto de gelo.

— Puta merda.

— Pois é.

Isso tornaria as coisas mais equilibradas. Alguns dos homens de Niles já tinham pistolas, mas ninguém sabia quantos seguidores Hendricks conseguira reunir.

— O que mais eles fizeram?

— Derrubaram alguns prédios. Mataram alguns trabalhadores. Não sei qual é o plano deles, além de destruir coisas.

— Pelo jeito como Hendricks estava falando, acho que *esse* é o plano. — Richie me olhou com uma cara estranha e percebi que estava na hora de explicar algumas coisas para ele. — Vou tentar te contar tudo rapidamente.

Saímos de perto dos outros policiais e tentei transmitir toda a informação que podia em alguns minutos. Eu e Richie nos conhecemos durante nosso tempo como pastores. Ele conhecia Hendricks. Conhecia o Hendricks de antes, pelo menos. Mas estava em Sunder desde a Coda e precisou de menos convencimento do que eu para decidir de que lado lutar.

— Mas, mesmo que ele queira, como poderia destruir uma cidade inteira? — perguntou Richie. — Você mesmo falou que aqueles feitiços dos feéricos não são tão fortes assim.

— Não sei. Só sei que ele vai tentar.

Simms se afastou do engravatado e se aproximou da gente.

— Parece que a batalha está indo para o centro.

— Para o estádio — falei.

— Como você sabe disso?

— Porque Niles tem uma operação gigante por lá. Ele tomou os túneis que levam até as fornalhas subterrâneas.

— Por quê?

Ainda parecia ridículo.

— Porque o fogo continua lá. Ele nunca deixou de estar lá. Niles dirá que a energia é dele e vai vender isso para a cidade de novo. Tippity fará o que puder para impedi-lo, mesmo que isso signifique destruir a cidade toda. — Eu vi as perguntas surgirem na cabeça deles, mas não havia tempo para respostas. — Se eles já estão no estádio, temos que ir para lá também.

Mas precisamos de alguma forma para enfrentar a magia de Tippity. Só cassetetes não bastam.

— Não temos mais nada — disse Richie.

— Na verdade, têm, sim. Onde vocês puseram todas as coisas que confiscaram da farmácia de Tippity?

Simms parecia muito desconfiada. Eu não a culpava.

— Lá nos fundos.

— Me leve até lá agora.

A sala das evidências era o sonho de qualquer fora da lei. Prateleiras e mais prateleiras de contrabando: virotes de besta com ganchos e flechas envenenadas, gavetas cheias de lâminas de todo tipo, um armário lotado de notas falsas e caixas de documentos secretos implorando para serem usados como chantagem.

As posses de Tippity haviam sido enfiadas em um canto, entre um canhão portátil e um boneco inflável anatomicamente correto de um centauro. Simms tirou as tampas dos três caixotes de madeira.

— Aqui está a maior parte das coisas. Os corpos de feéricos foram para o necrotério, e algumas das substâncias mais potentes... sumiram.

Dentro dos caixotes havia alguns objetos familiares: vidros de líquidos sem identificação, placas de petri, sabonetes, colírios e luvas.

— Ah, e as... coisinhas também não estão aqui — disse Simms. — As bolinhas de dentro dos feéricos. Como aquela que você me deu. Enterramos as que achamos. Sinto muito, você falou para cuidar delas e...

— Não. É bom. Eu não ia usar aquilo mesmo.

Revirei as caixas até encontrar o que buscava: um recipiente robusto de bolinhas de vidro, cada uma com algumas gotas de um líquido cor-de-rosa.

Segurei uma delas contra a luz.

— Isso daí não é só ácido? — perguntou Richie. — Achei que precisava de alguma coisa dos feéricos para funcionar.

— Precisa, mas eu tenho outra coisa. — Procurei pelos engradados, mas não encontrei as bolsinhas de Tippity. — Só precisamos fazer um pequeno experimento.

— *Experimento?* Fetch, temos policiais arriscando a vida lá fora. Não tenho tempo para ficar de brincadeira.

Tirei a bota e a meia. Depois de dias sem me lavar na prisão, até eu estava sentindo o fedor. Nem conseguia imaginar como devia estar para Richie e Simms. Eles deram um passo para trás quando peguei a meia e enfiei a bolinha de vidro lá dentro.

Então tirei o embrulho de couro do bolso, pousei no chão e o abri. Os cacos opacos de chifre de unicórnio não pareciam muito impressionantes.

— O que é isso? — perguntou Richie.

Peguei um pedaço do tamanho de uma ervilha. Parecia pequeno demais, então escolhi um do tamanho e formato de uma amêndoa, coloquei dentro da meia e fiquei de pé, com a meia pendurada na mão fechada.

— Não é melhor a gente ir lá para fora? — perguntou Richie.

— Não temos tempo para isso! — rosnou Simms.

Era a minha deixa.

Eu joguei minha meia suada na direção de algumas armaduras penduradas na parede oposta. A meia atingiu o metal com um barulho baixo e nada impressionante, aí caiu no chão. Quando isso aconteceu, ouvi a esfera de vidro se quebrar.

Nada.

— Merda. — Chutei a caixa. — Achei que...

BUUUM.

Meu primeiro pensamento foi que Richie tinha me socado. Era como se tivesse batido com um dos seus punhos enormes no meio do meu peito. Mas eu não era o único caindo para trás. Nós três voamos quando a meia se transformou em um vazio pulsante roxo. Uma ventania soprou meu cabelo para trás e fez arder meus olhos. Minhas orelhas estalaram como se estivessem cheias de espuma. Era como se todas as partes do meu corpo vibrassem, mas eu não sentia dor. Era estranhamente agradável. Como estar debaixo d'água sem precisar se preocupar em respirar.

Eu não conseguia me levantar. Não conseguia sequer me mexer. A gravidade me puxava para baixo e parecia que o chão agarrava minhas costas. Meu peito, pela primeira vez em anos, não doía nem um pouco. Eu estava feliz de ficar ali, totalmente imóvel, pelo tempo que me permitissem.

Será que se passaram segundos ou minutos? Não importava. Em algum momento, o vazio se desfez e virei a cabeça na direção de Simms e Richie, que pareciam estar piscando para despertar de um torpor semelhante.

Simms respirou fundo e encontrou a voz primeiro.

— Richie, precisamos do maior número de meias que você conseguir encontrar.

79

Richie não tinha condição de juntar os suprimentos sozinho, mas a explosão chamara a atenção de vários cabos, que se aproximaram e seguiram as ordens da detetive reptiliana caída no chão. Eles nos carregaram até o refeitório e nos deixaram sentados em um sofá velho enquanto o sorriso bobo não saía da nossa cara. Era como se eu tivesse mascado um maço inteiro de Clayfields depois de tomar um litro de chá de camomila e de uma boa trepada.

Não era como ser atingido por um dos feitiços de Tippity, em que a essência do elemento atingia você na cara. Era como se alguém tivesse sugado toda a força do seu corpo e te transformado em uma nuvem.

Virei a cabeça para o lado. Richie estava sorrindo que nem um palhaço.

— Você falou *unicórnio*? — perguntou.

— Aham. Encontrei um na estrada para o vale Aaron.
— E você abriu a cabeça dele que nem as dos feéricos?
— Não. Isso é... diferente.
— Como?

Por sorte, Simms se intrometeu para me salvar. Sua sibilância estava ainda mais carregada que o normal.

— Dizem as lendas que, quando os cavalos comeram as maçãs da árvore sagrada, um pedaço de pura magia se prendeu à mente deles. É diferente dos feéricos. Isso é mais como encontrar um pedaço do próprio rio.

Richie girou a cabeça e arregalou os olhos.

— Caceeeeete... — falou. E a gente caiu na risada.

Levou vinte minutos para o efeito passar. Aí, devagar, a dor desconfortável no meu peito voltou, e a gente se lembrou de que havia uma guerra lá fora. Ajudamos um ao outro a levantar, enchemos a cara de café ruim da delegacia e logo a adrenalina voltou às nossas veias.

Era uma noite calma e sem vento, e eu estava em um exército de novo. Da última vez, tinha sido um bando de humanos cujo destino era estragar o mundo. Agora, eu estava do lado da força policial de Sunder City: ogros, anões, gnomos, reptilianos e mais, todos com meias coloridas penduradas nas mãos. Cada meia continha uma das esferas de ácido de Tippity ao lado de uma pitada de chifre de unicórnio. Testamos a quantidade mais uma vez antes de sair e decidimos que aquilo era suficiente.

Eu estava com a máquina junto às costelas e a faca e o soco-inglês nas mãos. Simms tinha uma besta. Richie tinha os punhos. Os civis estavam todos dentro da delegacia, se escondendo, enquanto marchávamos na direção sul, em direção ao som das explosões.

Passamos por uma área incendiada. O corpo de um gnomo usando o uniforme da Companhia Niles ardia na estrada.

— Apague o fogo — disse Simms a um jovem policial, que ficou aliviado por ter um motivo para ficar para trás.

A anomalia seguinte no caminho foi um policial humano que veio correndo em nossa direção. Mas ele não chegou muito longe: seu corpo inteiro estava envolvido por uma camada de gelo mais espessa na parte inferior, como se tivesse crescido da terra e desabrochado da pele em pontas afiadas. Outra dupla de policiais se separou do bando para tentar ajudar.

As luzes elétricas do estádio apareceram e o campo de batalha se abriu diante de nós. Os trabalhadores lutavam para se esconder atrás de máquinas e montes de terra, enquanto uma bola de fogo recém-conjurada atravessava um palete de madeira.

— Derrubem quaisquer agitadores do lado de Tippity — ordenou Simms. — Isso significa qualquer um usando mágica que não esteja do nosso lado. A Companhia Niles também não está acima da lei, não. Fiquem de olhos abertos. Lembrem-se de tudo que acontecer. Vai ter gente presa e vai ter gente julgada. Não vamos perder a cidade esta noite!

Nós nos espalhamos em torno do estádio, que já não era mais um estádio. As arquibancadas ainda estavam lá, mas o restante do campo era um canteiro de obras. Pilhas bagunçadas de madeira e buracos de terra escavada, mas aqui e ali havia tendas iluminadas. As tendas ficavam acima de buracos na terra que deviam levar até os túneis lá embaixo.

Inúmeros funcionários da CN estavam alinhados em torno daquelas tendas. Então aquele era o objetivo: Hendricks e suas tropas queriam chegar aos subterrâneos da cidade, e os funcionários de Niles tentavam mantê-los longe. Nosso trabalho era controlar os dois lados.

Segui para a direita, junto com meia dúzia dos policiais. Alguns metros à frente, dois magos cruzaram nosso caminho.

O policial de cabelo loiro ao meu lado ergueu os olhos para mim como se eu estivesse no comando.

Assenti energicamente (o que era a única coisa que pensei em fazer), e o policial entendeu que eu estava concordando.

— Mãos ao alto! — gritou ele. — É a polícia!

Os magos se viraram, viram nosso esquadrão e algo próximo de animação surgiu no rosto deles. Estavam felizes por poderem testar suas novas habilidades. Enfiaram a mão sob as capas.

— Eu disse mãos ao alto!

Uma policial do meu grupo resolveu não esperar. Ela arremessou a meia cor de laranja e acertou um dos magos bem no peito. A esfera rachou na hora e, antes de bater no chão, explodiu com uma luz roxa. Bom, não era exatamente luz. Era o oposto de luz, mas também o oposto de escuridão. Também não era bem roxa. Havia alguma ideia de roxo ali, mas também de amarelo, de medo e de luz das estrelas. Mas não estrelas de verdade, mais como as estrelas que você vê quando leva uma porrada na cabeça.

Um dos magos caiu no chão com um baque audível. O outro foi atirado à lateral de um grande engradado de madeira e ficou grudado ali, como se estivesse coberto de cola. Os dois ainda estavam vivos, só haviam sido derrubados pela gravidade mágica e, agora, estavam em um estado não violento.

Com cuidado, os policiais se aproximaram e algemaram os magos enquanto eu continuava. Vi lampejos de luzes coloridas no ar e explosões fazendo tudo em volta tremer. Eu me mantive perto dos paletes de tijolos e madeira, tendo vislumbres da confusão dos rebeldes ao nosso redor. Eles não eram os únicos. Os funcionários da Companhia Niles estavam prontos para defender a nova empresa com barras de metal, pás e quaisquer outros restos que pudessem ser usados como arma.

Eu me enfiei embaixo das arquibancadas e procurei por uma abertura que me levasse lá para baixo. Espiando por entre os assentos, vi uma briga entre trabalhadores, policiais e rebeldes — uma confusão tão grande que era impossível dizer quem estava ganhando. Passei por aquele grupo, torcendo para conseguir fugir dos peixes pequenos e encontrar os tubarões.

Passos. Ouvi bem a tempo. Quando girei, um anão com um martelo de unha tentou acertar minha cabeça. Todos os policiais estavam de uniforme, mas eu usava minha jaqueta customizada da Opus. Para ele, eu devia parecer outro dos malucos de Eliah. Ergui as mãos e recuei, torcendo para ter tempo de explicar que não estava ali para machucá-lo. Então uma explosão na batalha ao nosso lado iluminou nossos rostos.

— Seu filho de uma puta!

Era o anão metalúrgico do Fosso. Clangor. O que levou muito para o lado pessoal o fato de eu ter expulsado a família dele da casa à beira do rio.

Não importava mais que eu não quisesse brigar com ele, porque Clangor esperava uma desculpa para me machucar fazia meses.

— Eu sabia que você era um merdinha do mal.

Ele não parava de me atacar, e eu recuava, protegendo a meia na minha mão mais do que meu próprio corpo.

Eu já brigara com muita gente na vida, mas normalmente era gente do meu tamanho. Não era fácil evitar ataques que vinham tão de baixo. O martelo bateu no meu quadril e acabei trombando em um daqueles bonecos de treinamento, como o que eu tinha usado para testar a máquina. Segurei um dos sacos de pancada entre o anão e eu, e a arma dele ficou presa no estofo. Empurrei o manequim bem na cara do anão, que perdeu o equilíbrio e caiu de costas. Então chutei o martelo da mão dele e o prendi com o joelho.

— Seu babaca!

Ele não tinha como me tirar dali, mas eu não sentia satisfação nenhuma em vencer aquela briga. Seu orgulho estava tão ferido que minha vontade era mais de lhe dar um abraço do que um soco. Mas eu não tinha tempo para aquilo. Pulei e continuei correndo, sabendo que suas perninhas não conseguiriam me acompanhar.

Quando saí em campo aberto, a primeira coisa que vi foi Richie arrastando um mago pela grama molhada, com dificuldade para algemá-lo. Foi bom ver Kites em ação novamente. O grandalhão passara tempo demais atrás de uma mesa. O mago estava batendo nele, mas dava para ver que o velho pastor estava se divertindo.

Atrás dele, uma figura saiu das sombras. Ele estava de banho tomado, mas seria necessária uma vida inteira de limpeza para tirar aquele olhar presunçoso de seu rosto. Rick Tippity jogou uma de suas bolsas em um longo arco bem na direção de Richie. Corri em direção a ele. Desesperadamente.

— Richie! Cuidado!

Ele se virou para olhar para mim, e o projétil explodiu no chão ao seu lado. Uma explosão de fogo, mas nada como da última vez. Aquele não era o lampejo capaz apenas de torrar sobrancelhas que eu tinha visto. Era um ciclone, uma espiral desgovernada de chamas que se espalhavam em todas as direções e ardiam em direção ao céu.

Richie foi jogado na minha direção e caiu de cara na lama. As chamas continuavam rugindo atrás dele, saindo do lugar em que a bolsinha caíra. Eram tão fortes que eu não tinha como me aproximar dele sem me enfiar no fogo.

Richie se arrastou para a frente, o uniforme ardendo.

Assim que ele estava longe o bastante da fonte, corri e agarrei seus braços. As chamas lamberam meu rosto, mas de leve. O feitiço estava diminuindo, enfim. Arrastei Richie até um caminhão estacionado e usei um pedaço de lona para apagar o fogo nos seus ombros e na bunda. Parte das roupas tinham queimado até a pele, mas só seria possível avaliar a gravidade das queimaduras no centro médico.

— Achei que você tinha falado que era só um susto de luzes e cores — resmungou ele.

— Tippity deve ter atualizado a fórmula.

Eu não sabia exatamente como. Ele disse que feéricos diferentes produziam diferentes níveis de poder, mas aquilo parecia outra coisa.

Voltei o olhar para a parte queimada da grama, tentando imaginar como Tippity tinha melhorado o poder de suas esferas, e foi aí que notei que a lona em todo o campo estava se agitando ao vento. Um minuto antes não havia nem uma brisa, mas agora parecia uma tempestade. Respirei fundo e o ar poluído de Sunder agora parecia um vento fresco de montanhas.

Elemental de ar. Não havia somente uma esfera de fogo naquela bolsinha: a essência de um elemental de ar também fora acrescentada ali. Com o vento mágico alimentando o fogo, Tippity conseguira aumentar consideravelmente seu poder. Eu me perguntei se aquela era uma ideia dele ou de Eliah.

— Fique aqui — falei para Richie. — Vou cuidar do bruxo e depois peço para alguém vir te ajudar.

Ele resmungou.

— Cala a boca, Fetch. Ainda não acabei.

— Você está com metade da bunda de fora!

— Isso só é problema pra quem está atrás de mim.

A gente ficou de pé em um pulo. Richie saiu correndo atrás de outro anão doido, e disparei em direção ao ponto de onde Tippity tinha surgido.

Virei uma curva e o encontrei olhando para o outro lado, se aproximando de um grupo de jovens policiais que pediam timidamente que ele se rendesse. Mas ele estava bêbado de poder e tinha uma dezena de bolsinhas de couro penduradas no cinto.

Encaixei o soco-inglês nos dedos. O chão estava úmido. Ele não ouviria meus passos. Só algumas costelas e ele estaria fora de combate. Tippity adorava falar, mas ainda não tinha aprendido a aguentar a dor.

Ergui o cotovelo, ajeitei a postura e ia começar a correr quando o mundo explodiu em branco.

CRACK!

Um trovão explodiu ao meu redor. Eu crepitava. Não conseguia abrir as mãos ou a boca. Meus olhos estavam fechados, mas tudo era claro demais. Uma luz vermelha iluminava as capilaridades nas minhas pálpebras. Senti o chão atingir meus joelhos, depois meu ombro, e aí a lateral da minha cabeça.

Um elemental de raio. Tippity diversificara. Outra criatura rara destruída só para que ele pudesse sentir um pouco de magia de novo.

Mas aquele ataque não tinha vindo de Tippity. Havia outra pessoa atrás de mim. Alguém que gargalhava como uma tempestade e de forma tão poderosa quanto o feitiço que atingira minhas costas.

Fiz força para abrir os olhos, mas havia tantos pontos brilhantes na minha visão que não consegui identificar nada. Todo o meu sistema nervoso vibrava, todos os ossos estalavam nas juntas.

Então, uma voz.

— Eu te avisei, jovenzinho! Olhe só para mim!

Wentworth.

Meu amigo mago bebum de nariz comprido do Fosso estava recuperando a magia que perdera desde a Coda. Sua risada maníaca chovia dos céus. Pisquei até as faíscas sumirem da minha vista e percebi que ele estava na mesma lanterna em que eu me escondera quando eu e Warren conhecemos Linda.

Eu me sentei, mas mal conseguia abrir as mãos. Wentworth soltou um berro assustador e ergueu mais bolsas acima da cabeça.

— Está sentindo isso? Nós estamos de volta ao lugar de onde nunca deveríamos ter saído!

BANG!

O som inconfundível de uma pistola e a visão inconfundível de uma bala de chumbo explodindo o cérebro de Wentworth. Um jato de sangue preencheu o céu e ele caiu de costas lá de cima.

Wentworth caiu devagar, como se o corpo fosse feito de grama seca e algodão. Quando bateu no chão, porém, foi uma história bem diferente. Não sei quantas bolsas ele tinha, mas todas explodiram ao mesmo tempo. O raio não havia deixado meu corpo, mas eu tinha recuperado controle o suficiente para me virar e dar as costas para a explosão. Ela me atingiu como um touro. Vento, raio, fogo, gelo e tudo mais que Wentworth tinha enfiado na cueca explodiu ao mesmo tempo.

O idiota da Companhia Niles de terno cinza-escuro responsável pelo tiro mal teve tempo de sorrir antes de ser derrubado por Simms, que o rolou de bruços e o algemou.

Eu não sabia dizer se sentia frio ou calor. Não sabia se escapara a salvo ou se minhas costas tinham sido incineradas ou congeladas ou transformadas em cogumelos venenosos. Tippity e seus seguidores rastejavam por baixo das arquibancadas, jogando bolsinhas para ter cobertura. Pés corriam ao meu redor: as botas de policiais e mineiros pisoteando o antigo estádio. Eu me levantei e estendi os dedos trêmulos para as minhas costas. Estavam cobertas de fuligem e rasgos, mas sem sangue. Meu casaco me salvou.

A sensação era de que eu tinha acordado de uma soneca de um ano embaixo de sol. Estava atordoado. Cozido de dentro para fora. Mas segui em frente com todos os outros. Não tinha outra opção. Porque queria ser ter o prazer de derrubar Tippity eu mesmo.

Os homens em uniformes da CN ao meu redor avançavam. Talvez todos desejassem a mesma coisa que eu. Derrubar o criminoso que eu transformara em inimigo público número um. Mas havia tantos deles. Tippity escolhera o local mais movimentado da Companhia Niles para sua batalha. Claro que sim. Ele queria aparecer. Queria mostrar a todos o tamanho de seu poder.

Porém, Tippity não era o verdadeiro vilão, era?

Eu parei.

O que estava sendo feito ali, além da demonstração de poder de Tippity? Sabotagem, é claro. Se a guerra fosse só contra a Companhia Niles, aquilo faria sentido. Mas Hendricks tinha planos mais ambiciosos, e ele não estava ali.

Isso era uma distração. Um chamariz para nos manter lutando enquanto ele ia atrás de algo maior.

Mas o quê?

O armazém na reserva Brisak estava coberto de gelo, e roubar mais pistolas não parecia o estilo de Eliah. Não neste momento. Ele precisava causar danos de verdade.

O tipo de dano que é possível causar com um depósito cheio de poeira explosiva do deserto.

Merda.

Bolsas com todas as combinações mágicas saíram voando das frestas nas arquibancadas. Engravatados da Companhia Niles revidaram com suas máquinas. Os trabalhadores jogavam tijolos e ferramentas. Simms, tendo subjugado o assassino de Wentworth, dava a volta pelo estádio, procurando uma maneira de passar por baixo das arquibancadas sem levar uma bola de fogo na cara.

Meus punhos já tinham recuperado alguma sensibilidade, e tudo o que eles queriam fazer era apagar Tippity. Isso seria bom. Seria fácil, comparado à alternativa. Mas aquela não era a minha batalha. A verdade era essa. Minha batalha era com meu velho amigo.

Dei as costas para os fogos de artifício, encarei as sombras e corri.

80

Centenas de caixotes de poeira do deserto explosiva, cada um com poder suficiente para explodir um quarteirão da cidade. Esqueça os feitiços de Tippity; eles não eram nada comparados ao que Niles escondia naquele armazém. Na última vez em que Hendricks estivera lá, tinha acabado de levar um tiro e estava quase desmaiando, mas isso não o impedira de ver o prêmio em potencial que encontramos sem querer.

As portas pesadas tinham sido abertas à força, dobradas para trás e torcidas nas dobradiças, mas estava mais silencioso ali do que no estádio. Nenhum policial. Nenhum engravatado de guarda.

Eu tinha perdido minha faca, mas ainda estava com meu soco--inglês. Fiquei abaixado, abrindo e fechando a boca e os dedos para liberar a tensão causada pelo choque elétrico. Ouvi a voz de uma mulher, mas não consegui entender o que ela dizia. Fiquei do lado de fora prestando atenção e ouvi metal batendo em metal: eles estavam fechando a porta do elevador. Corri para dentro.

Hendricks estava na jaula, cercado por caixotes. Linda Rosemary estava ao lado dele.

Os olhos do meu velho amigo encontraram os meus. Não havia mais aquela alegre familiaridade. Nem mesmo frustração ou decepção. Apenas tédio, ou algo parecido. Ele disse algo para Linda, que não consegui ouvir de onde estava, do outro lado do armazém, mas ela saiu do elevador e fechou a porta atrás de si.

Hendricks puxou a corrente e a gaiola desceu e saiu de vista, deixando Linda para trás, para me impedir de segui-lo. Ela tirou as luvas e percebi que nem todos os sinais animalescos a deixaram quando a magia desapareceu. Seus braços eram cobertos de pelos pretos pintalgados. As unhas pareciam ainda mais longas sem as luvas, e mais afiadas do que nunca.

Caminhei até o centro do armazém. Ela esperou onde estava.

— Você deveria ter ficado na sua cela.

— E esperar o chão sumir debaixo dos meus pés? Quanta poeira Hendricks levou?

— O suficiente.

Ela deu o primeiro passo na minha direção e continuou se aproximando.

— Linda, isso não é certo.

— Não ouse me dizer o que é certo, soldado. — Ela já estava na metade do caminho. — É você que quer entregar o mundo para as mesmas pessoas que foderam com tudo.

Ela me deu um tapa. Isso pode soar misericordioso, mas um soco teria protegido minha pele das unhas dela. Meio segundo depois de ela me acertar, ouvi o som úmido do meu sangue atingindo o chão.

Não revidei.

— Desta vez — continuou ela —, não vai ser um bando de homens em uma montanha que vai decidir o que acontece comigo.

Ela veio por baixo do queixo no próximo golpe. Foi uma surpresa ruim que fez meus dentes estalarem. Tive uma sensação áspera quando um canto de um dente se partiu.

— Você tem razão. — Eu cuspi os fragmentos da língua. — Não foi justo. Você não teve controle sobre o que te aconteceu. Então por que está fazendo a mesma coisa com as pessoas dessa cidade?

Ela não queria ouvir. Queria que eu revidasse. Mas eu não estava nem me defendendo.

— Você não entende! — Ela cerrou o punho peludo e me acertou no olho esquerdo, fazendo minha cabeça ir para trás. Lá estavam as estrelas. — Você não entende porra nenhuma.

— Eu sei. — Larguei o soco-inglês, que estalou no chão. Ela percebeu o gesto, que pareceu só deixá-la mais irritada. — Eu sei que eu não... consigo, porque não me afetou. — Ela me chutou no peito, e eu caí de joelhos. — Não sei como olhar para isso de longe. Então me diga você o que devo fazer.

Ela ergueu a mão bem alto e deu um golpe forte no meu rosto. Uma das garras prendeu no meu lábio, forçando por um segundo, então o atravessou, deixando um corte sangrento. Um rio vermelho escorreu pelo meu peito.

— Linda. — Minha voz estava toda estranha por ter dois lábios inferiores. — Você é esperta. Mais esperta do que eu. Você já viu essa cidade de fora. Sabe como ela é. Mas e se pudermos ser melhores? — Ela usou a mão esquerda para o próximo golpe. Não foi nem um pouco mais fraco; a felina era ambidestra. — Recuperamos as fornalhas. Você tem ideia do que isso significa para as pessoas? Do que isso pode fazer?

Ela me chutou na cara. Mais sangue no chão. Mais areia na minha boca.

— Isso vai dar poder aos homens que não deveriam tê-lo. — Ela estava chorando? Eu estava? — Vai impedir o resto do mundo de encontrar uma forma de seguir em frente. *Este não pode ser nosso novo mundo.*

— Então vamos encontrar um mundo melhor. Tippity está jogando feitiços lá fora! Os policiais estão revidando com pedaços de chifre de unicórnio! Isso não te parece uma nova história?

Ela me chutou na barriga. Senti gosto de bile. Sorte que eu não comia nada havia dias.

— Linda, e se houver alguma chance?

— Alguma chance de quê?

Ainda era tão difícil dizer. Eu me forcei a ficar de pé e parar de babar.

— De recuperar a magia.

Ela pareceu enojada, mas parou de me atacar.

— No dia em que te conheci, você me falou que isso era impossível.

— E você me falou que eu estava errado. Que você conseguia sentir a magia dentro de você, esperando uma forma de sair. Eu não acreditei, porque não tenho isso dentro de mim. Não sinto isso. Mas já vi. As fornalhas ainda estão aqui, bem debaixo dos nossos pés. Como sempre estiveram. Bem como você falou. Então, o que mais tem por aí? Se você me deixar acabar com isso, eu prometo que vou passar todos os meus dias tentando encontrar.

Eu vi Linda pensando em me chutar de novo, mas ela não fez isso.

— Por que você? — perguntou.

Dei de ombros.

— Porque eu posso. Porque eu devo. Porque estou te dizendo que vou fazer isso. Não sou muita coisa, mas sou um homem de palavra.

Ela deu uma olhada para a jaula. Então se inclinou e me encarou bem nos olhos.

— Por que devo acreditar em você?

— Porque estou falando a verdade, e porque você sabe que é possível. Mas se a gente recuperar a magia e você tiver deixado todas essas pessoas morrerem aqui hoje, nunca vai se perdoar. Pode acreditar em mim. É melhor se arrepender das coisas que você não matou do que das que matou.

Então, vi aquilo morrer nela. Qualquer que fosse a história que repetia para si mesma a fim de se forçar a seguir em frente. Ela abriu os punhos e, de repente, pareceu exausta.

— Ele não vai mandar o elevador de volta — disse Linda. — Teremos que encontrar outro jeito.

Eu estava tremendo. Minhas pernas pareciam salsichas cruas.

— Vá tentar achar outro jeito de descer. Cuidado, tem uma guerra aí fora.

Segui para a jaula vazia aos tropeços.

— Você vai simplesmente esperar aqui enquanto faço todo o trabalho?

Ponha um pé na frente do outro, Fetch. Ignore as gotas de sangue e sua visão em túnel e o jeito como suas pálpebras estão inchadas.

— Talvez você não chegue a tempo — resmunguei. — Hendricks sabe que a distração de Tippity não vai durar a noite toda. Ele será rápido. Eu tenho que descer agora.

Sacudi a parede de metal do vão do elevador. Era feita de tela metálica. Nos buracos cabiam apenas quatro dedos ou a ponta da minha bota. Quando olhei para baixo, o vento quente bateu no meu rosto e uma gota de sangue caiu na escuridão infinita.

— Você vai descer por aí? — perguntou ela.

— Aham.

Agarrei o metal grosso na parte de dentro do vão do elevador, girei o corpo e enfiei os pés nos buracos. Meus pés já estavam doendo e parecia que minhas botas iam escorregar a qualquer momento.

A expressão de Linda não inspirava confiança.

— Tem certeza? — perguntou.

Assenti.

— Hoje é um dia tão bom quanto qualquer outro para deixar de ser um babaca.

Ela saiu do armazém e eu desci para as fornalhas.

81

Depois de alguns minutos, o medo bateu.

A escuridão lá embaixo se ergueu e me engoliu. Em pouco tempo, eu não conseguia ver absolutamente nada. Segurar a tela de metal já era difícil, mas encontrar os pontos de apoio para os pés era ainda pior. Sempre que eu encontrava um ritmo, minhas botas escorregavam pela beirada e eu me via pendurado pelos dedos cansados, a tela cortando a pele machucada.

O tempo perdeu todo o significado. Logo a dor seguiu o mesmo caminho. E a vida perigava acompanhá-los.

A queda seria o bastante. Era maior que os parcos cinco andares da porta do anjo. Meus dedos estavam cortados e sangrando, mas se recusavam a soltar. Minhas mãos continuavam presas. Meus pés encontravam apoio. Esperei que cometessem algum erro, mas não. Continuei descendo e mergulhando cada vez mais na escuridão.

O ar foi ficando mais quente. Suor misturado ao sangue. O mundo se tornou laranja, depois vermelho. Enfim, meu pé buscou o próximo apoio na tela metálica e encontrou uma superfície reta. Eu estava no último andar, de pé no teto do elevador. Também era feito da mesma tela, então era possível ver lá dentro. Todas as caixas ainda estavam lá, mas abertas, algumas quase vazias.

Fiquei de joelhos e procurei alguma forma de abrir a tela e entrar. Meus dedos eram inúteis. Minha visão, embaçada. Eu nem conseguia fechar a boca, porque meus lábios estavam cortados, e minha mandíbula, inchada.

Se uma pitada daquele pó era capaz de fazer uma bolinha de metal atravessar o crânio de alguém, o quanto seria necessário para explodir as fundações da cidade? Hendricks pretendia afundar a rua Principal bem acima da nossa cabeça?

Meus dedos estavam ferrados demais para mover o metal. Então comecei a pular. Várias vezes. Bati os pés no teto do elevador, sem parar. Estava fazendo um barulho enorme, mas minha intenção não era pegar Hendricks de surpresa. Eu só precisava chegar lá. Vê-lo. Falar com ele.

A tela se soltou das emendas aos poucos. Meu corpo caía um pouco a cada pulo, até que o teto inteiro cedeu. Caí pelo buraco e a tela metálica rasgada tentou me fatiar. Minha jaqueta me protegeu do pior, mas perdi mais um tanto de couro cabeludo. Mais cicatrizes. Se algum dia eu ficasse careca, minha cabeça pareceria um mapa topográfico.

Caramba, que calor. Fiquei de pé e saí da jaula. O chão era de pedra vermelha e o mundo rugia. Havia um túnel à frente, pelo qual segui. Alguns passos depois da curva, lá estavam. As fornalhas. Vales imensos, brilhantes, cuspindo luz como se o próprio centro do planeta desse uma festinha infinita.

O caminho amplo à minha frente se dividia em uma teia formada por pontes naturais e passarelas reforçadas com corrimãos e degraus de metal. Fui até a beirada e olhei para o abismo ardente lá embaixo.

Como deve ter parecido impossível para alguns, lá no início, que o poder daquelas chamas pudesse ser contido. Que, juntando algumas mentes, fosse possível domar aquela energia divina e caótica e usá-la para coisas tão simples e rotineiras quanto aquecer salas de estar e esquentar pão e fazer estatuetas para enfeitar suas prateleiras. Que ambição. Que arrogância. Que ridículo pensar em algo assim.

Os humanos nunca seriam capazes de fazer isso sozinhos. Foram necessárias todas aquelas mentes mágicas pensando juntas. Se Sunder acabasse agora, não seria possível reconstruí-la. Não como era. Aquela cidade era nosso pequeno e caótico milagre, e eu sabia que não podia deixá-la morrer.

O fogo não liberava fumaça, mas o vapor fazia tudo ficar embaçado. Não era de se espantar que os trabalhadores se cobrissem de cuspe de dragão para ir ali.

Havia colunas imensas para todos os lados: torres de rocha que suportavam a cidade nos ombros. Eu não conseguia ver Hendricks, mas imaginava que ele não se afastaria muito dos suprimentos no elevador. Me escorei em uma das colunas e senti o pé escorregar no chão arenoso.

Não. Não era areia. Era pó.

Eu estava pisando em um mar de explosivos.

"Ah, Fetch é um garoto com um coração cheio de pesar,
As coisas que ama sempre acabam por se esfacelar."

Hendricks estava parado no caminho, segurando um saco pesado, cheio da mesma substância sob meus pés. Na outra mão, carregava uma bolsinha de couro.

"Nunca sabe quando parar, porque se recusa a começar."

Ele estava tão pálido. As cicatrizes no rosto se destacavam como insetos sobre a pele. Seus olhos pareciam pretos.

— Eliah. Por favor.

"Aaaaah, que lindo garoto é o Fetch!"

A bolsinha veio voando na minha direção. Pulei para trás e pensei ter escapado do ataque, mas eu não era o alvo real. A bolsinha caiu bem onde meus pés estavam e explodiu. As chamas atingiram a poeira do deserto, chiaram e explodiram. Fui jogado para trás, direto para a beirada do abismo.

Eu rolei, deslizando pela pedra. Minhas unhas quebradas rasparam o chão até meus pés ficarem para fora da borda. Depois minha cintura. Fiz toda a força que consegui nos meus dedos ensanguentados, gritando, enquanto o ar quente chutava minha bunda.

Parei de deslizar bem na hora.

Bem na hora em que a coluna se dividiu em duas.

A base da pilastra se desfez em pedaços em cima da passagem, caindo no abismo. Onde a coluna se prendia ao teto agora havia um buraco imenso.

Água começou a jorrar por ali. Sabe-se lá de onde vinha: da tubulação da cidade, ou do canal Kirra? Um fluxo barrento cobriu a área, seguiu pela lateral e caiu no fogo. O vapor subiu, fazendo tudo ficar branco. Eu me ergui por cima da beirada, respirando o ar úmido e pesado. Não conseguia mais ver Hendricks. Não conseguia ver quase nada. Talvez ele tivesse sido esmagado. Talvez tudo tivesse acabado.

Escalei os destroços aos tropeços, o corpo inteiro dolorido. Tudo estava escorregadio, quente e barulhento. Eu estava coberto de suor, sangue e cansaço.

Uma silhueta em meio à neblina. Atravessei o vapor e, ao sair do outro lado, tive a verdadeira noção de onde estávamos.

Sem a primeira coluna bloqueando a visão, percebi que aquela caverna subterrânea se assemelhava a um relógio. Cada hora era uma ponte, e entre cada ponte havia outro abismo infinito. Hendricks estava de pé ao lado de uma pilastra imensa bem ao centro. Aquela era ainda maior do que a que acabara de ser destruída. Maior do que todas as outras. Dois canos de níquel subiam pelas laterais, atravessando o teto.

Ele jogou o saco de poeira aos seus pés, ao lado de mais dois do mesmo tamanho. Eu tinha acabado de ver o que um punhado de poeira conseguia fazer com uma coluna de rocha sólida. Aquela pilha faria a caverna inteira desmoronar em cima da gente.

"Ah, Fetch é um garoto com o cérebro do tamanho de um botão Sobrevive o tempo todo no olho do furacão."

Ele pegou uma bolsinha, mas seus dedos estavam trêmulos. A esfera de vidro escorregou e caiu no chão. O ácido fervilhou na pilha de poeira, mas não foi o suficiente para acender uma fagulha. Por enquanto.

"Já fodeu tudo duas vezes, mas que aporrinhação."

Os dedos trêmulos de Hendricks vasculharam a bolsinha, e ele tirou de lá a essência brilhante e vermelha de um elemental de fogo. Puxei a máquina do coldre.

— *Ah, que lindo garoto...* Você não vai atirar em mim, vai?
A luz vermelha pulsava em sua mão. Fumaça se erguia do chão nos pontos em que o ácido começava a acender a poeira do deserto. Encarei Hendricks nos olhos e, de repente, tudo ficou muito claro.
— Vou, Eliah. A não ser que você largue isso. Com cuidado. Agora.
Eu esperava que ele risse de mim. Ou largasse a esfera. Ou dissesse que eu estava blefando.
Mas não fez nada disso.
— É, garoto. Acho que vai.
Aqueles olhos. Sempre houvera um brilho malicioso neles. Um segredo escondido. Mas, acima de tudo, eles sempre foram cheios de compaixão. Pela mulher pedindo uns trocados. Pelo adolescente que falava demais. Por seus inimigos. Por seus alunos. Por todos. Por mais que Hendricks adorasse falar, ele raramente precisava fazer isso. Era possível aprender muito

sobre a vida só se enxergando no reflexo daqueles olhos verdes profundos e elétricos.

Não mais. Agora aqueles olhos estavam apáticos, vazios e sombrios.

O coração de Hendricks esfriara.

— Você tem que desistir, Eliah. Linda não vai mais te ajudar. Tippity está cercado de policiais. Você está sozinho.

— Mas você tem todos os seus amigos, né? A polícia de Sunder. Todos os funcionários de Niles. — Ele girou o coração do elemental do fogo entre os dedos. — Não posso deixar isso acontecer de novo. Desta vez, tenho que impedir.

— E eu não posso deixar. — Meu rosto estava molhado de vapor e sangue. — Eliah, estou disposto a viajar o mundo com você. Vou te seguir para onde quiser. Vou lutar até todos os meus ossos se quebrarem para a gente melhorar as coisas. Eu *vou* melhorar as coisas. Mas não podemos forçar as pessoas desta cidade a pagarem o preço.

Ele balançou a cabeça. Fiquei de olho em sua mão, implorando para que não abrisse os dedos.

— Eliah. Por favor. Pare.

— Eu era o alto chanceler da Opus, encarregado de proteger todas as criaturas mágicas deste mundo. Mas falhei. Entreguei nossos segredos a você, e agora tudo acabou. — Ele suspirou, e o fogo se refletiu nas lágrimas que dançavam na beirada dos seus olhos sombrios. — Era para ser para sempre.

— Ainda pode ser! Hendricks, por favor. A gente pode consertar isso. Juntos. Tem que haver um jeito.

Ele parou. Seus ombros relaxaram e a expressão tensa em seu rosto se desfez.

— Você vai mesmo fazer isso? — perguntou ele. Era uma pergunta sincera desta vez. Sem ironia ou descrença. Sem lições de moral. Ele realmente queria saber. — Você vai mesmo tentar consertar? Mesmo depois de tudo que viu?

Eu vi. Minha chance de falar com ele de verdade. Ele só precisava acreditar.

— Vou. Prometo. Eu tenho que tentar. Então, por favor, não me deixe fazer isso sozinho.

Ele sorriu. Um sorriso reconfortante e imenso. Cada parte do sr. Deamar evaporou e só restou meu velho amigo, o alto chanceler Eliah Hendricks, me encarando com aqueles olhos verdes tão sábios.

— Eu te falei — disse ele. — Estamos todos sozinhos.

Ele ergueu a mão. Não precisava. Poderia ter só deixado a esfera rolar de seus dedos. Mas ele me deu uma última chance de fazer a coisa certa.

Então, foi o que fiz.

A máquina explodiu com um estrondo que pareceu mais alto que nunca. Cheio de triunfo, como se seus próprios desejos finalmente tivessem sido realizados. Larguei a máquina e corri.

Hendricks tinha um buraco no peito. Tropeçou para trás e deixou uma linha de sangue na pilastra. Seus dedos soltaram a esfera. Pulei para agarrá-la, arranhando o corpo pelo chão e deixando Hendricks cair sem vida.

Agarrei a esfera com as duas mãos. O ácido queimou as mangas do meu casaco e recuei às pressas, mantendo o poder feérico o mais longe possível da poeira do deserto. Guardei a pedrinha no bolso do casaco e me voltei para Hendricks.

Havia sangue na parte da frente da camisa dele, mas não fluía mais. Seus dedos tinham parado de tremer. A boca estava aberta, com a língua imóvel sobre os dentes.

Comecei a chorar.

Agarrei seu corpo e o abracei. Fiquei ali, junto dele, soluçando em seu ombro entre arfadas doloridas de ar quente.

Por que eu não tinha feito aquilo quando ele voltara? No momento em que percebi que era ele, por que não o abracei e falei o quanto sentia sua falta? Por que não falei que senti saudades todos os dias em que fiquei sem ele? Por que eu só conseguira fazer isso agora, quando ele nem estava mais ali e já era tarde demais?

— Fetch! — Era Richie. As roupas queimadas caíam de seu corpo, e ele estava vermelho e sem fôlego. — Você está bem?

Não estava, mas assenti mesmo assim.

— Cacete — falou ele. — Esse aí é o...?

Assenti de novo. Richie se ajoelhou e examinou o rosto do seu antigo líder, talvez procurando algo familiar na face quase humana do homem no chão. Tentei encontrar alguma forma de explicar.

— Ele estava...

Richie olhou por cima do ombro. Além do rugir do fogo, havia outros sons. Vozes e passos.

— Você tem que sair daqui. Tippity morreu. Todos os homens dele foram mortos ou capturados. Agora Niles está tomando a cidade. Ele quer Deamar, mas também está atrás de você.

Olhei para o meu amigo. Para todas as outras pessoas, ele seria só o sr. Deamar, o rebelde louco que tentou matar todo mundo.

— Richie, não podemos deixar ele aqui. Precisamos cuidar dele e...

Ele agarrou a gola do meu casaco.

— Vou cuidar disso. Prometo. Mas você precisa dar o fora daqui. Gritos agora. Luzes. — Eles estão vindo dos túneis por baixo do estádio. A gente tem que dar um jeito de você sair escondido.

Ele estava tão preocupado. Comigo. Tirei suas mãos do meu casaco e o abracei.

— Valeu, Richie. Não se preocupe. Conheço outro caminho.

82

Corri de volta para o elevador e usei os engradados como escada para escalar o buraco no teto e passar pela tela quebrada. Saí pelo mesmo lugar de piso metálico em que tinha olhado para baixo e visto as fornalhas, e entrei em outro elevador. Subi por ele, passei pelo corpo apodrecido do dragão e escapei pelo túnel recém-construído até o escritório do capataz.

Eu não tinha um isqueiro e o céu estava encoberto. Chutei a porta para sair, tentei adivinhar para que lado ficava o sul e me esforcei para fazer uma rota de memória, batendo nas paredes e tropeçando nos meus próprios pés.

Ouvi gritos ao longe. Conversas animadas por perto. Pessoas gritando de janelas e por cima de muros. Rádios ligados aos berros para que vizinhos conseguissem acompanhar as notícias. Atravessei a rua Principal com a vaga intenção de seguir para o leste.

Havia tanta comoção nas ruas que arrisquei uma passada em casa. Não tinha ninguém esperando por mim lá, então juntei algumas coisas e segui em frente. Passei pela casa dos Steeme e peguei tudo que parecia valioso: abotoaduras de ouro, um relógio antigo e prataria de aparência cara. Eu queria tanto me deitar. Precisava fechar os olhos, mas sabia que, se fizesse isso, nunca mais me levantaria. Se parasse de me mover, a realidade me soterraria.

Sair de Sunder. Ir para o leste.

No limite da cidade, encontrei uma carroça lotada de viajantes. O motorista concordou em trocar alguns talheres por um dia de viagem. Então eu dormi.

Ao meio-dia, meu lugar na carroça foi cedido a um passageiro que pagou com moeda de verdade e não meia dúzia de garfos e colheres. Depois disso, ao seguir a jornada a pé, compreendi os avisos de Thurston.

Ele tinha razão. Sunder estava me protegendo.

Eu mal havia me aventurado para fora da cidade desde a Coda. Não o suficiente para saber como o restante do mundo funcionava agora.

Sunder tinha um prefeito humano, empresários humanos e uma população humana mais fortes do que a maioria das criaturas em volta. Outras espécies evitavam brigar conosco por medo de que o restante fosse tomar as dores depois. Eu me convenci de que estávamos todos apenas tentando seguir a vida. Que o estrago já estava feito. Mas assim que deixei as áreas sob influência de Sunder, descobri que o resto do mundo não era tão compreensivo.

Na estrada, dois fazendeiros elfos me viram e imediatamente começaram a atirar pedras. Uma hora depois, entrei em uma taverna de anões na beira da estrada. Levou apenas dez minutos para o lugar enlouquecer. Todo mundo tinha facões e machados, e só escapei porque disparei pelos fundos, me embrenhando na floresta e ficando escondido debaixo de um tronco em um pântano até de manhã.

Eu me mantive longe de todo mundo depois disso, roubando comida de armazéns ou passando fome. Tomei banho em riachos lamacentos e dormi o mais longe da estrada que tive coragem, sempre paranoico de que alguém pudesse encontrar meu corpo adormecido e me impedir de acordar.

Depois de um tempo, cheguei a Lipha, mas não sabia onde Carissa estava ou sequer se ela continuava lá. Tinha medo de fazer perguntas às pessoas, então encontrei uma torre de relógio perto da praça central e passei uma semana escondido lá em cima, espiando por entre as tábuas de madeira até finalmente vê-la caminhando pelo mercado.

Ela me acolheu. Não lhe dei muita opção. Ficamos na casa de hóspedes da prima dela, e ela deu um jeito nas minhas roupas e feridas. Eu estava fraco, esquálido e ainda em choque. Carissa não pareceu incomodada em ter que cuidar de alguém. Eu me esforcei ao máximo para ficar quieto, ser gentil e aceitar sua generosidade.

Quando estava mais saudável, pedi a ela que me trouxesse alguns livros da biblioteca e todos os jornais que conseguisse encontrar. Aí comecei o trabalho.

Os livros eram pela história. Os jornais eram pelo presente. Recortava qualquer matéria em que jornalistas ousados consideravam a possibilidade de que algum tipo de magia retornara. As coisas mais interessantes ficavam restritas aos folhetins de fofoca ou às cartas para o editor. De vez em quando, uma matéria de verdade citava algum cidadão que achava ter visto a magia de antigamente, mas os jornais sempre deixavam muito claro que se tratava de opiniões, não de fatos.

Aquilo mantinha minha mente ocupada, mas, conforme o tempo passava, fui me sentindo cada vez mais inquieto. Não gostava de ficar preso em um quarto, com medo de sair porque alguém poderia perceber que eu era humano ou notar as tatuagens em meu braço.

À medida que fui ficando mais forte, as partes mais antigas e incômodas da minha personalidade voltaram a dar as caras. Carissa ficou frustrada com essa minha obsessão pelas histórias. Eu explodia quando ela tentava me ajudar e não parava de falar merdas que a irritavam.

Então, um dia, ela me deu algo especial: uma edição da semana anterior do *Sunder Star*. Ela achou que talvez me interessasse ver como andava a vida em casa. Não estava enganada. A energia ainda não tinha sido religada, mas a Companhia Niles continuava seu trabalho. Havia uma entrevista com Eileen Tide sobre seus planos para uma nova biblioteca, e uma propaganda de meia página da Cirurgias Súcubo (acho que elas decidiram deixar a discrição para lá). O artigo que mais me chamou atenção falava sobre a construção de uma nova prisão de segurança máxima para substituir a Goela, junto com uma imagem do antigo prédio destruído.

Carissa não poderia saber o que aquela foto faria comigo, mas na semana seguinte fiquei ainda mais irritado. O problema da falta de autoestima é que, quando você está mal, é melhor ficar sozinho. Se estiver com outra pessoa, é capaz de começar a achar que esses problemas têm a ver com ela, ligando sua melancolia a quem quer que ouse estar próximo a você no momento.

Carissa não merecia isso. Se eu quisesse mesmo ser um bebezão intratável, cabeça quente, bebum e medíocre, então precisava estar em um lugar que aguentasse esse tipo de palhaçada. Um lugar tão poluído e malcomportado quanto eu. Um lugar feito de fogo, aonde os sonhos iam para morrer e os pesadelos não tinham medo de botar a cara a tapa.

— Você vai voltar? — perguntou ela, quando me viu arrumando a bolsa.

— Vou.

— Achei que tivesse dito que estava farto de Sunder.

— Eu sei. Mas preciso trabalhar, e não posso fazer isso aqui.

Ela se esforçou muito para não parecer aliviada.

— Se precisar de qualquer coisa, sempre pode me escrever.

— Obrigado. Quando estiver montando um time de heróis para salvar o mundo, pode deixar que te mando um telegrama.

Eu dera uma boa quantidade de bronze a Carissa para tirá-la de Sunder. Ela usou parte do dinheiro para me comprar uma passagem de volta. Fiquei de cabeça baixa a viagem inteira. Por todo o caminho entre Lipha e Sunder, o motorista foi a única alma que viu meu rosto.

A tarde já chegava ao fim quando subi a rua Principal. Ninguém me encarou. Ninguém ligava para quem ou o que eu era. Ninguém ligava, ponto. Quando passei por uma policial, ela não me olhou duas vezes, mas percebi a pistola pendurada em seu quadril.

Niles andara ocupado.

De volta ao escritório, larguei a bolsa e olhei em volta. Havia algumas cartas junto à porta: alguns folhetos de propaganda, o telegrama de Hildra e um envelopinho azul com um remetente na ilha de Mizunrum.

Ao idiota que, de alguma forma, me convenceu a não matá-lo,

Imagino que você tenha dado o fora da cidade também, mas se chegar a ler isso, mande uma carta para Keats. O diretor garantirá que ela chegue até mim. A não ser que você esteja morto, o que não me surpreenderia. Se não estiver, é bom cumprir sua palavra ou vou te encontrar nem que seja no inferno. Já consegui algumas pistas. Nada muito sério, só algumas histórias interessantes que podem te chamar a atenção. Não vou escrever sobre elas, mas venha me encontrar se quiser saber mais.

Não seja um babaca.

Linda.

Obs.: Lembra aquela mulher reptiliana que estava no meu escritório? Encontrei um jeito de ajudá-la. O agente funerário, Portemus, tem um creme que usa nos defuntos para preservar a pele. Funcionou muito bem para ela. Não se esqueça de dar um pote à Simms. Acho que você vai precisar de uma ajudinha para amolecer o coração dela.

Pus a carta no envelope e guardei na gaveta. Aí fui até a porta do anjo e abri. O inverno já estava quase terminando. Fiquei ali parado, sentindo o vento atravessar meu cabelo comprido e minha barba bagunçada.

Aí dei um passo à frente.

Finalmente.

Mas não caí.

— O nome é saída de emergência — disse uma voz atrás de mim.

Eu girei. Thurston Niles estava em meu escritório.

Sob meus pés, havia uma escada de metal que ziguezagueava pela lateral do edifício até lá embaixo. Havia até uma pequena barricada para evitar que eu caísse.

Odiei aquilo.

— O prefeito pediu que instalássemos essas escadas na rua Principal inteira: em parte, como medida de segurança, mas também para as portas de anjo terem uma utilidade. Melhorar os negócios, aumentar o preço dos imóveis, mostrar ao mundo que ainda temos um futuro.

Thurston abriu o blazer e tirou uma pistola do coldre. Era o protótipo de Victor. A minha máquina.

— Se veio aqui me matar, pode pelo menos me deixar pular? É meio que a minha parada já faz um tempo.

Thurston deu um passo à frente.

— Por que eu mataria você? Você fez o trabalho que te pedi, não fez? Encontrou o assassino do meu irmão e impediu que ele machucasse outras pessoas. Ótimo trabalho.

Lá estava aquele sorriso superior. Eu estava de saco cheio daquele sorriso, mas tinha a sensação de que ainda o veria muitas vezes. Thurston deixou a máquina em cima da mesa.

— Um presente. Temos muitas outras. Minhas fábricas estão funcionando sem parar desde que você foi embora. Mais pistolas. Mais construções. Para um homem dedicado como você, vejo tempos prósperos à frente.

Eu estava *mesmo* de saco cheio daquele sorriso.

— Desde que eu continue na linha, né?

Ele deu de ombros.

— Não sou seu inimigo, Fetch. Quando estiver mais tranquilo, tenho certeza de que vai perceber isso. Afinal de contas, amigos nunca são de mais.

Ele foi embora e esperei tudo que pude para pegar a pistola. Como era boa a sensação de tê-la de volta na minha mão. Eu odiava gostar tanto daquilo.

O telefone tocou.

— Fetch Phillips?

— Alô, você é o investigador? O que procura maneiras de fazer a magia voltar?

Eu me virei e olhei para a porta do anjo recém-reformada.

— Sim, senhora. Sou eu mesmo.

Ela me contou uma história sobre um gigante que invadiu sua cozinha e comeu toda a comida. Ninguém via gigantes nesta parte do mundo já fazia mais de seis anos, então fiz algumas anotações e marquei uma conversa com ela no dia seguinte.

Então, peguei meu casaco, o chapéu e saí.

Havia um festival à toda na rua Principal. Aquela era uma noite especial e cheguei bem a tempo de ver a animação. Conversíveis brilhantes buzinavam alegremente enquanto passavam por um desfile de pessoas dançando. Camelôs vendiam garrafas de cerveja e sacos de porquis. Músicos estavam nas escadas de incêndio cantando em comemoração enquanto mulheres jogavam confetes das janelas.

Segui em frente. Por mais que eu tentasse, não conseguia impedir o espírito festivo de me contagiar à força. O ritmo da música. O cheiro das frituras. O riso das crianças que corriam livremente entre as pernas da multidão. Era Sunder City, do jeito que Hendricks sempre a vira, porém, agora ela era real. Se ele estivesse ao meu lado, eu não teria conseguido caminhar. Ele nos pararia a cada dez segundos para experimentar alguma nova iguaria ou bater papo com todas as pessoas na rua.

Mas eu não era assim. Nunca seria. Atravessei a multidão como se fosse água e fui até o norte da cidade.

O céu estava sem nuvens e as folhas novas ficavam translúcidas sob o sol poente, brilhando em todos os tons de verde. Os galhos retorcidos estavam pintalgados com musgo e vestidos em delicados feixes de vinhas. Flores de um cor-de-rosa sutil, com botões brancos e lâminas longas de grama brotavam do tronco fibroso. A árvore inteira zumbia com borboletas e abelhas.

O tronco da árvore explodira da terra e erguera as paredes de concreto da Goela, fazendo-a em pedacinhos infinitos. Eles poderiam ter reconstruído a prisão ali mesmo, se cortassem a árvore. Mas para que tanto trabalho? Havia inúmeros silos já construídos que poderiam usar para fazer outra masmorra lamacenta.

Espalmei a mão no tronco dela. Sua pele era fresca. Áspera. Havia uma curva em um dos galhos. Quando pus os dedos ali, senti que ela também os segurava. Apertei. Ela era forte. Apoiei a testa em seu corpo e fechei os olhos. Sob as abelhas e o vento e o zumbido das fábricas, juro que conseguia ouvir sua respiração.

Eu me segurei e subi. Me agarrei nela, escalando seus braços até chegar ao ponto mais alto que pude. Ao me recostar em seu tronco, ela me abraçou como se eu estivesse de novo em sua cama de folhas.

O sol se pôs e o céu assumiu um azul profundo. Eu conseguia ver até o início da rua Principal, que pulsava com uma energia impossível. Todos estavam do lado de fora, na porta de casa, olhando para o céu.

Começou no lado sul da cidade. Uma bola de luz ao longe. Gritos de comemoração. Então outra luz. Mais perto. Mais alto. E cada vez mais, subindo quarteirão por quarteirão da rua Principal.

Então eu vi. Dois lampiões se acenderam, as chamas subindo para tocar as estrelas. Então mais dois. E mais dois. As chamas pintavam os prédios, os paralelepípedos e os rostos na multidão até que a cidade toda estava iluminada e cheia de fogo.

As luzes estavam de volta e, com elas, a esperança de que todas as outras coisas que imaginávamos estarem perdidas pudessem retornar um dia também. Apoiei a cabeça nos galhos e desejei que Amari pudesse ver o que tínhamos feito.

O povo de Sunder gritava de alegria. A música ficou mais alta e a cidade toda comemorou.

Então, outro som. Uma explosão, mas diferente das outras. Era uma máquina. Uma das pistolas produzidas em massa, na rua, se juntando à comemoração. A música parou. Pessoas gritaram. A multidão debandou. Outra pistola respondeu o disparo. Caos. Era uma orquestra de raiva e pânico, as pessoas sendo pisoteadas pelos seus vizinhos, fugindo daquele novo horror.

Mas o fogo continuou rugindo. Dançando, selvagem e brilhante. Ele não se importava com o que acontecia nas ruas. Os gritos não importavam para ele.

Uma lufada de vento atravessou a cidade, trazendo o cheiro de fumaça e enxofre até o topo da árvore.

E era cálida.

Agradecimentos

Enquanto escrevo isto, faltam alguns meses para o lançamento de *O último sorriso na cidade partida*, então é impossível separar este livro da experiência de lançar meu romance de estreia no mundo. Agradeço a todos que fizeram parte desta aventura até agora.

Em primeiro lugar, à minha amiga na coluna de resenhas, Jenni Hill. Muito da ansiedade desaparece quando sei que uma mente tão afiada vai revisar os meus textos antes que eles ganhem o mundo.

Ao meu agente, Alexander Cochran, por sua paciência e entusiasmo enquanto me esforço para aprender sobre um mercado totalmente diferente.

A todos na Hachette, na Orbit e na Little, Brown na Inglaterra, nos Estados Unidos e na Austrália. Tantas pessoas tão maravilhosas trabalhando nas capas, na assessoria de imprensa, no comercial e em todo o restante.

Não sou capaz de agradecer o suficiente por todo o trabalho, do qual nunca verei grande parte e, se visse, provavelmente não compreenderia.

Um obrigado especial a Toby Schmitz e Laurence Boxhall por serem os anfitriões do lançamento de *O último sorriso* na Austrália. Quando chegarem a ler isto, provavelmente terei muito mais gente a acrescentar à lista, então agradeço a vocês também.

À minha mãe e ao meu pai, de novo e sempre.

Obrigado a todos que leram meu primeiro livro e voltaram para o segundo. Obrigado a todos que comentaram sobre ele na internet ou o recomendaram a um amigo, e obrigado aos outros autores que me receberam neste mundo de braços abertos.

Escrever é uma profissão solitária, então é muito importante que, quando saio das sombras com minha resma de páginas, tantas pessoas estejam animadas para me ajudar a dividi-las com o mundo.

Obrigado a todos.

DIREÇÃO EDITORIAL
Daniele Cajueiro

EDITOR RESPONSÁVEL
André Marinho

PRODUÇÃO EDITORIAL
Adriana Torres
Júlia Ribeiro
Mariana Oliveira

REVISÃO DE TRADUÇÃO
Mabi Costa

REVISÃO
Rayana Faria

PROJETO GRÁFICO DE MIOLO
Larissa Fernandez Carvalho

DIAGRAMAÇÃO
Douglas Kenji Watanabe

Este livro foi impresso em 2022
para a Trama.